CHERUB

ŚWIADEK

Robert Muchamore

Tłumaczenie Bartłomiej Ulatowski

EGMONT

Tytuł oryginalny serii: *Cherub*
Tytuł oryginału: *The Killing*

Copyright © 2005 Robert Muchamore
First published in Great Britain 2005
by Hodder Children's Books

www.cherubcampus.com

© for the Polish edition by Egmont Polska Sp. z o.o.,
Warszawa 2008

Redakcja: *Agnieszka Trzeszkowska*
Korekta: *Anna Sidorek*
Projekt typograficzny i łamanie: *Mariusz Brusiewicz*

Wydanie pierwsze (w oprawie prostej), Warszawa 2010
Wydawnictwo Egmont Polska Sp. z o.o.
ul. Dzielna 60, 01-029 Warszawa
tel. 22 838 41 00

www.egmont.pl/ksiazki

ISBN 978-83-237-7450-1

Druk: Zakład Graficzny COLONEL, Kraków

CZYM JEST CHERUB?

CHERUB to komórka brytyjskiego wywiadu zatrudniająca agentów w wieku od dziesięciu do siedemnastu lat. Wszyscy cherubini są sierotami zabranymi z domów dziecka i wyszkolonymi na profesjonalnych szpiegów. Mieszkają w tajnym kampusie ukrytym wśród angielskich wzgórz.

DLACZEGO DZIECI?

Bo nikt nie podejrzewa ich o udział w tajnych operacjach wywiadu, co oznacza, że uchodzi im na sucho znacznie więcej niż dorosłym.

KIM SĄ BOHATEROWIE?

W kampusie CHERUBA mieszka około trzystu dzieci. Głównym bohaterem opowieści jest trzynastoletni JAMES ADAMS, ceniony agent mający na koncie już trzy udane misje. Dziesięcioletnia siostra Jamesa LAURA ADAMS również jest agentką, ale dopiero niedawno ukończyła szkolenie podstawowe. Urodzona w Hongkongu KERRY CHANG jest mistrzynią karate i dziewczyną Jamesa. Do kręgu jego najbliższych znajomych należą BRUCE NORRIS, GABRIELA O'BRIAN, SHAKEEL DAJANI, oraz bliźniaki CALLUM i CONNOR REILLY. Najlepszym przyjacielem Jamesa jest piętnastoletni KYLE BLUEMAN.

5

O CO CHODZI Z KOSZULKAMI?

Rangę agenta CHERUBA można rozpoznać po kolorze koszulki, jaką nosi w kampusie. Pomarańczowe są dla gości. Czerwone noszą dzieci, które mieszkają i uczą się w kampusie, ale są jeszcze zbyt młode, by zostać agentami. Niebieskie noszą nieszczęśnicy przechodzący torturę trwającego sto dni szkolenia podstawowego. Szara koszulka oznacza agenta uprawnionego do udziału w operacjach. Granatowa – taką nosi James – jest nagrodą za wyjątkową skuteczność podczas akcji. Wybitnie zasłużeni agenci CHERUBA kończą karierę, nosząc czarną koszulkę, znak rozpoznawczy najlepszych z najlepszych. Byli agenci oraz kadra noszą koszulki białe.

SIERPIEŃ 2004 r.

Obie trzynastolatki były ubrane w nylonowe szorty, bluz-
ki bez rękawów i klapki. Jane oparła się plecami o szarą
ścianę bloku i skupiła na odklejaniu przykurzonych pase-
mek włosów od spoconej twarzy. Kilka metrów dalej zady-
szana Hana rozciągnęła się na betonowych schodkach.

– Już sama nie wiem... – westchnęła Jane.

Westchnienie pozornie było pozbawione związku, ale
Hana zrozumiała. To był środek wakacji i jak dotąd najgo-
rętszy dzień roku. Dwie najlepsze przyjaciółki były bez pie-
niędzy, zirytowane upałem i trochę już zmęczone swoim
towarzystwem.

– Pocę się od samego patrzenia na nich – mruknęła Ha-
na, zerkając na chłopców kopiących piłkę na asfaltowym
placyku niespełna dwadzieścia metrów dalej.

– Też tak kiedyś zasuwałyśmy – zauważyła Jane. – To
znaczy nie za piłką. Wyścigi na rowerach... Takie tam.

Hana pozwoliła sobie na słaby uśmiech, kiedy jej myśli
popłynęły w przeszłość.

– Barbie Grand Prix – pokiwała głową, wspominając sie-
bie na różowym rowerku, migoczące w słońcu szprychy,
wiatr i podskoki na nierównościach chodnika.

Babcia Jane zawsze wychodziła przed blok z leżakiem, że-
by mieć dziewczynki na oku.

– Wszystko musiałyśmy mieć identyczne – powiedziała
Jane, w zamyśleniu podkurczając i prostując palce, co spra-
wiało, że jej klapek rytmicznie klaskał o piętę.

Wędrówkę aleją wspomnień brutalnie przerwała piłka, która świsnęła nad Haną i grzmotnęła w ścianę bloku centymetry od głowy Jane.

– Dżiiizas! – wrzasnęła Hana.

Rzuciła się naprzód, żeby nakryć ciałem piłkę, która podskakując na stopniach, wracała w stronę boiska. U stóp schodów pojawił się zadyszany chłopiec, mniej więcej dziewięcioletni, z koszulką Chelsea owiniętą wokół nadgarstka. Przy każdym wydechu na jego piersi pojawiała się choinka sterczących żeber.

– Podaj – sapnął dzieciak, wyciągając ręce przed siebie w oczekiwaniu na piłkę.

– Prawie dostałam w twarz! – wrzasnęła rozwścieczona Jane. – Mógłbyś chociaż przeprosić.

– To było niechcący.

Do schodów zbliżali się pozostali piłkarze zirytowani przedłużającą się przerwą w grze. Hana wiedziała, że to był tylko wypadek, i już miała oddać piłkę, kiedy jeden z chłopców zaczął pyskować. Był największy w grupie, dziesięciolatek z krótkimi rudymi włosami.

– Ej, kaszalot, dawaj piłkę.

Hana wtargnęła pomiędzy błyszczące od potu torsy. Stanęła przed rudzielcem, patrząc mu prosto w oczy i ściskając piłkę między dłońmi.

– Powtórzysz to, wiewiór?

Hana była o trzy lata starsza od dzieciaka, który z nią zadarł. Miała przewagę wysokości i masy. Wszystko, co malec mógł zrobić, to gapić się tępo na swoje najki, podczas gdy jego kumple czekali na ciętą ripostę.

– Co jest, kot zeżarł ci język? – rzuciła wyzywająco Hana, napawając się cierpieniem swojej ofiary.

– Chciałem tylko odzyskać naszą piłkę – powiedział rudy słabym głosem.

– To ją sobie weź.

Hana puściła piłkę i kopnęła ją, zanim dotknęła ziemi. W tej samej chwili pożałowała, że nie włożyła trampków. Piłka poszybowała w stronę boiska ścigana przez wirujący sandał.

Rudy skoczył i przechwycił sandał w locie. Uradowany niespodziewanie zyskaną przewagą podniósł zdobycz do nosa i skrzywił się.

– Nogi ci śmierdzą, dziewczyno. Nie wiesz, co to mydło?

Gruchnął złośliwy rechot. Hana sięgnęła po sandał, ale rudy błyskawicznie schował but za siebie i rzucił zza pleców do jednego z kolegów. Dziewczyna ruszyła chwiejnie w stronę nowego oprawcy. Drobiny żwiru wbijały się jej w stopy. Czuła się jak kompletna kretynka. Jak mogła dać się tak wrobić bandzie głupich małolatów?

– Oddawaj but, bo dostaniesz – warknęła.

Sandał znów zmienił posiadacza. Do akcji włączyła się Jane, pragnąc pomóc przyjaciółce.

– Oddaj to – zażądała, kipiąc gniewem.

Chłopcy śmiali się tym głośniej, im bardziej wściekały się dziewczęta. Już zaczęli rozpraszać się po podwórku, przewidując dłuższą zabawę w głupiego Jasia, kiedy Jane zauważyła, że na twarzach chłopaków gasną uśmiechy. Hana także wyczuła, że coś jest nie tak. Odwróciła się gwałtownie, by kątem oka dostrzec spadający obiekt, który w następnej chwili grzmotnął o ziemię. Spadł na schody prowadzące do klatki bloku, dokładnie tam, gdzie siedziała przed minutą.

Hana skamieniała ze zgrozy ze wzrokiem utkwionym w metalowej barierce przygiętej do ziemi od uderzenia. Zanim jej mózg znów podjął pracę, przerażeni chłopcy porzucili sandał i rozbiegli się we wszystkie strony. Hana spojrzała na podeszwę sfatygowanego trampka, a potem na opięte dżinsem pośladki wieńczące stertę poskręcanego metalu. Adrenalina uderzyła gorącą falą. Hana rozpoznała zmasakrowane ciało.

– Will...! Nie, na miłość boską!

Wyglądał na martwego, ale to nie mogła być prawda. Hana przycisnęła dłonie do twarzy i zaczęła krzyczeć tak głośno, że czuła, jak w gardle tańczą jej migdałki. Próbowała przekonać samą siebie, że to tylko sen. Takie rzeczy nie zdarzają się w prawdziwym życiu. Za chwilę obudzi się i wszystko będzie jak dawniej...

1. MUNDUREK

Przez ostatnie trzy lata George Stein pracował jako nauczyciel ekonomii w ekskluzywnej szkole Trinity Day pod Cambridge. Niedawno wyszły na jaw informacje sugerujące, że Stein może mieć powiązania z organizacją terrorystyczną Help Earth. (Wyjątek z wprowadzenia do misji Calluma Reilly'ego i Shakeela „Shaka" Dajaniego).

Czerwiec 2005 r.
Był piękny dzień, a osiedle w Cambridge promieniowało aurą dużych pieniędzy. Wygląd nieskazitelnych trawników kazał przypuszczać, że pielęgnują je profesjonalni ogrodnicy. James szedł obok Shakeela, śliniąc się na widok kosztownych ucieleśnień niemieckiej myśli technicznej lśniących na podjazdach przed domami. Obaj chłopcy czuli się niezręcznie w letnich mundurkach szkoły Trinity składających się z białej koszuli, krawata, szarych spodni z pomarańczowymi lampasami, pomarańczowo-szarego blezera i filcowej czapki w tych samych barwach.

– Mówię ci – jęknął James – choćbyś główkował nad tym nie wiem jak długo, nie wymyśliłbyś niczego bardziej kretyńskiego.

– No, nie wiem, James. Mogliśmy nosić pióra kuropatwy na czapkach czy coś...

– Albo te spodnie. Może i były dobre na chudy tyłek Calluma, ale ja dłużej w nich nie wyrobię!

Shaka wyraźnie bawiło cierpienie kolegi.

– To nie wina Calluma, że odpadł z misji w ostatniej chwili. Wszystko przez tego żołądkowego wirusa, który szaleje ostatnio w kampusie.

James skinął głową.

– Też to miałem w zeszłym tygodniu. Dwa dni przesiedziałem na kibelku.

Shak po raz milionowy spojrzał na zegarek.

– Chodźmy szybciej.

– A spieszy się nam? – zdziwił się James.

– To nie jest jakiś londyński powszechniak pełen obszarpanych fanów Arsenalu – wyjaśnił Shak. – Trinity to jedna z najlepszych prywatnych szkół w kraju i jej uczniom nie wolno snuć się po korytarzach, kiedy im się podoba. Musimy dotrzeć tam w przerwie między trzecią a czwartą lekcją, żeby móc wmieszać się w tłum.

James kiwnął głową.

– Jasne.

Shak zerknął na zegarek po raz milion pierwszy. Chłopcy skręcili w brukowaną alejkę o szerokości wystarczającej zaledwie dla jednego samochodu.

– Ruchy, James!

– Staram się – jęknął James. – Ale słowo daję, jak nie będę uważał, te gacie strzelą mi na tyłku.

Alejka skręciła między dwa duże domy, by wyprowadzić chłopców na zaniedbany park z trawą po kolana i zestawem pogiętych huśtawek. Po lewej stronie wznosiło się siatkowe ogrodzenie zwieńczone drutem kolczastym, oddzielające park od terenów Trinity Day. Za dnia główna brama była pod stałą obserwacją, dlatego dla Jamesa i Shaka jedyna droga do szkoły wiodła właśnie tędy.

Starannie unikając psich kup i śmieci, Shak zaczął przedzierać się przez trawę wzdłuż ogrodzenia, szukając wejścia przygotowanego poprzedniej nocy przez agenta MI5.

Wkrótce odnalazł wyciętą w siatce klapę osłoniętą od strony szkoły pniem wielkiego drzewa. Uniósł ją jedną ręką, a drugą zdjął czapkę.

– Tędy proszę, dobry człowieku – powiedział grubym głosem, niezbyt udatnie naśladując arystokratyczną manierę.

James przerzucił przez dziurę swój plecak i czapkę, po czym sam przeczołgał się na drugą stronę. Czekając, aż Shak zrobi to samo, stanął plecami do drzewa i otrzepał mundurek z ziemi.

– Wszystko gotowe? – zapytał, zarzucając plecak na ramię.

Plecak ważył tonę, a jego zawartość szczękała metalicznie przy każdym poruszeniu.

– Czapka – przypomniał Shak.

James schylił się z cichym stęknięciem i podniósł czapkę z trawy. W oddalonym o kilkaset metrów budynku szkoły zabrzmiał dzwonek na koniec lekcji.

– Zwijajmy się – rzucił Shak.

Chłopcy wyskoczyli zza drzewa i pobiegli w stronę szkoły przez boisko do rugby. Dopiero po chwili dostrzegli woźnego zmierzającego ku nim z przeciwnej strony.

– Hej, wy dwaj! – ryknął mężczyzna.

Ponieważ Jamesa włączono do misji w ostatniej chwili, w zastępstwie za chorego Calluma, nie wystarczyło mu czasu na gruntowne przestudiowanie materiałów wprowadzających. Teraz patrzył niepewnie na Shaka, nie bardzo wiedząc, jak zareagować.

– Spokojnie – szepnął Shak. – Zajmę się tym.

Woźny przechwycił chłopców w pobliżu bramki. Był postawnym mężczyzną o szarych, nieco już przerzedzonych włosach, ubranym w robocze buty i brudny kombinezon.

– Może łaskawie wytłumaczycie mi, co właściwie tutaj robicie? – zapytał pompatycznie.

– W przerwie na lunch czytałem sobie pod drzewem – wyjaśnił grzecznie Shak. – Zostawiłem tam czapkę, no i...

– Znacie regulamin szkoły czy nie?

Shak i James popatrzyli na siebie z zakłopotaniem.

– Nie próbujcie robić ze mnie głupka, znacie go równie dobrze jak ja. Uczniom, którzy nie uczestniczą w lekcji, meczu lub oficjalnym treningu, nie wolno wchodzić na boiska, gdyż powoduje to niepotrzebne zużycie nawierzchni – wyrecytował woźny.

– Tak, wiemy – skwapliwie zgodził się Shak. – Bardzo mi przykro. Biegliśmy, bo nie chcieliśmy się spóźnić na lekcję. To wszystko.

– Przepraszamy – dodał James. – Ale przecież boisko nie jest mokre ani nic. Niczego nie zniszczyliśmy.

Woźny potraktował komentarz jako próbę podważenia jego autorytetu. Pochylił się nad Jamesem i zaczął krzyczeć, bryzgając kropelkami śliny:

– Ja tu ustalam zasady, młodzieńcze! Nie ty będziesz decydował, kiedy ci wolno, a kiedy nie wolno biegać po moim boisku, jasne?!

– Tak jest, psze pana.

– Nazwisko i dom!

– Mail, Joseph, Dom Króla Henryka – skłamał James, przywołując jeden z nielicznych elementów swojej legendy, jakie zdołał zapamiętać z lektury materiałów wprowadzających.

– Asmal, Faisal, ten sam dom – powiedział Shak.

– No i pięknie – wycedził woźny, unosząc się nieznacznie na palcach stóp. – Opowiem o waszych wybrykach opiekunowi domu i spodziewam się, że za tę bezczelność zostaniecie surowo ukarani. A teraz jazda na zajęcia.

– Musiałeś się odszczekiwać? – wysyczał zirytowany Shak, kiedy chłopcy ruszyli w stronę wejścia do szkoły.

– Wiem, wiem, źle zrobiłem – powiedział James, unosząc ręce w obronnym geście. – Ale on był taki nadęty.

Chłopcy weszli przez podwójne drzwi do głównego budynku szkoły. Krótkie schodki wyprowadziły ich na zatłoczony korytarz biegnący przez całą długość parteru. Było gwarno jak to w szkole, ale chłopcy z Trinity poruszali się niespiesznie, dystyngowanie, uprzejmie kłaniając się nauczycielom czekającym przy drzwiach klas.

– Co za banda kujonów – wyszeptał James. – Założę się, że te sztywniaki nawet nie pierdzą.

W drodze na pierwsze piętro Shak objaśnił sytuację.

– Żeby dostać się do Trinity, każdy dzieciak musi zdać specjalny egzamin i wypaść jak trzeba na rozmowie kwalifikacyjnej. Chętnych nigdy nie brakuje, więc mogą sobie pozwolić na wykopanie każdego, kto odstaje od grupy.

– O ile zakład, że długo bym tu nie zabawił? – wyszczerzył się James.

Zanim dotarli na pierwsze piętro, większość uczniów znalazła już drogę na swoje zajęcia i drzwi klas były pozamykane. Shak wyjął pistolet do zamków z kieszeni blezera. Minął jeszcze kilka sal i zatrzymał się przed drzwiami ozdobionymi tabliczką z napisem: *Dr. George Stein BSc, PhD, dziekan wydziału ekonomii i politologii.*

Shak wcisnął końcówkę pistoletu w dziurkę od klucza. James stanął blisko kolegi, żeby zasłonić go przed grupą uczniów, którzy czekali przy drzwiach klasy kilkanaście metrów dalej. Zamek miał prosty jednozapadkowy mechanizm. Shak musiał tylko lekko pokręcić końcówką i nacisnąć spust, by drzwi stanęły otworem. Chłopcy wśliznęli się do gabinetu i zamknęli drzwi na zasuwkę, by nikt z zewnątrz nie mógł ich otworzyć, nawet gdyby miał klucz.

– Stein prowadzi teraz lekcję dwa piętra wyżej – powiedział Shak. – Mamy czas do następnej przerwy, czyli trzydzieści sześć minut. Do roboty.

2. TECHNIKA

Shak okrążył biurko Steina i opuścił żaluzje. Tymczasem James obejrzał sobie gabinet. Wyposażenie trudno było nazwać ekstrawaganckim; składało się nań proste biurko, krzesła, dwie szafki kartotekowe i wieszak na płaszcze. Za pomocą pistoletu do zamków Shak włamał się do metalowej szuflady i zaczął przeglądać papiery. Szukał dokumentów mających związek z życiem osobistym George'a Steina, a zwłaszcza z jego działalnością na rzecz organizacji obrońców środowiska.

James zasiadł za biurkiem i włączył komputer Steina. Czekając na załadowanie systemu, wyjął z plecaka miniaturowy notebook JVC, po czym szybko skonfigurował połączenie sieciowe pomiędzy dwoma komputerami. Maszyna Steina zażądała hasła, ale James był na to przygotowany. Uruchomił pakiet narzędzi hakerskich na notebooku i użył go do przeprowadzenia diagnostyki systemu w komputerze Steina.

Gdy program zgromadził już podstawowe dane o twardym dysku i systemie operacyjnym, James otworzył kolejny moduł hakerski, by przejrzeć pliki na chronionym komputerze.

– Jak dziecku lizaka – mruknął z zadowoleniem.

Mając już dostęp do plików, James kliknął na moduł klonowania i notebook zaczął kopiować całą zawartość komputera Steina na własny dysk.

– Ile tego jest? – zapytał Shak, otwierając drugą szufladę szafki.

– Osiem i dwa giga. Program podaje, że kopiowanie potrwa sześć minut.

Podczas gdy komputery pracowały, James rozgarnął papiery na biurku i stanął na blacie. Sięgnął w górę, by ściągnąć niklowaną kratkę osłaniającą dużą lampę sufitową. Strząśnięty z niej kurz łaskotał go w nozdrza, kiedy badał wzrokiem szereg świetlówek nad głową.

– Zgaś światło, Shak.

Shak wychylił się i pstryknął wyłącznik. James sięgnął w głąb lampy, by wymontować z niej jeden ze starterów świetlówek. Następnie przyciągnął do siebie plecak i wygrzebał z niego identyczny plastikowy cylinderek, jednak choć starter wyjęty z lampy kosztował niecałego funta, jego zamiennik był wart trzy tysiące. Było to urządzenie podsłuchowe złożone z mikrofonu wielkości główki od szpilki, nadajnika oraz układu scalonego zdolnego zapamiętać pięć godzin nagrania. Urządzenia oświetleniowe są doskonałym miejscem do zakładania podsłuchów, po pierwsze dlatego, że często umieszcza się je wysoko, gdzie nic nie ogranicza pola słyszenia, a po drugie dlatego, że umożliwiają łatwe wykorzystanie sieci elektrycznej jako źródła zasilania dla pluskiew.

Kiedy James energicznie schylił się po kratkę, by zamontować ją na lampie, usłyszał złowrogi trzask, na który czekał z obawą od samego rana. Jego spodnie rozerwały się wzdłuż szwu w kroku, odsłaniając parę bajecznie kolorowych bokserek.

Shak nie zdołał powstrzymać śmiechu.

– Fajne gatki, James – powiedział, włączając światło.

– O bracie, co za ulga – sapnął James. – Może jednak będę mógł mieć dzieci. Co dalej?

– Klucze – przypomniał Shak.

– Zakładając, że je tu zostawił – powiedział James, kierując się w stronę kurtki na wieszaku przy drzwiach. Wyłowiwszy z jej kieszeni pęk kluczy, wrócił do plecaka po zestaw woskowych tabliczek. Tymczasem Shak znalazł w szafce jakieś interesujące dokumenty i kopiował je za pomocą ręcznego skanera.

Każda tabliczka rozdzielała się na dwa listki wielkości herbatnika. James ściskał klucze Steina między połówkami, tworząc odciski, które mogły posłużyć do sporządzenia duplikatów. Zanim uporał się z całym pękiem, laptop zadźwięczał cichym akordem, sygnalizując, że zakończył kopiowanie. James usiadł za biurkiem i za pomocą pakietu hakerskiego zainstalował program szpiegujący w komputerze Steina. Szpieg miał rejestrować każde naciśnięcie klawisza i każdą operację wykonywaną w systemie oraz za pośrednictwem internetu przesyłać te informacje do stacji obserwacyjnej MI5 w Caversham.

Shak, który właśnie skończył przeszukiwać szafki, wyjął z plecaka niewielką metalową skrzynkę. Posklejana kawałkami taśmy izolacyjnej i ze sterczącymi kablami wyglądała jak dzieło szalonego naukowca. Był to przyrząd, którego jedynym przeznaczeniem było zarejestrowanie i odtworzenie sygnału pilota do alarmu w samochodzie Steina. Shak włączył urządzenie, przytykając kable do końców baterii AA. Przełącznik na skrzynce przerzucił w pozycję „odbiór" i poprosił Jamesa, by wcisnął guzik w pilocie Steina. Musieli spróbować kilka razy, zanim zielona dioda obok przełącznika zamrugała na znak, że sygnał został pomyślnie zarejestrowany.

– To wszystko? – zapytał James.

Shak skinął głową i zerknął na zegarek.

– Sześć minut przed czasem.

Chłopcy dokonali ostatnich oględzin, upewniając się, że zabrali cały sprzęt, i ustawili każdą rzecz tam, gdzie ją zna-

leźli. Kiedy rozległ się dzwonek, wyskoczyli na korytarz i ruszyli w stronę schodów wiodących na parter. James miał świadomość powiększającej się dziury w spodniach, ale uczniowie Trinity zdawali się niczego nie dostrzegać.

Za głównym wejściem do budynku chłopcy skręcili w lewo. Po pochyłym betonowym podjeździe zeszli do niedawno wybudowanego kompleksu sportowego, pod którym, jak wiedzieli z dokumentacji misji, znajdował się parking dla nauczycieli. Weszli do szatni, gdzie grupa dziesięcioklasistów szykowała się do WF-u. Wdychając mdły odór potu, szybkim krokiem przemierzyli korytarz o ścianach wyłożonych starymi fotografiami szkolnych drużyn rugby. Kiedy znaleźli drzwi wychodzące na parking, James obejrzał się, po czym przeszli pod znakiem „Tylko dla kadry" i zbiegli po betonowych schodach.

Parking był dziewiczo nowy. Jaskrawopomarańczowych linii rozdzielających miejsca parkingowe nie szpecił ani jeden czarny ślad opony. Chłopcy szybko odszukali srebrnego hatchbacka Steina. Shak wydobył z kieszeni metalową skrzynkę i przestawił przełącznik w pozycję „nadawanie", podczas gdy James wsunął klucz dilerski w zamek po stronie kierowcy. Klucz otwierał wszystkie egzemplarze tego modelu, ale nie zawierał mikroukładu niezbędnego do uciszenia alarmu.

– Gotów? – zapytał James, czekając na skinięcie Shaka.

– Trzy, dwa, jeden, teraz.

Przekręcił kluczyk. Alarm ćwierknął, ale natychmiast zamilkł wyłączony przez przyrząd Shaka. James zanurkował na miejsce kierowcy i sięgnął na drugą stronę, by wysunąć grzybek zamka w drzwiach pasażera. Nie czekając, aż Shak wgramoli się do środka, maksymalnie odchylił oparcie fotela, by móc zająć się lampką na środku sufitu. Podważył kluczykiem matowy klosz i wyjął żarówkę wraz z plastikową oprawką. W miejsce oprawki Shak wcisnął zamiennik zawierający urządzenie podsłuchowe. James wkręcił z powrotem żarówkę i zamontował klosz.

Shak pospiesznie przetrząsnął schowek, przeglądając porzucone tam rozmaite recepty i papiery w poszukiwaniu czegokolwiek interesującego. Kilka dokumentów rozłożył płasko na wieku schowka i skopiował ręcznym skanerem. James przeszukał tylne siedzenie i schowek w drzwiach po stronie kierowcy, ale znalazł tylko atlas drogowy i mnóstwo pogniecionych papierowych kubków.

– To wszystko? – zapytał James, podnosząc oparcie do poprzedniej pozycji.

Shak skinął głową.

– Teraz musimy tylko stąd zwiać i nie dać się złapać.

James zaczął wysiadać, ale w tej samej chwili dostrzegł szczupłą kobiecą sylwetkę wyłaniającą się z wejścia do klatki schodowej.

– Cholera – szepnął i delikatnie przymknął drzwi samochodu.

Shak pochylił się, by zerknąć na tyczkowatą kobietę, która zapaliła papierosa i wsysała dym tak łapczywie, jakby od tego zależało jej życie. Chłopcy nie mieli innego wyjścia, jak tylko zsunąć się jak najniżej w swoich fotelach i czekać.

Kiedy kobieta skończyła palić i zniknęła na schodach, James i Shak odczekali jeszcze kilka minut, po czym ruszyli za nią. Plan misji nakazywał im ukryć się na tyłach kompleksu sportowego i odczekać jeszcze pół godziny do końca lekcji, kiedy mogliby wyjść przez główną bramę wraz z prawdziwymi uczniami.

Mijając szatnię po raz drugi, James zauważył, że nauczyciel WF-u nie zamknął drzwi, kiedy uczniowie wyszli na lekcję. Jego uwagi nie uszedł też ponad tuzin szaro-pomarańczowych spodni Trinity kusząco rozrzuconych po całym pomieszczeniu.

– Czekaj tu i patrz, czy nikt nie idzie – powiedział James.
– Zorganizuję sobie jakieś spodnie.

Shak nie był zachwycony tym nieplanowanym opóźnieniem, ale uznał, że sam przecież też nie chciałby wracać do kampusu z wielką dziurą na tyłku.

James przerzucił kilka par spodni. Był nieco większy niż przeciętny trzynastolatek, ale nie aż tak duży jak dziesięcioklasista. W końcu znalazł spodnie, które wyglądały na odpowiednie. Szybko zsunął buty i przebrał się. Wiedząc, że nie ma czasu na przekładanie zawartości kieszeni, po prostu zwinął podartą parę w kulę i wcisnął do plecaka pomiędzy pozostałe rzeczy. Potem wyszedł z szatni i ruszył w stronę wyjścia.

– Czekaj – rzucił Shak.

James obejrzał się.

– Co jest?

– Nic, tylko kiedy się przebierałeś, wyjrzałem przez szybę, żeby zobaczyć, co jest za tymi drzwiami. – Shak wskazał na drzwi. – Możemy pójść tędy, zamiast obchodzić cały budynek dookoła.

James przeszedł na drugą stronę korytarza i wyjrzał przez szybkę w drzwiach. Prowadziły na tyły budynku. James wzruszył ramionami.

– Czemu nie?

Nacisnął klamkę i pchnął drzwi ramieniem. W tej samej chwili plastikowa skrzynka nad drzwiami rozdzwoniła się przeraźliwym terkotem. Chłopcy wymienili przerażone spojrzenia. Z jednej z sal gimnastycznych wypadł olbrzymi nauczyciel WF-u i sapiąc ze złości, ruszył prosto na nich.

– W co wy się tu zabawiacie, do diabła?!

– Znikamy? – zapytał James.

Zamiast odpowiedzi James usłyszał cichnące popiskiwanie podeszew Shaka, który pełną parą pomknął do wyjścia.

3. WŁOSY

Laura, siostra Jamesa, marzyła o przefarbowaniu włosów na czarno, odkąd skończyła sześć lat, ale mama nie pozwalała jej na to niezależnie od tego, jak bardzo prosiła. Jedyną rzeczą, która powstrzymywała Laurę od spełnienia marzeń w ciągu dwóch lat od śmierci mamy, było poczucie, że okazałaby w ten sposób brak szacunku dla jej pamięci. Ostatecznie zdecydowała się na to po długich namowach swojej najlepszej przyjaciółki Bethany Parker, która przysięgała, że kupiła farbę niechcący. Laura nie potrafiła sobie wyobrazić, jak można przypadkiem kupić farbę do włosów, i nie wierzyła Bethany nawet przez milisekundę, ale kiedy farba stała już na półce w łazience, nie mogła oprzeć się pokusie.

Rezultat okazał się całkiem zadowalający, zwłaszcza kiedy Laura włożyła koszulkę Linkin Park, postrzępione dżinsy i zmierzwiła włosy w niedbałą strzechę. Nie była jednak do końca pewna siebie i nie potrafiła powstrzymać się przed zerkaniem na swoje odbicie w każdej lustrzanej powierzchni, jaką mijała, jak gdyby tysięczne spojrzenie mogło ujawnić jakąś oszałamiającą prawdę, niedostrzeżoną w dziewięciuset dziewięćdziesięciu dziewięciu poprzednich.

Laura szła korytarzem w stronę sali odpraw przedtreningowych. Była w paskudnym humorze. Na ostatnich zajęciach przyczepili się do niej czterej chłopcy, którzy do końca lekcji nabijali się z jej włosów. Nie wzięła przytyków do siebie, bo byli to zwyczajni idioci, którzy naśmiewaliby się z każdej nowej fryzury lub ubrania, niemniej jednak musiała ich znosić przez większą część godziny, co wprawiło ją w nastrój ponurej irytacji. Najgorsza była konieczność przyjmowania z uśmiechem wszystkiego, czym w nią rzucali. Najdrobniejszy gest sugerujący, że udało się jej dopiec, tylko rozochociłby oprawców.

Przekroczywszy próg sali odpraw, Laura zerknęła na zegarek, po czym skierowała się w stronę długiej ławy oznaczonej plastikową tabliczką z napisem „Zespół D". Zespoły od A do C, każdy liczący pięć osób, były już w komplecie i zajmowały sąsiednie stoły. Grupie C przewodziła dziewczyna Jamesa Kerry Chang wspólnie ze swoją najlepszą przyjaciółką Gabrielą. Liderem Zespołu A był najlepszy przyjaciel Jamesa Kyle Blueman.

Laura usiadła obok Bethany Parker. Brat Bethany Jake zajął miejsce naprzeciwko siostry, zaś Dana „Śmierdziel" Smith na drugim końcu ławki, tak daleko od pozostałych, jak tylko się dało.

Jake miał dziewięć lat. Nie mógł przystąpić do szkolenia podstawowego, dopóki nie skończył dziesięciu, ale jego edukacja już teraz była ukierunkowana na uczynienie zeń agenta CHERUBA. Poza normalnymi lekcjami Jake regularnie uczęszczał na treningi karate i dżudo oraz już niemal płynnie mówił po hiszpańsku i francusku. Teraz miał po raz pierwszy poczuć przedsmak prawdziwego szkolenia w stylu CHERUBA jako najmłodszy członek Zespołu D.

Dana była czternastoletnią chłopczycą, którą zwerbowano do CHERUBA w australijskim domu dziecka. Usiadła z nogami wyciągniętymi przed siebie i rękami w kieszeniach brudnej wojskowej kurtki. Była wykwalifikowaną agentką już od czterech lat, ale choć imponująca sprawność fizyczna zapewniła jej liczne sukcesy w turniejach karate i aż trzy zwycięstwa w dorocznych mistrzostwach CHERUBA w trójboju, jej wyniki operacyjne nie były spektakularne i Dana wciąż nosiła szarą koszulkę.

Odsuwając krzesło, Laura zdobyła się na słaby uśmiech.

– Cześć, Dana.

– Cześć, szefowo – rzuciła Dana ze swoim australijskim akcentem, ani na chwilę nie porzucając pozy w stylu „nikt mnie nie lubi, ale mam to gdzieś".

Laura zdążyła już odkryć, że bycie jedną z najmłodszych granatowych koszulek w kampusie ma także swoje minusy. Oczywiście satysfakcja była niemała, ale w towarzystwie o wiele starszych agentów, których przewyższała rangą, Laura czuła się co najmniej niezręcznie.

– Gdzie twój brachol? – spytała Dana, kiedy Laura przysunęła się do stołu.

– Jamesa nie będzie na odprawie – odpowiedziała Laura. – Będę musiała zrobić dla niego notatki. Przed ósmą powinien wrócić.

– Ale paskudna fryzura – wtrącił Jake.

Laura zacisnęła pięść.

– Nie tak paskudna, jak zaraz będzie twoja twarz.

– Ale się boję – prychnął Jake.

Laura spojrzała na Bethany i pokręciła głową.

– Chłopaki to takie matoły...

– Wiem coś o tym – mruknęła Bethany, rzucając bratu mordercze spojrzenie.

Nagle zapadła cisza. Do klasy wmaszerował najbardziej bezlitosny z instruktorów CHERUBA, pan Large, a za nim dwaj jego asystenci – pan Pike i pan Greaves. Młodsi mężczyźni doskonale pasowali do modelu instruktora CHERUBA: dobiegający trzydziestki, wysocy, krzepcy, o posturach bokserów wagi ciężkiej. Obaj byli niegdyś agentami CHERUBA, którzy po zakończeniu służby wybrali karierę w wojskowych oddziałach specjalnych.

Large'a bali się wszyscy, ale Laura miała więcej powodów do strachu niż inni. Szef instruktorów wciąż żywił do niej śmiertelną urazę za wtrącenie go szpadlem do dołu z błotem.

– Cisza, świnie! – wrzasnął Large i trzasnął drzwiami klasy.

Bethany nachyliła się do ucha Laury.

– Wąsy mu urosły – wyszeptała. – Wygląda, jakby przykleił sobie szczura.

Laura mimo woli wyobraziła sobie Large'a z taśmą klejącą przymierzającego szczura przed lustrem i nie zdołała powstrzymać chichotu. Sekundę później znalazła się pod ostrzałem.

– Co cię tak śmieszy, młoda damo?

– Nic, psze pana – wycedziła Laura zła na siebie za tę idiotyczną wpadkę.

Przyciągnięcie uwagi Large'a było najgorszą rzeczą, jaką mogła zrobić.

– Śmiejesz się z niczego? Co z tobą? Zdurniałaś do reszty? Co tak siedzisz, dziewczyno?! Kiedy rozmawiasz ze mną, masz stać na baczność!

Laura zerwała się gwałtownie.

– Widzę, że masz granatową koszulkę – parsknął Large. – I masz czarne włosy, które tak świetnie pasują do twojego małego czarnego serca. Myślę o tobie każdego ranka, Lauro Adams, kiedy budzi mnie koszmarny ból w plecach. W tej chwili powinienem być w Norwegii i prowadzić podstawówkę z panem Speaksem i panną Smoke. Niestety, przez moje chore plecy muszę tkwić tutaj i oglądać twoją wredną tłustą gębę. Jesteś zwykłą rzygowiną, Lauro Adams! Czym jesteś?

– Rzygowiną, sir! – odkrzyknęła Laura, kipiąc z wściekłości na wspomnienie tortur, jakim Large poddawał ją podczas szkolenia podstawowego. Czułaby się winna, gdyby zraniła kogokolwiek innego, ale nie jego.

– Do tablicy. Za chwilę pomożesz mi przy małej demonstracji.

Sapiąc ze złości, Laura pomaszerowała do tablicy. Large potoczył wzrokiem po klasie.

– Czy wszyscy już są?

Po krótkiej pauzie sam domyślił się odpowiedzi.

– Gdzie jest brat rzygowiny?

– Dziś rano wysłali go na misję – wyjaśniła Bethany. – Do ósmej powinien wrócić.

– Pięknie – sapnął Large, mierząc Laurę złym wzrokiem, jak gdyby to ona była temu winna.

Laura oparła się o tablicę. Gabriela i Kerry spojrzały na nią ze współczuciem i wzruszyły ramionami, jakby mówiły: „Nic na to nie poradzisz". Large zmienił temat.

– A zatem, moje słodkie bułeczki, nasze ćwiczenie stworzono po to, by dać wam pewne doświadczenie w pracy zespołowej w warunkach silnej presji. Dla niektórych z was będzie to pierwsze spotkanie ze szkoleniem poligonowym, podczas gdy starsi uczestnicy będą mieli okazję wypróbować swoje zdolności przywódcze i zespołotwórcze. Podstawowe zasady są następujące: w ćwiczeniu biorą udział cztery pięcioosobowe drużyny. Każdej przewodzi doświadczony agent w randze granatowej lub wyższej. Resztę zespołu tworzy troje agentów w randze szarej lub granatowej oraz jeden dziewięcioletni junior, dla którego będzie to pierwsze doświadczenie z zaawansowanym szkoleniem CHERUBA. Każdy członek drużyny otrzyma sześć jajek ze swoim imieniem wypisanym na skorupkach. To trzydzieści jajek na zespół. Macie je nosić przy sobie przez cały czas ćwiczenia. Po przetransportowaniu do ośrodka treningowego SAS cztery drużyny zostaną wpuszczone na teren poligonu do walk ulicznych dziś o godzinie dwudziestej zero zero. Zwycięży zespół, który będzie miał najwięcej całych jajek dwanaście godzin później, czyli o godzinie ósmej zero zero jutrzejszego ranka. W zmotywowaniu waszych małych móżdżków do wytężonej pracy powinna pomóc świadomość, że tuż po zakończeniu ćwiczenia drużyna z najmniejszą liczbą jajek weźmie ekstradługi lodowaty prysznic, po czym dotrzyma mi towarzystwa w dziesięciokilometrowym biegu terenowym, dźwigając plecaki ze sprzętem. O taktyce decyduje przywódca drużyny. Możecie być bierni i ukrywać się albo aktywnie polować na przeciwników, by zniszczyć ich jajka. Na terenie poligonu znajdziecie różne rodzaje przydatnego sprzętu. Pozostałe zasady: jeniec, który oddał swoje jajka, musi zostać natychmiast zwolniony. Ponadto nie wolno nikomu zdejmować ubrania ochronnego, stosować tortur fizycznych ani strzelać z odległości mniejszej niż trzy metry. Aha, i nie wolno kopać w jądra.

Dziewczęta wydały z siebie jęk zawodu.

– Wszyscy otrzymacie lokalizatory wyposażone w przycisk alarmowy. Dzięki nim będę zawsze wiedział, gdzie jesteście, i będę mógł interweniować, kiedy ktoś złamie zasady albo dojdzie do jakiegoś wypadku. Będziecie też obserwowani przez kamery rozmieszczone na terenie poligonu. Dźwięk syreny oznacza koniec ćwiczenia albo przerwanie działań, jeżeli w nagłej sytuacji zajdzie potrzeba ich zawieszenia. Zostaniecie wyposażeni w najnowszy wynalazek w dziedzinie technik symulacji działań bojowych. Mam na myśli amunicję ćwiczebną opracowaną na potrzeby amerykańskiej piechoty morskiej. Aby zademonstrować wam różnicę pomiędzy nowym systemem a zwyczajnym paintballem, skorzystam z pomocy mojej szpetnej asystentki, panny Rzygowiny.

Large wręczył Laurze drewnianą płytkę o wymiarach trzydzieści na trzydzieści i grubości dwóch centymetrów.

– Trzymaj to przed sobą i stań po drugiej stronie sali.

Kiedy tylko Laura znalazła się pod przeciwległą ścianą, Large wziął z biurka karabinek paintballowy i oddał jeden strzał. Kulka rozbiła się o drewno z głośnym plaśnięciem, a Laura poczuła, jak rozbryzg liliowej farby ochlapuje jej nagie ramiona.

– Niemal żadnej energii, krótki zasięg, marna celność – skomentował Large, odrzucając broń z wyrazem pogardy na twarzy. – A teraz spróbujemy czegoś innego.

Wziął z biurka karabin szturmowy.

– To prawdziwa broń: szturmowy AK-M produkcji węgierskiej. W ciągu minionego półwiecza nie było wojny, w której żołnierze jednej lub obu stron nie używali jakiejś odmiany kałasznikowa. To dlatego, że są lekkie, proste i imponująco niezawodne.

Large chwycił bananokształtny magazynek, wcisnął go w gniazdo na spodzie karabinu i przestawił selektor na ogień pojedynczy.

– Choć z radością ostrzelałbym Rzygowinę ostrą amunicją, ten AK jest załadowany nabojami ćwiczebnymi. Dzięki nim wasze ćwiczenia poligonowe będą tak realistyczne, jak tylko mogą być bez rozdawania wam prawdziwych nabojów, byście mogli się nawzajem pozabijać.

Large wycelował w drewniany kwadrat i nacisnął spust. Rozległ się donośny trzask. Trysnęła farba, deseczka wybuchła fontanną drzazg, a Laura zatoczyła się do tyłu. Kiedy odzyskała równowagę, na środku tabliczki ujrzała szeroką wyrwę.

– Ze względu na dużą energię kinetyczną pocisków będziecie walczyć w hełmach i kombinezonach ochronnych – ciągnął Large. – Nie zdejmujcie ich, chyba że w razie palącej potrzeby. Otrzymacie manierki z rurkami do picia przez opuszczoną przyłbicę. Jeśli komuś zechce się siku, niech znajdzie bezpieczne miejsce i upewni się, że ktoś go osłania. Jeśli nie chcecie stracić wzroku, musicie przez cały czas chodzić w hełmach i z opuszczonymi przyłbicami.

Kerry uniosła rękę.

– Tak, słoneczko?

– Sir, jakie są zasady na wypadek trafienia? Mamy leżeć bez ruchu przez dziesięć minut czy co?

Szczur pod nosem Large'a nastroszył się, kiedy olbrzym wykrzywił twarz w jednym z najpaskudniejszych swoich uśmiechów.

– Amunicję nowej generacji opracowano zgodnie z założeniem, że ćwiczący, który boi się trafienia, będzie na poligonie zachowywać się tak jak na prawdziwym polu walki. Nie będzie sprytnej elektroniki, która powie wam, że zostaliście trafieni, ani reguł mówiących, jak długo macie leżeć na ziemi. Zasada jest prosta: kiedy obrywasz, boli jak diabli.

4. UCIECZKA

James i Shak wybiegli na betonowy podjazd ścigani przez wściekłego wuefistę. Od głównej bramy dzieliło ich niespełna pięćdziesiąt metrów, ale zamek był sterowany zdalnie z wnętrza budynku i nie było mowy o tym, by zdążyli przedostać się na drugą stronę, zanim dopadnie ich nauczyciel. Jedynym wyjściem pozostawał otwór w siatce, przez który weszli na teren szkoły, ale ten znajdował się po drugiej stronie głównego budynku.

Wparowali do szkoły głównym wejściem. James odważył się zerknąć przez ramię. Wuefista miał ponad dwa metry wzrostu, posturę rugbisty i najwyraźniej ich doganiał. Na domiar złego chłopcy byli w butach na płaskiej podeszwie, które ślizgały się beznadziejnie na wypolerowanym parkiecie. Kiedy dotarli do schodów prowadzących na boiska, nauczyciel był tuż za nimi. Zyskali lekką przewagę, zjeżdżając po metalowej poręczy, ale sztuczka omal nie ugodziła w nich rykoszetem. James rozpędził się tak bardzo, że po zeskoku nie zdołał wyhamować i grzmotnął w drzwi, na chwilę tracąc równowagę.

Minęła dłuższa chwila, zanim oczy Jamesa przywykły do popołudniowego słońca. Serce podeszło mu do gardła na widok tłumu jedenastoklasistów zajmujących oba boiska. Grali w piłkę i James miał nieprzyjemne przeczucie, że spróbują go osaczyć, jeśli zdecyduje się na szarżę przez środek meczu z rozjuszonym wuefistą na ogonie. Zawahał się.

W tej samej chwili Shak wystrzelił w bok, demonstrując zadziwiającą wprost zwrotność, a James stracił równowagę staranowany od tyłu przez nauczyciela. Włochata ręka zacisnęła się wokół jego tułowia.

– Hej, wy! Bierzcie tego drugiego! – zawołał nauczyciel z ustami tuż przy uchu Jamesa, wolną ręką wskazując Shaka.

Nauczyciel był pewien, że schwytał Jamesa w chwili, gdy objął go ramieniem, ale nie mógł wiedzieć, że nie ściga ucznia Trinity Day, tylko agenta CHERUBA po zaawansowanym szkoleniu w technikach samoobrony. James pochylił się i wykonał prosty rzut dżudo, wykorzystując impet znacznie cięższego od siebie przeciwnika do przerzucenia go przez własne plecy. Wielkolud huknął grzbietem o wysuszoną ziemię.

Istniała szansa, że uderzenie obezwładniło nauczyciela, ale jego wygląd sugerował, że jest na to zbyt twardy. Prawdopodobnie rozsierdziło go to tylko jeszcze bardziej, a ponieważ James nie życzył sobie, by dalej go ścigano, niewiele myśląc, wymierzył swojemu prześladowcy mocny cios w podstawę nosa.

Wuefista wrzasnął z bólu i ukrył twarz w dłoniach. James poderwał się, pospiesznie lustrując otoczenie i oceniając swoje szanse. Shak był już prawie po drugiej stronie boiska. Na ogonie siedziała mu cała drużyna piłkarska, ale wyglądało na to, że zdąży dopaść dziury w ogrodzeniu i wydostać się na zewnątrz. Jednak James wiedział, że poznawszy umiejscowienie dziury, piłkarze nikogo już przez nią nie wypuszczą. Pozostała mu tylko jedna droga ucieczki: górą, przez ogrodzenie z drutem kolczastym.

Najbliższy odcinek płotu odgradzał szkołę od podwórek kilku domów. James miał do niego mniej niż pięćdziesiąt metrów, ale drogę odcięli mu trzej piłkarze. Wybrał najmniejszego z nich – mimo to wciąż większego od siebie

– i ruszył prosto na niego. Chłopak opuścił głowę i roz-
postarł ramiona. James zamarkował skręt w lewo i wykonał obrót, wywijając się z prawej strony. Zanim zdążył odzyskać równowagę, zderzył się z drugim piłkarzem, który
silnym pchnięciem w plecy rzucił go na ziemię. Stosując
technikę, jakiej nauczył się na treningach karate, James
wykonał przewrót i błyskawicznie poderwał się do biegu.
Teraz miał wolną drogę do samego ogrodzenia. W ideal-
nej sytuacji miałby czas na osłonięcie blezerem drutu kol-
czastego na szczycie płotu, ale zaczepiony na ramionach
ciężki plecak uniemożliwiał szybkie pozbycie się mundur-
ka. James wpadł na ogrodzenie z maksymalną prędkością.
Oczka siatki były zbyt wąskie, by mógł stawiać w nich stopy, musiał więc polegać wyłącznie na sile ramion, dźwigając się na wysokość czterech metrów. Zanim dotarł do
szczytu ogrodzenia, ręce pulsowały mu obezwładniającym
bólem, a palce rwały tak, jakby miały zaraz wyłamać się
ze stawów.

Chłopak zarzucił stopę na szczyt słupka ogrodzeniowe-
go, w ostatniej chwili wyrywając ją z czyjejś dłoni chwyta-
jącej go za kostkę. Zaczął macać drut kolczasty, próbując
uchwycić go tak, żeby się nie pokaleczyć, gdy nagle ogarnęła go fala strachu przed czterometrowym zeskokiem czekającym go po drugiej stronie. Jednak perspektywa odda-
nia się w ręce rozjuszonych szesnastolatków wydała mu się
jeszcze mniej atrakcyjna.

Kiedy gramolił się na szczyt ogrodzenia, szukając pozycji umożliwiającej zeskok, dzieciaki na dole przyjęły nową
taktykę i zaczęły gwałtownie kołysać siatką. James za-
chwiał się, z najwyższym trudem utrzymując równowagę.
Nauczyciel na dole toczył pianę z ust, wciąż przekonany, że
patrzy na prawdziwego wychowanka Trinity Day.

– Złaź na dół w tej chwili! W tej szkole nie masz już czego szukać, mój chłopcze.

James syknął z bólu, kiedy jeden z kolców rozorał mu udo. Nie było na co czekać. Zaczerpnął powietrza i niezdarnie odepchnął się od płotu. Miał nadzieję, że przeskoczy krzewy okalające ogród i wyląduje na trawniku w spadochroniarskim stylu, ale gwałtowne kołysanie siatki uniemożliwiało obliczenie zeskoku. Upadł na bok ze stopą zaplątaną w krzew hortensji. Tylko wypchany plecak uratował go przed poważniejszymi obrażeniami.

Pozbierawszy się z ziemi, James nie mógł oprzeć się pokusie pożegnania chłopców z Trinity triumfalną prezentacją środkowego palca.

Zgięty wpół pobiegł po trawniku w stronę domu. W środku mruczał włączony telewizor i bawiło się kilkoro małych dzieci. Na szczęście z ogrodu można było wyjść także przez drewnianą furtkę obok domu zamykaną na zwykłą zasuwkę.

James wciągnął do płuc odór przepełnionych worków na śmieci i z chrzęstem żwiru pod stopami ruszył w kierunku ulicy po podjeździe dzielącym dwa domy. Dotarłszy do chodnika, wsparł się plecami o niski murek i sięgnął do bocznej kieszeni plecaka po komórkę, starając się nie myśleć o rosnącej plamie krwi na spodniach.

Włączył telefon i drżącą dłonią wybrał numer swojego koordynatora.

– Ewart – sapnął w słuchawkę. – Jestem przy Pollacka trzydzieści cztery. Zrobiło się gorąco. Musisz mnie stąd zabrać, i to szybko.

– Już jadę – odpowiedział Ewart. – Czekaj przy skrzynce pocztowej na końcu ulicy.

W oddali rozległo się wycie syreny policyjnej. Serce Jamesa zabiło szybciej.

– Lepiej się pospiesz – rzucił na pożegnanie i puścił się biegiem, starając się ignorować coraz ostrzejszy ból w zranionym udzie.

*

Ewart Asker wcisnął hamulec czarnego mercedesa. Zanim samochód zdążył się zatrzymać, Shak mocnym pchnięciem otworzył drzwi i szybko wycofał się na drugą stronę, umożliwiając Jamesowi wskoczenie do środka. Mercedes ruszył, szybko nabierając prędkości. James spojrzał na Shaka.

– Długo cię gonili?

– Tylko dwóch przelazło za mną za płot – powiedział Shak. – Jak przywaliłem jednemu w łeb karłem ogrodowym, to drugi dał mi spokój.

James roześmiał się, ocierając mankietem spocone czoło. Przyjemnie było wdychać chłodne powietrze w klimatyzowanym wnętrzu samochodu.

– Dobra, mówcie, co poszło nie tak? – zapytał Ewart.

James obawiał się jego reakcji. Mimo powierzchowności zupełnie wyluzowanego faceta w workowatych bojówkach, z kolczykiem w języku i tlenionymi włosami Ewart miał reputację jednego z najostrzejszych kontrolerów misji w CHERUBIE.

– Uruchomiliśmy alarm, kiedy otworzyliśmy wyjście ewakuacyjne za salami gimnastycznymi.

– Ty uruchomiłeś – zaznaczył Shak, ciskając na podłogę krawat i biorąc się do rozpinania koszuli.

– Może i ja – powiedział ze złością James, wyplątując się z blezera. – Ale to ty wyjrzałeś przez szybę i powiedziałeś, że możemy tamtędy iść.

Chłopcy wymienili wrogie spojrzenia. Byli już o kilka przecznic od Trinity Day i Ewart zwolnił, by wmieszać się w normalny ruch uliczny.

– Wyjścia ewakuacyjne bardzo często są podłączone do alarmów – zauważył Ewart. – Naprawdę żaden z was nie zapamiętał tego z kursów infiltracji i rozpoznania?

– Rzeczywiście, było coś takiego – przyznał nieco zawstydzony James.

– Zdaje się, że to głównie moja wina – powiedział Shak ugodowym tonem.

– Nad tym, czyja to wina, zastanowimy się później – podsumował Ewart, skręcając ostro w główną ulicę. – Teraz muszę wiedzieć dokładnie, co się stało i czy mamy tu bałagan, który wymaga posprzątania. Założyliście pluskwy, gdzie trzeba?

James skinął głową.

– Obie. Ta część poszła zgodnie z planem.

– Czy ktokolwiek widział was w samochodzie albo biurze Steina?

– Nie – powiedział Shak. – Nakryli nas w kompleksie sportowym, kiedy było już po wszystkim.

– Zostawiliście w szkole jakiś sprzęt?

Obaj chłopcy potrząsnęli głowami.

– Nie.

– Świetnie – powiedział Ewart. – Zatem podsłuch jest założony i nie ma nic, co łączyłoby was ze Steinem.

– Widzieli nas – zauważył Shak.

– Wytęż mózg – odparł Ewart. – Widzieli dwóch chłopców w mundurkach Trinity. Uznają was za parę miejscowych dzieciaków, którzy chcieli wykręcić komuś jakiś numer albo próbowali coś ukraść.

– Nakryli nas w pobliżu szatni – powiedział James. – A w kieszeni spodni, które zwinąłem, jest portfel.

– Ekstra! – ucieszył się Ewart. – W takim razie będą pewni, że jesteście złodziejami próbującymi obrabować szatnie.

– A nasze mundurki? – Shak wciąż miał wątpliwości.

Ewart wzruszył ramionami.

– Może znaleźliście je na miejscowej wyprzedaży staroci... Zresztą chyba naprawdę kupiliśmy je w second handzie w mieście. Poza tym para dzieciaków włamujących się do szkoły to żadna sensacja. Gliny mogą poszukać odcisków palców i pokazać kilka fotek miejscowych łobuzów ludziom, którzy was widzieli, ale jeżeli szkoła nie narobi większego smrodu, pewnie i to sobie darują.

– Czyli... w zasadzie misja się udała – stwierdził niepewnie Shak.

W lusterku wstecznym James zauważył krzywy uśmiech Ewarta.

– Mimo haniebnej wpadki przy wyjściu ewakuacyjnym wygląda na to, że dobrze się spisaliście.

James odetchnął z ulgą, widząc, że Ewart nie zamierza urządzać im awantury. Opierając głowę na zagłówku, uniósł biodra i zsunął spodnie do kolan.

– Masz tu gdzieś apteczkę? – zapytał.

Ewart skinął głową.

– Pod prawym fotelem.

– Boli? – zapytał Shak, podczas gdy James wyciągał zielone pudełko spomiędzy stóp.

– No pewnie.

James rozerwał torebkę z wacikiem nasączonym płynem odkażającym. Starł krew z uda, odsłaniając niewielkie nakłucie, które już pokrywało się strupem.

– Coś mała ta rana – zauważył Shak, z pogardą patrząc na czerwoną kropkę.

– Za to głęboka – odparł James urażonym tonem. – Myślę, że wbiło się prawie do kości.

– Och, daj spokój – żachnął się Shak. – Papierem można się gorzej pokaleczyć.

– Jasne – mruknął James i podniósł głowę. – Z takimi obrażeniami chyba nie mogę pójść dziś na ćwiczenia. Ewart, napiszesz mi zwolnienie?

Ewart potrząsnął głową.

– Znasz zasady, James. Jeśli uważasz, że twoja kontuzja jest poważna, idź do pielęgniarki w kampusie, a ona wypisze ci zwolnienie.

– No coś ty, Ewart – jęknął James. – Dziś rano uratowałem ci tyłek, kiedy Calluma przykuło do kibla.

– Odpuść sobie – uśmiechnął się Ewart. – Właściwie błagałeś mnie, żebym cię wziął. Czy ty przypadkiem nie miałeś dziś klasówki z fizyki? Jeżeli o mnie chodzi, masz dziś ćwiczenia poligonowe i nie wywiniesz się od nich bez ważnego powodu.

James kopnął oparcie fotela przed sobą.

– Niech cię szlag – wymamrotał, ale tak, by Ewart nie mógł go usłyszeć.

5. JAJKA

James wrócił do kampusu tuż przed siódmą, co dawało mu godzinę na umycie się, przebranie i wrzucenie czegoś na ząb. Popołudniowa misja wyczerpała go i wiedział, że choć adrenalina utrzyma go przy życiu przez czas ćwiczenia, nieprzespana noc rozstroi mu organizm na cały nadchodzący weekend.

Kiedy wszedł do stołówki, Kerry właśnie odnosiła tacę z resztkami. Kolację zjadła z Gabrielą i resztą drużyny, z pewnością omawiając szczegóły taktyki przed nocnym ćwiczeniem. Przechodząc obok Jamesa, pocałowała go lekko w policzek.

– Powodzenia dziś w nocy, cukiereczku – uśmiechnęła się drwiąco. – Będzie mi bardzo przykro, kiedy twoja drużyna skończy bez jaj i zaliczy karniaka.

– Jakiego karniaka? – zainteresował się James.

– Dziesięć kilosów z ciężkimi plecakami. Fajnie, co?

– Powaga? – James wytrzeszczył oczy. – Kurde, a ja jeszcze nic nie wiem. Próbowałem złapać Laurę, ale w pokoju jej nie ma i ma wyłączoną komórkę.

– Chcesz powiedzieć, że... – Kerry zachichotała. – To znaczy, że nawet nie rozmawiałeś ze swoją drużyną?

Kerry obejrzała się na Gabrielę i resztę swoich podopiecznych z Zespołu C, którzy stanęli za nią z tacami w dłoniach. Wszyscy wymieniali znaczące spojrzenia i z niedowierzaniem kręcili głowami.

– Nie bądź taka pewna siebie – powiedział James, siląc się na beztroski ton. – Ewart opowiedział mi to i owo o walce o jajka i dał mi kilka cennych wskazówek.

Drużyna Kerry ulotniła się, a James zrozumiał, że musi jak najszybciej odszukać Laurę. Jeśli pojawią się na poligonie, nie przestudiowawszy wcześniej map i bez planu, zostaną zmiażdżeni. Złapał hamburgera, frytki, usiadł przy najbliższym stoliku i zaczął łapczywie jeść.

– Joł, bracie!

James obejrzał się i z ulgą powitał Laurę, Bethany i Jake'a zmierzających do jego stolika. Natychmiast zapomniał o nocnym ćwiczeniu.

– O Boże... Co ci się stało w głowę?

Laura uśmiechnęła się.

– Fajna fryzura?

– Jest, em... czarna. Mama z pewnością przewraca się w grobie.

Ostatnia uwaga wyraźnie zaniepokoiła Laurę.

– Naprawdę uważasz, że byłaby zła?

James wyczuł, że trafił w czuły punkt, i zmienił ton.

– Nie, tak tylko gadam. Pewnie byłaby zdziwiona, że tak długo z tym czekałaś, prosiłaś ją pewnie z pięćdziesiąt milionów razy. Tylko nie przekłuj sobie nosa, tak jak chciałaś, dobrze?

Laura potrząsnęła głową.

– Nie wolno nam przekłuwać niczego poza uszami, dopóki nie skończymy szesnastu lat. No, ale fajnie to wygląda czy nie?

James przyjrzał się jej dokładnie.

– Nie jest fatalnie. Ale mężczyźni na ogół wolą blondynki, wiesz?

Laura spojrzała na Bethany.

– To najlepszy powód, żeby się przefarbować, o jakim słyszałam.

– Nie mogę się doczekać, kiedy znajdziesz sobie pierwszego chłopaka – wyszczerzył się James. – Ale będę miał ubaw.

– Nie wstrzymuj oddechu do tej pory. – Laura uśmiechnęła się cierpko.

– A co z Daną?

Bethany wzruszyła ramionami.

– Ze śmierdzielem? Poszła do siebie.

– Dlaczego tak ją nazywacie?

– Bo się nie myje – wyszczerzyła się Bethany.

James uśmiechnął się.

– Nie jest słodką dziewczynką i nie jest specjalnie towarzyska, więc inni lubią sobie na niej poużywać. Wiem, że nosi obszarpane ciuchy i tak dalej, ale walczyłem z nią w dojo i pachnie tak samo świeżo jak wszyscy inni.

– James się zakochał – zachichotała Bethany.

Czasami Bethany mocno działała Jamesowi na nerwy i właśnie teraz nadeszła taka chwila. Rzucił jej wściekłe spojrzenie.

– Boże, Bethany, chciałbym, żebyś wreszcie dorosła.

– Pokonałeś ją? – zapytał Jake.

Laura zaśmiała się.

– James nie dałby rady Danie. Rozłożyła go nawet Bethany, chociaż ma dziesięć lat.

Jake skinął głową.

– Faktycznie, James, jesteś silny, ale strasznie powolny.

– Wcale mnie nie rozłożyła. Pośliznąłem się – burknął James zdecydowany skierować rozmowę daleko od upokarzającego wspomnienia przegranej walki z dziesięciolatką. – Przypominam, że mamy mniej niż kwadrans na opracowanie strategii.

Bethany rozpostarła mapę kompleksu ćwiczebnego. Laura i Jake przycisnęli rogi, żeby arkusz leżał płasko. James połknął ostatnie frytki i wytarł słone palce w spodnie.

– Dobra, zrobimy tak... – powiedział, wodząc palcem po mapie i przybierając ton przywódcy. – Mhmm... Tu jest nasz punkt startowy. Kiedy tylko się zacznie, skierujemy się na ten wzgórek. Możemy rozstawić tam wartę i rozwalać każdego, kto spróbuje się zbliżyć.

– Świetny plan – pochwaliła Laura. – Jest tylko jeden tyci problem.

– Jaki?

– Tak się składa, że ten twój wzgórek jest na samym środku jeziora.

– Co? – zachłysnął się James.

Laura powoli pokiwała głową.

– Niebieskie plamy na mapie z reguły oznaczają wodę.

– No właśnie. – James uśmiechnął się niepewnie. – Zdałaś egzamin.

Jake plasnął się dłonią w czoło.

– Dlaczego ja zawsze trafiam do beznadziejnych drużyn?

*

Przed dwudziestą agenci CHERUBA zebrali się na drodze za głównym budynkiem, by znaleźć tam dwadzieścia zestawów wyposażenia bojowego ułożonych na ziemi za wojskową ciężarówką: strój ochronny w odpowiednim rozmiarze, broń i plecak dla każdego. Słońce już zachodziło, ale wciąż było ciepło.

– Ciężarówka odjeżdża za osiem minut! – wrzasnął pan Large. – Ruchy, biszkopciki!

James usiadł na asfalcie i zdjął buty, by móc wśliznąć się w podszyty kewlarem kombinezon. Zanim przypiął hełm, naciągnął ciężkie rękawice i opuścił przyłbicę, zdążył spocić się jak mysz.

Jake miał kłopoty z naładowaniem broni w rękawicach. James podszedł, żeby mu pomóc.

– Pięć minut – krzyknął Large. – Pięćdziesiąt karnych okrążeń dla każdego, kto opóźni odjazd.

James wpiął magazynek w karabin i spojrzał na Jake'a.

– Wszystko w porządku? Wyglądasz jak duch.

Jake uśmiechnął się niepewnie.

– Jak myślisz, to bardzo boli, kiedy trafi cię taka kula?

– Trochę boli. Ale nie martw się, cała nasza czwórka będzie cię osłaniać.

James chciał podać chłopcu naładowaną broń, ale Jake odsunął się i wbił wzrok w ziemię.

– Nie idę – powiedział po chwili i zaczął szarpać pasek kasku, próbując go rozpiąć. – Zmieniłem zdanie.

James jęknął z rozpaczy. Przed ukończeniem dziesięciu lat i decyzją o zostaniu agentem CHERUBA Jake nie musiał brać udziału w ćwiczeniach poligonowych, jeżeli nie miał na to ochoty. Jednak James wiedział, że Large urządzi mu piekło, jeżeli członek jego drużyny stchórzy w ostatniej chwili. Musiał koniecznie wymyślić sposób na przekonanie Jake'a, by zmienił zdanie.

– Wiesz, jakie masz szczęście, że przyszedłeś do CHE-RUBA, zanim skończyłeś dziesięć lat? Ja miałem tylko trzy tygodnie na przygotowanie się do szkolenia podstawowego. Wcale nie miałem formy i prawie nie umiałem pływać.

– Sorki, James. – Jake pociągnął nosem. – Jestem zmęczony. Chcę spać.

– Nie rezygnuj teraz. Jesteś twardy, dasz sobie radę.

– Co się tak guzdrzecie? – spytała Dana. – Wskakujcie na ciężarówkę.

James z rezygnacją wzruszył ramionami.

– Jake nie chce iść.

– Taaa? – Dana uniosła przyłbicę, odsłaniając złowrogi uśmiech. Położyła muskularne ręce Jake'owi na ramionach. – Na jaką cierpisz dysfunkcję, szczylu? Jesteś tchórzem?

– Nie – odparł wyzywająco Jake.

– Zdajesz sobie sprawę z tego, jak bardzo będziesz miał przerąbane, kiedy twoi kumple dowiedzą się, że dałeś ciała?

Jake nie odpowiedział.

– Naprawdę chcesz teraz wrócić do bloku juniorów? – spytała Dana. – Ludzie posikają się ze śmiechu, kiedy tylko staniesz w drzwiach świetlicy.

– Ja tylko... – zaczął Jake słabym głosem.

– Ty mi tu nie jatylkuj, szczylu – przerwała Dana. – Bierz swój karabin od Jamesa i zapinaj kask. Pójdziesz tam i pokażesz wszystkim, z jakiej jesteś gliny. Będę cię osłaniać, okej?

Dana budziła w Jake'u lęk, ale myśl, że to przerażające dziewczynisko będzie go bronić, działała dziwnie uspokajająco. Chłopiec posłusznie kiwnął głową i wziął od Jamesa swój karabin.

– Okej, żołnierzu – wyszczerzyła się Dana, częstując Jake'a przyjacielskim klepnięciem w plecy. – Łap plecak i wskakuj na pakę.

Kiedy tylko Jake oddalił się w stronę ciężarówki, James uśmiechnął się do Dany.

– Dzięki.

Dana natychmiast powróciła do miny wyrażającej pogardę wobec całego świata.

– Trzeba było się uczyć sztuczek naszych instruktorów – powiedziała szorstko, zatrzaskując przyłbicę. – Kwestia motywacji. Który chłopiec lubi być dręczony przez rówieśników?

James pokiwał głową.

– Słuchaj, Dana, wiem, że to może wydawać się dziwne, że mam wami dowodzić, skoro jesteś starsza i masz większe doświadczenie, ale...

– To nie jest dziwne, James. To idiotyczne, więc oszczędź mi tej smętnej gadki i ruszaj się. Chcę mieć to już za sobą.

6. ŻÓŁTKO

Poligon do walk ulicznych zajmował prostokąt o wymiarach jednego kilometra na półtora. Zaprojektowano go tak, by żołnierze mogli w nim ćwiczyć atakowanie bądź obronę obszarów miejskich.

Zespoły A, B i C opuściły już ciężarówkę wysadzone w wyznaczonych punktach startowych. Pan Large zahamował, a pan Pike, który jechał z dziećmi na skrzyni ładunkowej, wyciągnął sworzeń, pozwalając, by klapa opadła z metalicznym łomotem.

– Zespół D! – krzyknął Pike. – Na co czekacie?

Instruktor wręczał każdemu wysiadającemu foremkę zawierającą sześć całych jaj. James wyskoczył pierwszy, a za nim Jake, Laura, Bethany i Dana. Ciężarówka zawróciła i odjechała z cichnącym warkotem.

James rozejrzał się, Bethany natomiast rozpostarła mapę. Sztuczne miasto promieniowało nierzeczywistą aurą. Zaparkowane przy chodnikach zardzewiałe samochody miały usunięte szyby, by ćwiczącym nie groziło poranienie odłamkami szkła. Szare betonowe budynki udawały różne rodzaje zabudowań: sklepy, domy, biura i magazyny. Najwyższe miały cztery piętra. Wszędzie było widać ślady niezliczonych symulowanych starć: czarne plamy sadzy na ścianach, łuski karabinowe w rynsztokach, a wszystko upstrzone jaskrawymi rozbryzgami farby. Pozbawione ruchu drogowego i zaludnione zaledwie przez dwudziestkę dzieciaków miasto było upiornie ciche. Pod hełmem James słyszał tylko własny nerwowy oddech.

– Jakieś mądre pomysły? – zapytał wreszcie.

Laura wskazała budynek oddalony o kilkaset metrów.

– Ten mi się podoba – oznajmiła. – Przylega do rogu poligonu, co znaczy, że musimy bronić go tylko z dwóch stron. Poza tym jest wysoki. Możemy założyć stanowisko obserwacyjne na dachu.

Dana zacmokała z politowaniem.

– Taa, mikromóżdżku. To wręcz oślepiająco oczywiste.

Laura stężała.

– Kogo nazywasz mikromóżdżkiem, Śmierdzielu?

– Nazwij mnie tak jeszcze raz, a wyrwę ci łeb i napluję do szyi! – krzyknęła Dana, zawisając złowrogo nad dziesięciolatką.

James wcisnął się między dziewczęta.

– Ciszej, uspokójcie się. Mamy walczyć z innymi drużynami, a nie ze sobą.

– Załóżmy, że po nas przyjdą – wycedziła Dana. – Wiedzą, że wysadzono nas w tym rejonie. Tamten budynek to pierwsze miejsce, w którym będą szukać.

– Moim zdaniem właśnie tam powinniśmy pójść – upierała się Laura.

– Dobrze, już dobrze – powiedział James, wiedząc, że nadeszła pora, by zaczął dowodzić. – Co powiecie na to, żebyśmy na dachu budynku Laury wystawili snajpera? A potem zabarykadujemy wejście, żeby wszyscy myśleli, że jesteśmy w środku. W rzeczywistości pozostała czwórka przyczai się w tym niskim domu naprzeciwko.

– To mogłoby zadziałać – zgodziła się Dana. – Jeśli ktokolwiek spróbuje przypuścić szturm na budynek ze snajperem w środku, zaskoczymy go, atakując od tyłu.

James spojrzał na Danę.

– Chcesz tam wejść i robić za snajpera? Dobrze strzelasz?

– Na pewno lepiej niż ktokolwiek z was. Ale niedługo zrobi się ciemno, a nie mamy noktowizorów.

– Jak kogoś usłyszysz, strzelaj choćby na oślep, żeby myśleli, że tam jesteśmy.

– A jeśli to będzie ktoś z was?

James nie wiedział, co odpowiedzieć.

– Potrzebny nam sygnał – powiedziała Bethany. – Jak miauknięcie kota czy coś... Żebyśmy wiedzieli, czy idzie swój, czy obcy.

James skinął głową.

– Niech będzie miauknięcie, ale odpowiadamy szczeknięciem. Dzięki temu będziemy wiedzieli, że to nie obcy próbujący podszyć się pod kogoś z nas. I pamiętaj, że kiedy zrobi się ciemno, najłatwiej będzie wytropić nas po dźwięku, dlatego wołaj tylko wtedy, jeśli naprawdę musisz.

– Dobra – rzuciła Dana, kierując się w stronę budynku. – Lepiej tego nie schrzańcie. Do zobaczenia później, cieniasy.

Laura poczekała z odpowiedzią, aż Dana znajdzie się zbyt daleko, by móc ją usłyszeć.

– Nie, jeśli zobaczę cię pierwsza, Śmierdzielu... I dzięki za wzięcie mojej strony, James.

James przewrócił oczami.

– To nie jest kwestia brania czyjejś strony, Laura. Spójrz prawdzie w oczy. Dana miała rację.

– Wszystko pięknie, jeśli twój plan zwabienia przeciwnika do budynku zadziała. A jak inni domyślą się, że to zasadzka?

– Zamknij się i daj mi pomyśleć. Musimy się ukryć. Zespół Kerry wysiadł tylko kilkaset metrów stąd. W każdej chwili mogą nam wsiąść na karki.

James poprowadził Laurę, Bethany i Jake'a do parterowego budynku z markizami udającego bar szybkiej obsługi. Otworzył aluminiowe drzwi i wszedł do środka zaskoczony ciasnotą pomieszczenia.

– Bethany i Laura, przestańcie gadać i obserwujcie ulicę przez okna. Ja i Jake sprawdzimy tyły.

– Tutaj jest jakiś worek! – zawołała podekscytowana Bethany, kucając niedaleko tylnego okna.

James odwrócił się gwałtownie.

– Large powiedział, że na terenie poligonu będzie dodatkowy sprzęt.

Drużyna zebrała się w półokrąg. Bethany rozwiązała płócienny worek, odsłaniając pięć noktowizorów – model specjalnie przystosowany do noszenia na hełmach, w jakie wyposażono cztery zespoły.

– Super – ucieszył się James. – To da nam niezłą przewagę, kiedy zacznie się robić ciemno.

– Czekaj, chwila... – Laura zmarszczyła brwi. – Pierwszy budynek, do jakiego weszliśmy, a już znaleźliśmy cenny sprzęt. To może znaczyć, że w każdym budynku jest coś pożytecznego. Jeśli będziemy siedzieć na tyłku...

– A inni zajmą się zbieraniem fantów, to naszą przewagę szybko trafi szlag – dokończyła za przyjaciółkę Bethany.

James, Laura i Bethany popatrzyli na siebie.

– Laura – powiedział James. – Zostań tu z Jakiem. Osłaniaj go i bądź gotowa do ataku, jeśli ktoś da się sprowokować Danie. Ja i Bethany sprawdzimy sąsiednie budynki. Zobaczymy, czy uda się coś znaleźć.

– Co ja jestem, ośmiornica? – jęknęła Laura. – Nie mogę robić tylu rzeczy naraz.

– Musisz spróbować. Zresztą masz Jake'a – powiedział sztywno James.

– Ekstra, czerwona koszulka – skrzywiła się Laura. – W czym on mi może pomóc?

– Nie chcę tu z nią siedzieć – oświadczył Jake. – Mogę iść z tobą, James?

Laura westchnęła.

– James, to nie jest taktyka, tylko katastrofa. Najpierw zaszywamy się tutaj, czekając na atak, a teraz chcesz, żebyśmy się rozdzielili. Jeśli po nas przyjdą, to pozdejmują jedno po drugim.

– No to co ja mam robić, siostra? – wysyczał James gniewnie. – Jestem dowódcą zespołu. To, że jesteśmy rodzeństwem, nie upoważnia cię do wszczynania sporów na temat każdej mojej decyzji. Wiem, że to nie jest idealne wyjście, ale nie możemy pozwolić, by inne drużyny zagarnęły cały sprzęt.

– A może Bethany zostanie ze mną, a ty weźmiesz sobie Jake'a?

– Dobra, jak chcesz – zdenerwował się James. – Idę z Jakiem. Ty możesz zostać i pobawić się w dom ze swoją psiapsiółką.

Opuszczona przyłbica nie pozwalała na odczytanie wyrazu twarzy Laury, ale James był pewien, że patrzy na niego z pogardą. Odwrócił się na pięcie i wybiegł na ulicę, z furią zatrzaskując za sobą aluminiowe drzwi.

Ledwie uświadomił sobie, że postąpił idiotycznie, robiąc tyle hałasu, coś z wielką siłą odbiło mu się od hełmu. James zatoczył się, na chwilę tracąc równowagę, a wtedy drugi pocisk boleśnie wbił mu się w żebra. Farba, która obryzgała mu bok, była żółta, co oznaczało, że strzelał ktoś z drużyny Kyle'a.

James był setki razy trafiany kulkami do paintballa. Nie było to przyjemne, jednak pieczenie zazwyczaj ustępowało w ciągu dziesięciu minut. Ta amunicja była z zupełnie innej bajki. James oparł się ciężko o ścianę budynku, nie mogąc złapać tchu. Trzeci pocisk śmignął mu nad ramieniem i huknął w metalowe drzwi. James skulił się. Kątem oka dostrzegł dwie jedenastoletnie bliźniaczki z drużyny Kyle'a kryjące się za samochodem. Chciał unieść karabin, ale ból odebrał mu szybkość ruchów.

– Niee raadzę – zaśpiewała jedna z dziewcząt.

Siostry wyszły zza samochodu z karabinami wycelowanymi w Jamesa.

– Rzuć broń, oddawaj jajka!

James nie chciał stracić jajek, ale bliźniaczki stały w minimalnej dozwolonej odległości strzału, a on właśnie przekonał się, jak bolesne są trafienia ćwiczebnymi pociskami, nawet wystrzelonymi ze znacznie większego dystansu. Zaczął zdejmować plecak. W tej samej chwili czerwony pocisk rozbił się na udzie jednej z dziewczyn, podbijając jej prawą nogę do przodu. Strzał padł z góry, a zatem to musiała być Dana. Sekundę później Bethany kopniakiem otworzyła aluminiowe drzwi i strzeliła do drugiej bliźniaczki. Chybiła, ale dziewczyna odruchowo przykucnęła, a James wykorzystał chwilę jej dekoncentracji, by przyskoczyć bliżej i wziąć ją na muszkę. Strzelenie do dziewczyny, która trafiła go kilka chwil wcześniej, sprawiło mu ogromną satysfakcję. Kiedy upadła, wpakował jej jeszcze dwa pociski w plecy z minimalnego dystansu.

Zamiana ról trwała sekundy. Teraz bliźniaczki wiły się z bólu na ziemi, a James, Dana i Bethany trzymali je na muszce.

– Pchnijcie broń w naszą stronę. Żadnych gwałtownych ruchów – powiedział James.

Trwało to chwilę, ponieważ obie dziewczyny poruszały się z dużym trudem. Kiedy tylko zdołały wypchnąć karabiny poza zasięg rąk, James podbiegł do nich, odpiął magazynki, zdjął pokrywy zamkowe, po czym zdemontował i schował do kieszeni sprężyny suwadeł. Bez tego drobnego elementu broń była bezużyteczna.

– Oddajcie plecaki – zażądał James, ponownie biorąc bliźniaczki na muszkę.

Palący ból w żebrach i strach przed ponownym trafieniem ograniczyły jego pobudki do czystego instynktu przetrwania.

Nie obchodziło go wcale, co czują dziewczęta kulące się u jego stóp.

– Nie możecie strzelać do nas z tak małej odległości – zapiszczała jedna z nich, kiedy zbliżył się, żeby zabrać im plecaki.

– Pozwij mnie – warknął James, wbijając dziewczynie lufę w bok, a drugą ręką zrywając jej plecak z ramion. – Może napiszesz do ONZ?

James rzucił jeden plecak Bethany, a drugi otworzył sam. Rzucił na ziemię polistyrenowe pudełko z jajkami i zmiażdżył je obcasem glana. Bethany zrobiła to samo. To było przyjemne uczucie: zniszczyć jedną trzecią jaj drużyny A niespełna dwadzieścia minut po rozpoczęciu ćwiczenia.

– Co z nimi zrobimy? – zapytała Bethany, wycierając but w kombinezon swojej ofiary. – Znają naszą pozycję, a branie jeńców jest zakazane. Musimy się stąd wynieść.

Bethany jeszcze nie skończyła mówić, kiedy James zauważył plastikowy pojemnik toczący się w ich stronę pod jednym z samochodów. Natychmiast rozpoznał granat oślepiający, ale nie miał czasu zareagować, bo w tej samej chwili pojemnik eksplodował z mlecznoniebieskim błyskiem. James zatoczył się do tyłu, na wpół oślepiony, czując na podniebieniu gorzki smak dymu.

Rozległ się głos Kyle'a.

– Jak ci się podoba ta zabawka, Adams?

Wybuchł kolejny granat, tym razem we wnętrzu restauracji. Laura wrzasnęła i wybiegła na oślep przez aluminiowe drzwi. Tuż za nią biegł Jake. Kyle zawył z bólu trafiony z dachu przez Danę. Mimo dymu udało się jej oddać idealny strzał i trafić Kyle'a w słabo chronione miejsce, gdzie hełm stykał się z płytkami osłonowymi kombinezonu. James miał tylko sekundę na radość, zanim poczuł rozdzierający ból w dole pleców. Przesunął wzrokiem po pochlapanym na niebiesko rękawie i obejrzał się, by ujrzeć wszystkich pięcioro członków zespołu Kerry zbliżających się w szyku klinowym.

James przyjął na siebie już trzy bolesne strzały i nie był w stanie znieść myśli o kolejnym trafieniu. Porzucając myśli o odpowiedzialności za drużynę, bez zastanowienia skoczył w najbliższą boczną uliczkę i puścił się sprintem przed siebie, byle dalej od zamieszania.

Przebiegł kilkaset metrów, docierając niemal na drugą stronę poligonu. Wybrał jeden z domów i wystrzelił kilka pocisków do środka. Widząc, że nikt nie próbuje się ostrzeliwać, wskoczył przez pozbawione szyby okno i przypadł brzuchem do betonowej posadzki.

Z oddali dobiegał huk granatów i terkot karabinów maszynowych. Niebo nabierało bursztynowej barwy, co oznaczało, że w ciągu pół godziny zapadnie zmrok.

James dostał trzy trafienia. Pierwszy pocisk odbił się nieszkodliwie od hełmu, po drugim pozostał mu tępy ból w brzuchu, ale strzał w dolną część pleców był zabójczy. Kiedy James opadł na podłogę, przez nogę przebiegł mu paraliżujący skurcz. Choć z trudem łapał oddech, czuł ulgę, będąc daleko od pola bitwy. Jednak szybko uświadomił sobie, że jako doświadczony agent powinien wrócić i objąć przywództwo, zanim zapadnie noc.

Zanim zdecydował się wstać, odwrócił się przodem do ściany i złamał zasady, podnosząc przyłbicę, by otrzeć pot spływający mu strumieniami po twarzy. Kiedy uniósł głowę, dostrzegł w rogu szarą skrzynkę, której obecność wcześniej uszła jego uwadze. Szybko przeczołgał się do niej i z zachwytem wysypał ze środka tuzin pełnych magazynków. Przed ćwiczeniami każdy otrzymał jeden magazynek zawierający dwadzieścia osiem naboi. James zużył już prawie wszystkie i uświadomił sobie, że z biegiem czasu amunicja stanie się bardzo cennym towarem.

James wbił jeden magazynek w gniazdo karabinu, a resztę wpakował do plecaka, nie bacząc, że każdy ważył ponad kilogram. Podszedł ostrożnie do okna i wsłuchał się w odgłosy walki. Bitwa rozpadła się na szereg pojedynczych starć rozproszonych na większym obszarze, o czym świadczyły krótkie serie z broni maszynowej dochodzące z różnych miejsc poligonu. James uświadomił sobie, że w drodze powrotnej będzie miał znacznie większą szansę na znalezienie się pod ostrzałem.

Wybiegł z budynku zgięty wpół i potruchtał wąską uliczką, kryjąc się między rzędem samochodów a ścianą z pustaków upstrzoną plamami farby. Kiedy dotarł do głównej alei, położył palec na spuście i przebiegł sprintem na drugą stronę.

– Miau.

James zahamował gwałtownie i przycupnął za samochodem. Nie miał pojęcia, skąd dobiegł go głos.

– Hau? – odpowiedział niepewnie.

Z auta zaparkowanego na pobliskim podjeździe wychynęły dwie głowy. Przez pomarańczowe odblaski słońca w przyłbicach James z trudem rozpoznał Danę i Jake'a.

– Chodź tu, pajacu – wyszeptała Dana. – Trzy domy dalej zadekowali się kolesie z drużyny A.

James ostrożnie otworzył drzwi samochodu. Wciągnął się na wielobarwne plamy na tylnej kanapie, uważając, by nie wytknąć głowy ponad linię okien. Wtem zauważył, że kombinezon Dany zdobi około dwudziestu kolorowych rozbryzgów.

– Oże... – zachłysnął się. – Ale cię strzaskali. Bolało?

– Nie za bardzo. Większość to trafienia z dużej odległości – powiedziała Dana z goryczą w głosie. – Ale będę miała mnóstwo siniaków. Rano będę cała fioletowa. Jajka też przepadły.

– Kto cię dopadł?

– Nikt. – Dana wzruszyła ramionami. – Zgniotłam je, kiedy toczyłam się po ziemi pod ostrzałem.

– Mnie zostało tylko jedno całe – przyznał się James. – Ale jak to się stało, że znalazłaś się aż tutaj?

– Kiedy narobiłeś w gacie ze strachu i zwiałeś, pobiegłam za tobą – wyjaśniła Dana. – Musiałam zeskoczyć z pierwszego piętra. Po drodze zgarnęłam Jake'a.

– Wcale nie narobiłem w gacie – burknął urażony James. – Podjąłem taktyczną decyzję o wycofaniu się pod ciężkim ostrzałem.

Dana roześmiała się.

– Można to i tak ująć.

James postanowił nie drążyć tematu. Przedstawiony przez Danę opis sytuacji był nieprzyjemnie bliski prawdy.

Spojrzał na Jake'a i zagadnął łagodnym tonem.

– No i jak się trzymasz, mały?

– W porzo – odparł dziarsko Jake. – Trafiłem parę osób, wiesz? – dodał z dumą.

– Zdaje się, że nasz malec zaczyna się wyrabiać – wtrąciła Dana z rzadkim u niej uśmiechem. – Patrzyłam, jak wychodzi z tego budynku, w którym się schowaliście. Najpierw był w lekkim szoku, ale zaraz się ukrył i zaczął nawet nieźle strzelać.

James spojrzał z podziwem na najmłodszego członka drużyny.

– Trafili cię?

Jake odwrócił się na bok, by zademonstrować wielką liliową plamę na udzie.

– Boli, ale mam to gdzieś. To jest z pięćdziesiąt razy lepsze od najlepszej gry komputerowej na świecie.

James był pod wrażeniem sposobu, w jaki Jake radził sobie ze stresem. Niektórzy zupełnie tracą głowę w niebezpiecznych sytuacjach, ale wyglądało na to, że procedura selekcyjna CHERUBA sprawdziła się i tym razem, wskazując na dzieciaka, który potrafi wziąć się w garść, kiedy to naprawdę się liczy.

– Nadal chcesz zrezygnować? – zapytał James.

Jake potrząsnął głową.

– Nie ma mowy. Chcę kogoś dorwać i zgnieść mu jaja.

James roześmiał się.

– Czy któreś z was widziało dziewczyny? – zapytał po chwili.

– Chyba widziałem, jak Laura i Bethany razem uciekają – powiedział Jake.

– Myślicie, że powinniśmy ich poszukać?

Dana zastanawiała się przez chwilę.

– To zbyt ryzykowne – orzekła. – Po ulicach biega piętnaścioro wrogów i tylko dwoje naszych. Laura i Bethany muszą same o siebie zadbać. Jeśli wpadniemy na nie, to świetnie, ale jeśli zaczniemy szukać, niemal na pewno zbierzemy cięgi.

– Chyba masz rację – zgodził się James.

– To co robimy? – zapytał Jake.

James zamyślił się.

– W plecaku mam sporo amunicji i trzy noktowizory. W tym samochodzie nie jest bezpiecznie. Jeśli ktoś nas tu wypatrzy, wystrzelają nas jak kaczki. Moim zdaniem powinniśmy ukryć się w jednym z pobliskich budynków, a kiedy się ściemni, weźmiemy noktowizory i urządzimy sobie małe polowanie na jajka.

Dana po chwili skinęła głową.

– Mogę sobie wyobrazić gorsze wyjścia.

7. KONFRONTACJA

O północy było już niemal całkowicie ciemno. Księżyc zaszedł i jedynym światłem był żółty poblask od autostrady przebiegającej daleko za dziesięciometrowym murem kompleksu ćwiczebnego. Dana, James i Jake przypięli noktowizory do zaczepów na hełmach. W całkowitej ciemności byłyby bezużyteczne. Działały na zasadzie wzmocnienia światła szczątkowego, przemieniając świat w dziwną mieszankę czerni poprzecinanej jaskrawozielonymi zarysami obiektów.

Oprogramowanie noktowizorów potrzebowało ułamka sekundy na przetworzenie obrazu widzianego przez czujniki. Nieznaczne opóźnienie między wykonywanymi ruchami a rejestrowaniem ich przez oczy przyprawiało Jamesa o mdłości.

Opuścili kryjówkę z zamiarem zaatakowania domu, gdzie czterdzieści minut wcześniej Dana i Jake wypatrzyli Zespół A, ale budynek okazał się pusty. Poprzedni lokatorzy pozostawili po sobie tylko skrzynkę po sprzęcie i cuchnącą kałużę moczu w kącie.

– Co robimy? – szepnął Jake.

Gdzieś w oddali wybuchł granat oślepiający, przemieniając obraz w okularach noktowizorów w białą płaszczyznę. James był rozczarowany, ale wciąż wierzył w powodzenie swojego planu.

– Polujemy dalej – westchnął.

Rozpoczęli nerwową wędrówkę przez poligon, poruszając się powoli, trzymając nisko i odzywając tylko w razie najwyższej potrzeby. Gdyby przyłapano ich na otwartej przestrzeni, zostaliby szybko wystrzelani, dlatego trzymali się bocznych alejek i wąskich pasaży, wypuszczając się na główne ulice tylko wówczas, gdy musieli je przeciąć.

W jednym z mijanych okien James dostrzegł poruszającą się zieloną sylwetkę, ale nie powiedział ani słowa, dopóki nie dotarli do końca uliczki, gdzie przykucnęli pomiędzy dwoma budynkami.

– Dwa domy wstecz – wyszeptał. – W środku była co najmniej jedna osoba.

– Jesteś pewien, że to nie był jakiś zabłąkany kot czy coś? – spytała Dana, wracając do swojego zwykłego, nieco pogardliwego tonu.

James potrząsnął głową.

– Za duży. To na pewno człowiek. Ja podejdę od frontu, Dana, a ty przejdź przez mur ogrodu i zaczaj się z tyłu. Poczekaj, aż usłyszysz, że wchodzę, i bądź gotowa do odcięcia drogi uciekającym. Jake, ty poczekasz tutaj. Ustaw karabin na ogień ciągły i osłaniaj nas, jeśli zrobi się gorąco.

– Tak jest, sir!

– Ciszej, idioto – syknęła Dana.

James powoli odwrócił się na pięcie i podkradł do budynku, w którym zauważył ruch. Przykucnął pod oknem i ostrożnie wysunął głowę nad parapet. Poruszał się bardzo ostrożnie, by nie zdradził go grzechot magazynków w plecaku.

W goglach noktowizyjnych dostrzegł zielone sylwetki dwóch osób siedzących pod ścianą. Były nieco drobniejsze od niego i choć trudno było to ocenić przez zacierającą szczegóły zieloną poświatę, odniósł wrażenie, że obie są dziewczętami. Zdając sobie sprawę z tego, że to mogą być Laura i Bethany, James schował głowę i dał sygnał.

– Miau.

Wiedział, że rezygnuje z elementu zaskoczenia, ale nie życzył sobie strzelaniny z koleżankami z własnej drużyny. W domu szczęknął zamek karabinu. Ktoś drżącym głosem odpowiedział:

– Miau.

Od razu po usłyszeniu niewłaściwego odzewu James wystawił głowę ponad krawędź okna i oddał strzał. Jedna z dziewcząt krzyknęła. James zanurkował pod parapet w tej samej chwili, w której druga zaczęła na oślep ostrzeliwać ciemność. Kiedy kanonada wreszcie ucichła, James wstał znowu i starannie wycelowawszy, strzelił dwa razy, dwukrotnie trafiając drugą dziewczynę.

Tymczasem do akcji wkroczyła Dana, wbiegając do budynku przez tylne drzwi. Przemknęła przez krótki korytarz i wparowała do pomieszczenia. James wolałby mieć więcej czasu na wykorzystanie przewagi, jaką dawał mu noktowizor, do porządnego nastraszenia dziewcząt, ale skoro Dana była już w środku, musiał wykonać swój ruch.

– Dawać jajka i sprężyny suwadeł z kałaszy – oznajmił James.

– Wal się, James – odpowiedziała Kerry.

James i Dana uskoczyli na boki, schodząc z drogi wystrzelonym na oślep pociskom. Nagle karabin Kerry wydał z siebie metaliczne kliknięcie i ucichł.

– O rany. – James pokręcił głową z udawaną troską. – To nie brzmiało zbyt dobrze.

– Mam zapas – odparła Kerry.

– To dlaczego tu siedzisz bez ruchu, zamiast zmieniać magazynek?

– Ty nas widzisz? – Kerry była zaskoczona.

– Każdy wasz ruch – zaśmiał się James. – Mamy noktowizory.

Głos Gabrieli był pełen furii.

– Ty mały, wredny...

– O, cześć, Gabriela – powiedział James wesoło, gramoląc się przez okno do pomieszczenia. – Nie wiedziałem, że to ty. Mam nadzieję, że to trafienie nie boli za bardzo.

– Na pewno nie bardziej, niż kiedy dostałeś ode mnie w plecy – wycedziła Gabriela.

– James – wtrąciła szorstko Dana z drugiej strony pokoju. – Narobiliśmy tu niezłego hałasu. Kończ te słodką pogawędkę i wynośmy się stąd.

Kerry roześmiała się ponuro.

– Ach, to Dana. Wiedziałam, że za tą akcją musi stać ktoś z głową na karku.

– Tak, James – zgodziła się Gabriela. – Widziałam, jak troszczysz się o swoich ludzi, zwiewając chyba ze sto na godzinę.

Jamesowi zrzedła mina.

– Trzymam was na muszce – rzucił gniewnie. – Zamknijcie głupie gęby, zdejmijcie plecaki i oddajcie broń.

– Dlaczego sam sobie nie weźmiesz? – szydziła Kerry.

James oddał strzał ostrzegawczy, trafiając w ścianę centymetry nad głową Kerry.

– Bo mam pełny magazynek i widzę każdy wasz ruch. Liczę do trzech. Jeśli kiedy skończę, wasze plecaki i broń nie wylądują obok mnie, przekonacie się, co to znaczy ból. Raz, dwa...

Duma Kerry i Gabrieli nie sięgała aż tak daleko, by pozwolić dziewczętom na zaryzykowanie kolejnego trafienia. Oddały swoje rzeczy, zanim James skończył odliczanie.

James przykucnął i wyciągnął pudełko z jajkami z plecaka Kerry. W ciemności niewiele mógł zobaczyć ani wyczuć przez grube rękawice, ale wyglądało na to, że jajka są całe.

– Sześć nietkniętych jajeczek małej panny doskonałej – zachichotał James, miażdżąc pudełko obcasem.

– To jeszcze nie koniec! – zawołała Kerry buńczucznie. – Musisz nas wypuścić, a wtedy zapoluję na ciebie.

– Moim zdaniem jesteśmy kwita – odparł James. – Pamiętasz, jak w zeszłym roku ostrzelałyście mnie i Bruce'a z karabinków paintballowych? Z minimalnego dystansu?

Zanim Kerry zdążyła odpowiedzieć, z zewnątrz dobiegł cichy głos Jake'a:

– Cztery osoby idą w naszą stronę z końca ulicy – zameldował malec. – Wynośmy się stąd, zanim wybuchnie trzecia wojna światowa.

– Zniszczyłam jajka Gabrieli – oświadczyła Dana. – Zmywamy się.

James uświadomił sobie, że nie ma czasu na wyciąganie sprężyny z broni Kerry, a karabin jest zbyt duży, by brać go ze sobą, więc po prostu złapał za lufę i z całej siły grzmotnął nim o ścianę. W tej samej chwili Kerry skoczyła mu na plecy. Dana strzeliła, ale celowała ostrożnie, żeby nie trafić Jamesa, i ostatecznie chybiła.

Kerry była mniejsza i lżejsza od swojego chłopaka, ale też znacznie górowała nad nim biegłością w sztukach walki, a pięć lat treningów w CHERUBIE uczyniło ją silniejszą, niż powinna być jakakolwiek trzynastolatka. W chwili gdy James padł plackiem na ziemię z dziewczyną na karku, w budynku kilka domów dalej wybuchł granat oślepiający.

– Bierz Jake'a i spadajcie! – James zdążył wrzasnąć do Dany, zanim został przyduszony do posadzki.

Jego rozumowanie było proste – w ostatecznym rozrachunku liczyła się ogólna liczba nietkniętych jajek. On miał tylko jedno, za to Jake aż sześć. Zamiast ryzykować w zamieszaniu, na jakie się właśnie zanosiło, mały powinien uciekać, nawet jeżeli James miałby rozgrywać swoje porachunki z dziewczętami w pojedynkę.

Kerry kolanami przygniotła Jamesowi ramiona do ziemi, a Gabriela wyrwała mu karabin. Dana i Jake wyskoczyli przez okno i zniknęli w ciemnościach. Kerry grzmotnęła głową swojego chłopaka o beton, miażdżąc noktowizor. Świat Jamesa pogrążył się w ciemności. Z oddali dobiegał przytłumiony huk wystrzałów.

– Myślałeś, że jesteś taki cwany, co? – zapytała Kerry słodziutkim głosem. – Pamiętasz zajęcia z działań bojowych? Ile razy ci mówiłam? Nigdy nie odwracaj się plecami do wroga i nigdy nie opuszczaj gardy ani na ułamek sekundy.

Gabriela zgniotła jego ostatnie jajko, a Kerry wykręciła mu rękę za plecami.

– Złamać ci łapkę, James?

– Kerry, proszę – stęknął James. – Nie mam już jajek. Musicie mnie puścić.

– Napisz do ONZ – zaśmiała się Kerry, puszczając rękę jeńca i z rozmachem wbijając mu łokieć w lędźwie.

Kwik bólu zagłuszyło radosne wołanie Gabrieli.

– W tym plecaku jest tona amunicji!

– Świetnie – powiedziała Kerry, zgarniając z podłogi karabin Gabrieli. – Załadujmy broń i chodźmy poszukać tamtych dwojga.

James leżał twarzą w dół na zimnym betonie. Dostał od Kerry dokładnie w to miejsce, w które wcześniej trafił go pocisk i ból w plecach odbierał mu dech w piersiach. Wychodząc, Gabriela upokorzyła go ostatecznie, dwukrotnie strzelając mu w udo z jego własnej broni.

*

James ocknął się z dziwacznego snu ze strużką śliny ściekającą mu z ust na wewnętrzną stronę przyłbicy i smakiem dymu na języku. Słońce już wzeszło. Początkowo widział tylko kreski światła sączącego się przez pęknięcia w szkłach strzaskanego noktowizora wciąż przymocowanego do jego hełmu.

Ból po ciosie Kerry powrócił, kiedy tylko James spróbował się poruszyć. Ostrożnie przetoczył się na bok i zaczął odpinać noktowizor, ale plastikowy zatrzask, który trzymał go na miejscu, został zmiażdżony i gogle nie chciały oddzielić się od hełmu. James kręcił nimi na wszystkie strony, aż wreszcie zniecierpliwiony odłamał je, zasypując posadzkę kawałkami plastiku.

Kiedy jego oczy przywykły do światła, spojrzał na zegarek. Była za kwadrans szósta, co oznaczało, że spał około czterech godzin, a ćwiczenie miało potrwać jeszcze ponad dwie. Nie był pewien, dlaczego stracił przytomność, ale uznał, że musiała go powalić mieszanka bólu i wyczerpania. Nikt z własnej woli nie ucina sobie drzemki na środku poligonu, kiedy ma żyły napęczniałe adrenaliną, a serce wali mu jak młotem.

Nie mając pojęcia, na ile może czuć się bezpieczny, James podczołgał się do najbliższej ściany i usiadł przy niej, by poświęcić chwilę na obejrzenie barwnych plam po trafieniach na swoim kombinezonie. Czuł się lekko oszołomiony i bardzo chciało mu się pić, ale manierka została w plecaku z amunicją zabranym przez Gabrielę. James ostrożnie wyjrzał przez okno, studiując ślady po nocnej bitwie. Nietrudno było odróżnić świeże plamy od starych, rozmytych przez deszcz. Zastanawiał się, czy nie powinien poszukać pozostałych członków drużyny, ale ostatecznie uznał, że naraziłby się tylko na niepotrzebne ryzyko, tym bardziej że bez broni i amunicji i tak na nic by się nikomu nie przydał. Postanowił, że najlepszą strategią będzie pozostanie tam, gdzie jest, i odliczanie czasu do końca ćwiczeń w nadziei, że nikt się na niego nie natknie. Jeszcze raz spojrzał na zegarek i skupił myśli na zimnym napoju, jakim chciał uraczyć się za dokładnie sto trzydzieści dwie minuty.

8. ROZSTRZYGNIĘCIE

Ostatnie godziny ćwiczeń nie miały zbyt wiele wspólnego z ognistymi bitwami poprzedniego wieczoru. James podejrzewał, że większości drużyn kończy się zapas amunicji, działających karabinów, jajek, a co ważniejsze – energii do walki. Ćwierkanie porannych ptaszków z rzadka tylko zakłócały odgłosy okazjonalnych utarczek.

Dla zabicia czasu James zajął się karabinem Kerry. Choć wcześniej grzmotnął nim w ścianę, odłupując kawał drewnianej kolby, wystarczyło czyszczenie i kilka regulacji wykonanych dołączonym do broni multinarzędziem, by mechanizm spustowy znów zaczął działać. Kłopot polegał na braku amunicji.

James rozciągnął i rozmasował stłuczony fragment swoich pleców. Po godzinie nuda zaczęła doskwierać mu tak bardzo, że postanowił trochę pozwiedzać. Zaczął od oględzin reszty budynku, gdzie znalazł kilka magazynków. Zdarza się, że walczący wymieniają magazynek, choć pozostał im jeszcze nabój lub dwa, ale wszystkie, na które natrafił James, okazały się puste.

Na tyłach domu był niewielki ogród. James zakradł się tam z zamiarem przeskoczenia przez niski murek do następnego, ale kiedy zarzucił nań nogę, zakręciło mu się w głowie i poczuł falę mdłości. Opadł na trawę, położył się na wznak i nieznacznie podniósł przyłbicę, żeby odetchnąć świeżym powietrzem. Te mdłości go zaniepokoiły. Jak na standardy CHERUBA ćwiczenie nie było zbyt wyczerpujące, ale James był bardzo osłabiony.

O wpół do ósmej rozpoznał Laurę i Bethany przekradające się ulicą za murkiem ogrodu. Były pierwszymi osobami, jakie zobaczył w ciągu minionej godziny, uznał więc, że może bezpiecznie zdradzić swoją pozycję.

– Miau.

– Hau – odpowiedziała Laura.

James ucieszył się ze spotkania mimo wstydu z powodu utraty jajek i amunicji. Dziarskie miny dziewcząt sugerowały, że radzą sobie całkiem nieźle. Kiedy gramoliły się przez murek, James obejrzał plamy na ich kombinezonach. Każda została trafiona sześć lub siedem razy, mniej więcej tyle samo co on.

– Co z tobą? Marnie wyglądasz – powiedziała Laura.

– Byłem zmęczony, jeszcze zanim zaczęliśmy. Potem dostałem kulę w plecy, a Kerry walnęła mnie łokciem dokładnie w to samo miejsce. Myślałem, że zejdę.

Bethany zachichotała.

– Małżeńska sprzeczka?

James zignorował szpilę.

– Straciłem manierkę – powiedział. – Zostało wam może trochę wody?

Laura skinęła głową. Zdjęła plecak i wręczyła bratu metalową manierkę z długą plastikową słomką.

– Znalazłyśmy kran w jednym z domów i wzięłyśmy na zapas.

James wsunął słomkę pod przyłbicę hełmu i zaczął łapczywie pić.

– Nie wszystko, zachłanny chłopcze – zaprotestowała Laura, wyrywając mu manierkę.

– Macie jeszcze jajka? – zapytał James.

Laura przytaknęła.

– Ja mam dwa, Bethany cztery. A ty?

James potrząsnął głową.

– Nic. Widziałyście Danę i Jake'a?

– Spotkałyśmy ich około czwartej – powiedziała Laura.
– Mówili, że Kerry i Gabriela ich ścigają.

– Jak się trzymają?

– Dany nic nie ruszy. Jest zbyt gruboskórna – powiedziała Bethany, kręcąc głową. – Ale odniosłam wrażenie, że mój psychotyczny braciszek zaczął się dobrze bawić.

James pokiwał głową.

– Byłoby fajnie, gdyby to był paintball albo laser tag, ale ta głupia ćwiczebna amunicja to po prostu latająca śmierć.

– I właśnie o to chodzi – zauważyła Laura. – Mieliśmy się tu nauczyć walczyć z wyczerpaniem i strachem, a nie urządzać sobie wesołą strzelankę.

James westchnął.

– Mam tylko nadzieję, że nie będziemy musieli biec tych dziesięciu kilosów. Co do zimnego prysznica, to może i by się przydał. Zdycham już w tym ubranku.

*

Kiedy tylko zawyła syrena, James, Laura i Bethany otworzyli przyłbice, by z rozkoszą zaciągać się chłodnym powietrzem. Idąc w stronę placyku na środku poligonu, gdzie mieli udać się po zakończeniu ćwiczenia, wszyscy troje rozpięli kombinezony i wyciągnęli ręce z rękawów, pozwalając, by górne połówki stroju wyłożone grubymi wkładkami ochronnymi dyndały im za nogami.

James czuł się już nieco lepiej, a czterdzieści minut pogawędki z dziewczętami pomogło mu odepchnąć myśli o swoich kontuzjach i bólu. Niestety, nie mieli już wody. Bethany drapała się zapamiętale pod przepoconą szarą koszulką CHERUBA, która przykleiła się jej do brzucha.

– Boże, ale chce mi się pić – westchnęła.

– Już lepiej nic nie mów – mruknął James, zdejmując koszulkę przez głowę.

Laura sapnęła z irytacją.

– Ty nie masz się co skarżyć. Wypiłeś większość mojej.

James rozkoszował się ciepłym dotykiem porannego słońca. Przepocona koszulka ciążyła mu w dłoni niczym mokra ścierka.

– Wiecie co? – powiedział wesoło. – Jestem tak spragniony, że mógłbym pić własny pot.

Wystawił język, uniósł koszulkę nad głową i wykręcił. Bethany odskoczyła ze zgrozą na twarzy. Słone krople pociekły Jamesowi na twarz i język.

Laura krzyknęła i popchnęła brata ze złością.

– James, przestań! To najohydniejsza rzecz na świecie!

– Chcesz łyka? – zachichotał James i cisnął w siostrę koszulką.

Laura uchyliła się, pozwalając, by koszulka plasnęła na chodnik. W następnej chwili podbiegła do Jamesa i wymierzyła mu brutalnego kopniaka w kostkę.

– Jesteś obrzydliwy! – krzyknęła. – Moglibyśmy pojechać na wycieczkę do kanałów ściekowych, a ty i tak byłbyś gorszy.

James ze śmiechem schylił się po koszulkę.

– Ten siniec na twoich plecach wygląda paskudnie, James – powiedziała Bethany.

James spróbował spojrzeć na ślad przez ramię, ale bez lusterka było to niemożliwe.

– Pewnie wszyscy mamy po kilka takich – powiedział.

Skręcili za róg i wyszli na plac, z zachwytem witając widok składanego stołu zastawionego butelkami z wodą mineralną. Wokół stołu tłoczyli się członkowie CHERUBA z różnych drużyn. James przepchnął się między dwojgiem mniejszych dzieciaków i zgarnął dwie butelki. Wypił połowę pierwszej i właśnie wylewał sobie resztę na głowę, kiedy zauważył stojącą nad nim Kerry. Dziewczyna zdążyła pozbyć się butów, skarpetek i kombinezonu. Jej długie czarne włosy były zupełnie mokre, a po twarzy ciekły strużki wody.

Spojrzeli na siebie z zakłopotaniem, nie bardzo wiedząc, jak się zachować po tym, co zaszło między nimi tej nocy. Kerry uśmiechnęła się nieśmiało.

– Nie gniewasz się?

James odwzajemnił uśmiech i odważył się na szybki pocałunek w policzek.

– Gdzie tam? Jasne, że nie.

– Słyszałeś o Kyle'u? – zapytała Kerry.

– Nie, a co?

– Dostał w szyję. Musieli go zabrać do szpitala.

– Ta ćwiczebna amunicja to masakra – powiedział James, kręcąc głową. – Popatrz na moje plecy.

– Mam dokładnie to samo – odrzekła Kerry, unosząc koszulkę, by odsłonić wielką czerwoną plamę widniejącą tuż obok pępka.

– Nogi też masz nieźle posiekane – zauważył James.

– A ile zostało wam jajek? – przerwała im Laura, patrząc na Kerry.

Kerry nagle spoważniała. Zawsze traktowała rywalizację bardzo poważnie, a teraz dodatkowo w grę wchodziła niezbyt przyjemna perspektywa dziesięciokilometrowego biegu z plecakami.

– Cała moja drużyna już wróciła – powiedziała ze smutkiem w głosie. – W sumie mamy tylko pięć jajek.

Laura odwróciła się gwałtownie do Jamesa i wyszczerzyła zęby w radosnym grymasie.

– Ja mam dwa – oznajmiła. – Bethany cztery, a Dana i Jake jeszcze nie wrócili.

Kerry pozwoliła sobie na słaby uśmiech.

– Na nich za bardzo bym nie liczyła. Dopadłyśmy ich z Gabrielą.

James nie był w stanie ukryć radości.

– Co za różnica? – wyszczerzył się. – I tak mamy więcej jajek niż wy. Lepiej módl się, żeby drużyna Kyle'a albo Zespół B miały mniej.

– Niektórzy z zespołu Kyle'a już wrócili – powiedziała Laura. – On sam odpadł, ale i tak mają co najmniej osiem.

Kerry wyglądała na przestraszoną.

– Ja przebiegnę dziesięć kilometrów bez problemu, ale mój junior...?

– Przykro mi – powiedział James, poważniejąc.

Kerry nie uwierzyła w szczerość jego ubolewania.

– Tak, na pewno – rzuciła przez zęby i pobiegła do Gabrieli na szybką naradę.

– To nie moja wina! – zawołał za nią James, choć wiedział, że nigdy by się z nim nie zgodziła. W końcu to on zgniótł jej jajka.

Laura spojrzała na brata.

– Nie przejmuj się. Wiesz, jaka ona jest humorzasta.

– Tak. – James skinął głową i odwrócił się, tak by Kerry nie zobaczyła szerokiego uśmiechu na jego twarzy. – Pewnie przez kilka dni nie da się nawet pocałować, ale przynajmniej nie musimy biec dziesięciu kilosów.

Laura gwałtownie cofnęła się o krok, krzywiąc się z najwyższą odrazą.

– Uuuu... Co za wizja: twój mokry parszywy ozór...

Przy stole z wodą zjawiło się kilka nowych osób, w tym Dana i Jake, ale to przybycie Zespołu B zwróciło powszechną uwagę. Podczas gdy członkowie innych drużyn zjawiali się pojedynczo lub w małych wielobarwnie poplamionych grupkach, piątka z Zespołu B przybyła w komplecie. Ich kombinezony były nietknięte. Szli ławą, z hełmami pod pachami, jakby byli załogą NASA wchodzącą na pokład promu kosmicznego.

– Dżiz... – Jamesa zatkało. – Naparzaliśmy się całą noc, a oni nawet się nie spocili!

– Nie przypominam sobie, żebym ich gdzieś widziała – zaczęła zastanawiać się Laura. – Musieli się ukryć i przeczekać, podczas gdy my masakrowaliśmy się nawzajem.

– Boże, jacy czyściutcy! – piał James. – Założę się, że nie stracili ani jednego jajka.

*

Nie stracili prawie żadnego. Instruktorzy, pan Large i jego asystenci Pike i Greaves, przyjechali w trzech land-roverach z odkrytymi skrzyniami, trąbiąc klaksonami i siejąc popłoch wśród zgromadzonych na placu cherubinów. Large zarządził zbiórkę i zajął się oglądaniem jajek. Każde długo obracał w dłoniach, szukając choćby śladu pęknięcia.

Choć Kyle wylądował w szpitalu, drużyna A zachowała osiem jaj. Po inspekcji drużyny B Large rozpromienił się.

– Jedna drobna rysa, czyli dwadzieścia dziewięć z trzydziestu jaj. Nieczęsto, gnojki, udaje się wam zrobić na mnie wrażenie, ale to jest imponujące.

Zespołowi B przewodziła piętnastoletnia Clara Ward, z którą James chodził na lekcje fizyki i której nie cierpiał, ponieważ była wzorową uczennicą, zawsze oddawała pracę domową na czas i miała tylko najlepsze stopnie.

– Bardzo dziękuję, sir! – wyskandowała Clara, po czym uśmiechnęła się szeroko do Large'a i zasalutowała, sprawiając, że James znienawidził ją jeszcze bardziej.

James włożył dwa palce do ust i zasymulował odruch wymiotny.

– Ale palantka. Cherubini nie salutują – szepnął na ucho Laurze.

– Wiem – odszepnęła Laura. – Czy ona myśli, że jesteśmy w wojsku?

– A więc, jak tego dokonaliście? – zapytał Large.

Clara uśmiechnęła się.

– Sir, kilka dni temu przyjechałam tutaj na rowerze i obejrzałam poligon. Po północno-wschodniej stronie, obok jeziora, znalazłam dwa budynki łatwe do obrony. Można się do nich dostać tylko wąską alejką. Pobiegliśmy tam zaraz na początku ćwiczenia i ufortyfikowaliśmy naszą kryjówkę, przesuwając kilka zaparkowanych w pobliżu samochodów. Naszym jedynym kontaktem bojowym była krótka wymiana ognia z dwoma członkami Zespołu D.

– Dobra robota – uciął Large, przechodząc do Zespołu C i zatrzymując się przed Kerry. – Ojejku, jejku, jejku – westchnął na widok pudełka z pięcioma jajkami.

Large wyjmował jajka po kolei, każde poddając starannym oględzinom.

– Pięć jajek – orzekł wreszcie z udawanym smutkiem. – Bardzo, bardzo słabo. Nawet jeśli, w co nie wierzę, następna drużyna wypadnie gorzej niż wy, możesz spodziewać się, że napiszę raport, w którym twoje zdolności przywódcze zostaną ocenione negatywnie.

Large potoczył się dalej w orszaku swoich asystentów, pozostawiając zdruzgotaną Kerry jej własnym ponurym myślom. James chciał posłać jej współczujący uśmiech, ale nie mógł złapać jej wzroku.

– A zatem został nam Zespół D dowodzony przez rodzinę Addamsów – powiedział Large i zaśmiał się sucho z własnego dowcipu.

– Sześć jaj, proszę pana – powiedział James, wyciągając rękę z pełnym pudełkiem.

James obejrzał dokładnie jajka zaledwie przed dwiema minutami, ale i tak serce waliło mu jak młotem, gdy Large wodził po nich badawczym wzrokiem.

– Wszystkie są w porządku – mruknął nerwowo James.

Large wyjął jedno z dwóch jajek Laury.

– Czyje to jajka? – zawarczał.

Laura wystąpiła naprzód, przeczuwając burzę.

– Sir – pisnęła.

– Tu jest napisane Laura Adams. – Large wykrzywił się w złym uśmiechu.

– Tak się nazywam – powiedziała Laura, zbyt przestraszona, by zdobyć się na sarkastyczny ton.

– Nieprawda – ucieszył się Large. – Nazywasz się Rzygowina. Nie liczę tych jajek, bo nie są właściwie podpisane. Cztery jajka dla Zespołu D. Umoczyliście.

James, Dana, Bethany i Laura byli już uodpornieni na poczucie kompletnej bezradności w chwilach, kiedy Large poniewierał nimi wyłącznie dla własnej sadystycznej frajdy. Jednak Jake nie przeszedł jeszcze szkolenia podstawowego i nie wiedział, że odszczekiwanie się tylko pogarsza sprawę.

Chłopiec cisnął swój hełm na ziemię.

– Na pewno nie będę biegał! – krzyknął z furią. – To jest totalna ściema!

Large przyskoczył do Jake'a i złapał go za wilgotną koszulkę. Jedną ręką oderwał go od ziemi i wywrzeszczał prosto w przerażoną twarz:

– CZY – NA PEWNO – CHCESZ – ZE MNĄ – ZADRZEĆ – PARKER?!

Jake miał obłęd w oczach. James był pewien, że biedny dzieciak albo zemdleje, albo zleje się w spodnie.

– Kiedy będziesz mógł zacząć podstawówkę? – wycedził Large.

– W maju przyszłego roku, sir.

– Czyli już za dziesięć miesięcy. Pomyśl, czy to rozsądne robić sobie ze mnie wroga?

– Nie, sir – kwiknął Jake.

– Ja tu ustalam zasady! – krzyknął Large do wszystkich, puszczając Jake'a z wysokości dwóch metrów. – I nigdy o tym nie zapominajcie!

Jake zbierał się z ziemi, dygocząc i ze wszystkich sił starając się nie rozpłakać. Bethany nachyliła się, żeby mu pomóc.

– Cztery całe jajka – powtórzył Large. – Zespół D dostaje bieg karny.

Na widok żałosnych min Jake'a i Laury James z trudem hamował wściekłość. Do Large'a podszedł pan Pike.

– Daj spokój, Norman – powiedział półgłosem. – Nie możesz oczekiwać, że dzieciaki będą dawać z siebie wszystko i pozostaną zmotywowane, jeśli wybierasz przegranego, jeszcze zanim zaczną.

James był wstrząśnięty. Pracował już z Pikiem na kilku treningach. W przeciwieństwie do swojego przełożonego zawsze grał fair, ale James po raz pierwszy widział, jak jeden z młodszych instruktorów śmie podważać autorytet Large'a.

Large odwrócił się gwałtownie do swojego kolegi.

– Panie Pike, kiedy to pan będzie starszym instruktorem, będzie pan mógł liczyć jajka po swojemu.

Interwencja Pike'a dodała Jamesowi odwagi.

– On ma rację – powiedział, sam nie bardzo wierząc w to, że to robi. – Nigdzie nie biegnę, dopóki nie porozmawiam o tym z Prezesem. Nie może pan nieustannie wyżywać się na Laurze. Poniosła już karę za to, że pana uderzyła.

– To jest rozkaz! – wydarł się Large.

– I wykonam go po potwierdzeniu przez Prezesa! – odkrzyknął James.

– Jestem z tobą, James – oświadczyła Dana, stając obok niego. – Chodźmy do Prezesa. Złożymy formalną skargę w związku z prześladowaniem Laury.

Laura i Bethany zamruczały potakująco. Wśród pozostałych drużyn podniósł się gniewny szmerek.

– Pójdziecie do Prezesa, to nikt z was nie zda tego ćwiczenia – powiedział Large.

James wzruszył ramionami.

– I co z tego? To tylko ćwiczenie. Przeszliśmy już podstawówkę i nie ma pan uprawnień do cofnięcia nam zezwolenia na wykonywanie misji.

– Odpuść sobie, Norman – powiedział pan Pike. – Nie wygrasz.

Large odwrócił się i zmierzył wzrokiem Kerry.

– Dobra – westchnął. – Zespół C, dziesięć kilometrów. Łapcie plecaki.

James spojrzał na Danę i kiwnął głową.

– Dzięki za wsparcie.

– I tak idę do Prezesa – oświadczyła Dana. – Wiem, że te ćwiczenia mają być ciężkie i w ogóle, ale to, jak on traktuje Laurę, jest absolutnie nie do przyjęcia.

Laura spojrzała na Danę z miną winowajczyni.

– Przepraszam, że nazwałam cię śmierdzielem.

9. MYDŁO

Była druga po południu, kiedy James wreszcie się obudził i postanowił sprawdzić, co u Kerry. Nasłuchiwał przez chwilę pod jej drzwiami i usłyszawszy telewizor, uznał, że chyba nie śpi.

– Heja! – wyszczerzył się James, wsuwając głowę do pokoju. – Jak tam bieg?

Kerry siedziała na łóżku ubrana w szlafrok. Wcisnęła pauzę w odtwarzaczu DVD i wzruszyła ramionami.

– Och, zabawa była przednia. Możesz sobie wyobrazić, w jak wspaniałym nastroju był Large po starciu z tobą.

– Ja i Dana rozmawialiśmy z Prezesem o tym, jak Large pastwi się nad Laurą. Powiedział, że pogada z nim i z panem Pikiem.

Kerry uśmiechnęła się.

– Słyszałam, że Large musi się pilnować. Dostał już kilka pisemnych ostrzeżeń dotyczących swego zachowania.

– Może go w końcu wywalą. – Uśmiechnął się James, sięgając do kieszeni po kartkę turkusowego papieru. – Ale byłoby pięknie!

Kerry roześmiała się.

– Tak, zostałaby mu pewnie praca bramkarza w nocnym klubie albo ochroniarza w hipermarkecie.

– Nie obchodzi mnie, jaką pracę dostanie, byleby zniknął z mojego życia – powiedział James, szczerząc się jak idiota i wachlując papierem.

– Dobra, złapałem aluzję – westchnęła Kerry. – Co jest na tym świstku?

James podał kartkę Kerry i teatralnym gestem opadł na jej łóżko.

– Jestem małym chorym chłopczykiem – zachichotał.

Kerry ostrzegawczo uniosła rękę.

– Zabieraj te buciory z mojego łóżka – powiedziała ostro. – Ile razy mam ci powtarzać?

James przetoczył się na plecy i zaczął zdejmować glany. Kerry odczytywała notatkę na głos.

– James Adams, dziesięć dni zwolnienia z wszelkich zajęć z powodu odwodnienia i wycieńczenia... James, co to za brudna machlojka?

– Żadna machlojka. Poszedłem do pielęgniarki, żeby opatrzyła mi tę ranę na plecach, a ona pyta, co jestem taki rozpalony i mokry. No to opowiedziałem jej, jak się czułem podczas ćwiczenia. Uznała, że to odwodnienie i prawdopodobnie osłabienie po tej zeszłotygodniowej przygodzie z wirusem żołądkowym.

Kerry potrząsnęła głową.

– A ja uważam, że wciskasz kit.

– Powiedziała też – ciągnął James – że bliskość dziewczęcego ciała na pewno bardzo pomogłaby mi w powrocie do zdrowia.

– Och, jestem pewna, że tak, James. Ale nie zbliżam się do ciebie, dopóki jesteś rozpalony i mokry. Nie chcę twoich zarazków.

James leżał na wznak na łóżku, a Kerry siedziała obok niego i oglądała telewizję. James przysunął się o kilka centymetrów i delikatnie pocałował Kerry w nadgarstek.

– Masz takie słodkie małe rączki – wymruczał.

Kerry uniosła rękę i z łagodnym uśmiechem pogłaskała Jamesa po policzku.

– Co ty knujesz, Adams?

– Nic. Tak tylko myślę... Jest ładny dzień. Może zrobimy kanapki i wybierzemy się nad jezioro? Wiem, że normalnie jest tam tłum ludzi, ale teraz wszyscy mają lekcje, więc plaża będzie tylko nasza. Popływamy trochę, ochłodzimy się. Poleżymy na słońcu...

Kerry spojrzała za okno.

– Rzeczywiście jest ładnie, ale właśnie jestem w połowie *EastEnders*.

James popatrzył na ekran, krzywiąc się.

– Ty i te twoje durne seriale. Viola ma żylaki, a Sammy kradnie świąteczne oszczędności, żeby zapłacić za operację zmiany płci. Nie wiem, jak ty znosisz to codzienne odmóżdżanie.

– Cóż, tak się składa, że lubię seriale – powiedziała spokojnie Kerry. – Możesz się zamknąć i oglądać ze mną albo spadaj.

– A potem zrobimy sobie piknik?

Kerry pokręciła głową.

– Mam jeszcze nieobejrzanych *Sąsiadów*.

James przewrócił oczami.

– Boże, Kerry, jak ty czasem przynudzasz.

– Nie masz przypadkiem stosu nieodrobionych zadań domowych na biurku? – zdenerwowała się Kerry. – Może dla odmiany coś byś odrobił, zamiast ciągle zrzynać ode mnie albo od Kyle'a.

– No dobra, pójdę, skoro mnie nie chcesz – powiedział James, wstając z łóżka. – Pomyślałem tylko, że miło byłoby urządzić sobie piknik.

Kerry uśmiechnęła się drwiąco.

– Bądźmy szczerzy, James, wcale nie chodzi ci o piknik. Chcesz chwilę popływać, a potem spędzić popołudnie, całując się ze mną i próbując się dobrać do moich cycków.

– No cóż, podobno jesteś moją dziewczyną. Czekałem na ciebie sześć miesięcy, kiedy byłaś w Japonii. Teraz wróciłaś i nigdy nie chcesz nic robić. W ogóle nie wiem, po co ci chłopak.

Kerry zeskoczyła z łóżka i wytrzeszczyła oczy w udawanym podziwie.

– Wiesz co, James? To najsensowniejsza rzecz, jaką dziś powiedziałeś. Właściwie po co mi chłopak? Nic tylko jęczysz i jęczysz na temat szkoły. Mam już powyżej uszu pożyczania ci pieniędzy i ratowania tyłka z pracami domowymi, które zawsze zostawiasz na ostatnią chwilę. Mam dość tego, że nie mogę wyluzować się w samotności ani pójść dokądś z dziewczynami, bo zawsze przypętasz się ty. W rzeczywistości – wyrzuciła z gniewem Kerry – mam dość wszystkiego, co ma związek z tobą.

– Rzucasz mnie? – zapytał oszołomiony James.

– Bingo. – Kerry kiwnęła głową. – Uważaj się za wolnego. A teraz bądź łaskaw zabrać swój bezwartościowy tyłek z mojego pokoju.

– Ale...

Kerry ominęła Jamesa i otworzyła drzwi.

– Wypad!

– Kerry, daj spokój. Nie sądzisz przypadkiem, że trochę przesadzasz?

– Wynocha!

James postanowił posłuchać, bo Kerry najwyraźniej wpadła w jeden ze swoich humorów z serii „Zaraz połamię ci ręce i nogi". Przestąpił próg i podmuch zrzucił mu grzywkę na oczy, kiedy tuż za jego głową huknęły drzwi.

Oprócz Jamesa jedyną osobą na długim korytarzu był świeżo zwerbowany członek CHERUBA Andy Lagan. Jedenastoletni, w błękitnej koszulce, miał za dwa miesiące rozpocząć szkolenie podstawowe.

James spojrzał na niego i wzruszył ramionami.

– Zapamiętaj sobie, dzieciaku: wszystkie dziewczyny to walnięte wariatki.

Komentarz wprawił Andy'ego w lekką konsternację. Kerry otworzyła drzwi.

– I zabieraj swoje śmierdzące buciory!

Pierwszy but grzmotnął w ścianę, ale drugi trafił Jamesa prosto w potylicę. James okręcił się na pięcie, ale zanim zdążył cokolwiek powiedzieć, drzwi znów zatrzasnęły się z hukiem. Grzmotnął w nie pięścią.

– Wiesz co? Lepiej mi będzie bez ciebie... Humorzasta krowa.

James zauważył, że Andy chichocze. Podszedł bliżej i zmierzył chłopca wzrokiem.

– Wydaje ci się to śmieszne?

– Nie. – Andy uśmiechnął się przymilnie, z trudem zachowując powagę.

James złapał chłopca za ramiona i starł mu uśmiech z twarzy, przygniatając plecami do ściany.

– Chciałbyś się ze mnie pośmiać? – wysyczał.

– Przepraszam – jęknął dzieciak, patrząc z lękiem na znacznie większego od siebie przeciwnika. – Po prostu nie mogłem się powstrzymać, kiedy trafiła cię tym butem w głowę.

Przeprosiny czy nie, James był głęboko wstrząśnięty tym, co zrobiła Kerry, i nie był w nastroju do wybaczania. Uniósł rękę i plasnął Andy'ego w twarz, po czym mocnym pchnięciem rzucił go na ścianę. Chłopiec odbił się i upadł na plecy. James stanął nad nim z zaciśniętymi pięściami.

– Nadal sądzisz, że to zabawne? Zaśmiej się jeszcze raz, to zobaczysz, co z tobą zrobię.

Andy zaszlochał żałośnie i zaczął niezdarnie odsuwać się od swojego oprawcy.

– Zostaw mnie w spokoju – zakwilił.

James odprowadził wzrokiem łzę, która spłynęła Andy'emu po policzku. Nagle cała jego złość ulotniła się bez śladu i zrobiło mu się głupio. Nerwowo obejrzał się przez ramię, żeby sprawdzić, czy nikt go nie widział, po czym wyciągnął rękę do chłopca.

– Przepraszam... Naprawdę mi przykro – wymamrotał. – Nie wiem, co mnie napadło. Moja dziewczyna właśnie mnie rzuciła i trochę straciłem...

– Nie podchodź do mnie, palancie! – wrzasnął Andy.

Meryl Spencer, opiekunka Jamesa, wyszła ze swojego gabinetu na końcu korytarza, by sprawdzić, kto krzyczał. Kerry wybiegła ze swojego pokoju i odpychając Jamesa z drogi, kucnęła obok Andy'ego. Podała chłopcu czystą chusteczkę do wytarcia oczu, po czym obejrzała się przez ramię, rzucając Jamesowi nienawistne spojrzenie.

– Na miłość boską, James! Co się z tobą dzieje?

10. BOJKOT

Meryl poświęciła prawie godzinę na wydzieranie się na Jamesa, zaś James poświęcił prawie godzinę na zastanawianie się, jak jeden idiotyczny napad wściekłości mógł wpakować go w tak koszmarne bagno. Kiedy wreszcie wydostał się z gabinetu opiekunki, zjechał windą do stołówki na kolację.

W kolejce ogarnęło go dziwaczne uczucie, że ludzie mówią o nim za jego plecami. Kiedy postawił swoją tacę na stole, nikt z jego paczki nie miał zadowolonej miny.

Towarzystwo Jamesa siedziało przy tych samych dwóch zsuniętych stołach co zawsze: Shak, Connor, Gabriela, Kerry i Kyle, tym razem z piankowym kołnierzem ortopedycznym na szyi. Nie było Bruce'a, który był na misji, oraz Calluma, który wyszedł do toalety. James usiadł naprzeciwko Kyle'a, tak daleko od Kerry, jak się tylko dało. Zdawał sobie sprawę, że koledzy raczej nie będą wiwatować i gratulować mu pobicia jedenastolatka, ale sądził, że wystarczy, jeżeli przeprosi i podkreśli surowość otrzymanej kary.

– Nie jadę na wyspę w te wakacje – powiedział grobowym głosem. – Mam zakaz wykonywania misji przez miesiąc i będę co wieczór sprzątał centrum planowania przez trzy miesiące... A, i zaczynam kurs kontrolowania agresji.

Wszyscy jedli, nie odzywając się ani słowem. James spróbował znowu.

– Strasznie dałem ciała... To znaczy wiem, że to, co zrobiłem, było złe... a właściwie nie do przyjęcia, ale...

Gabriela pierwsza przełamała mur milczenia.

– James, nikogo to nie interesuje – rzuciła gniewnie. – Czemu nie pójdziesz zjeść przy innym stoliku?

James nie spodziewał się ciepłego przyjęcia, ale szorstkość Gabrieli go zaskoczyła.

– Wiecie, że czasem mi odbija – powiedział cicho, popatrując w twarze przyjaciół w nadziei na choćby ślad wsparcia. – Nie umiem sobie z tym poradzić.

Kyle przemówił twardym głosem.

– Jeśli się nie ruszysz, my to zrobimy. Wiesz, przez co przeszedł Andy w ciągu ostatnich miesięcy?

U Meryl James zdążył dokładnie poznać historię życia Andy'ego, ale wyglądało na to, że za chwilę usłyszy ją jeszcze raz.

– Jego babcia zginęła w pożarze – powiedział Shak. – Policja odkryła, że to było podpalenie, i oskarżyła Andy'ego. Biedak spędził pół roku zamknięty w areszcie, dopóki ktoś nie wsypał dzieciaków, które naprawdę to zrobiły.

Kyle pokiwał głową.

– Zanim trafił do kampusu, próbował się zabić. Przeszedł wstępne testy, ale nie poszedł na szkolenie podstawowe od razu, bo wciąż jest nieźle popaprany.

– A ty go pobiłeś – dodał Connor oskarżycielskim tonem. – Jesteś bydlakiem.

– No przestańcie – jęknął rozpaczliwie James. – Wcale go nie pobiłem. To był jeden policzek i popchnięcie. Przeproszę go i dam mu na zgodę parę moich gier na Playstation, dobra?

Gabriela i Kyle powoli pokręcili głowami. James zrozumiał, że nikogo nie przekona.

– Jak chcecie – powiedział, wstając gwałtownie i zabierając swoją tacę.

Chciał dodać: „Mam lepszych przyjaciół", ale w gardle urosła mu wielka gula.

Rozejrzał się za miejscem do siedzenia. Pomyślał o stoliku Laury i Bethany, ale zadawanie się z małolatami nie było cool, a i dziewczęta zapewne nie przyjęłyby go z otwartymi ramionami. Wyszukał wzrokiem kilka znajomych twarzy: ludzi, z którymi był na szkoleniu albo chodził na zajęcia, ale wszyscy siedzieli otoczeni przez własnych przyjaciół, a wciskanie się w cudzy tłum nie było mile widziane.

Skończył jeść sam, przy stole na końcu stołówki, gdzie nikt nie siadał, chyba że nie było już innych miejsc, bo śmierdziało tam zakrzepłymi resztkami jedzenia wyrzucanymi do pojemników.

*

Po kolacji James wrócił do siebie i rzucił się na łóżko, by rozpaczać w samotności. Cztery godziny wcześniej planował piknik z Kerry, miał dziesięciodniowe zwolnienie z zajęć, a pod koniec miesiąca czekało go pięć tygodni słonecznych wakacji w letnim ośrodku CHERUBA. Teraz jego życie legło w gruzach. Porzucony przez Kerry, bez przyjaciół, bez szans na wakacje, a do tego mógłby przysiąc, że stos prac domowych na biurku uśmiecha się doń ironicznie.

Ktoś trzy razy zastukał w drzwi. Laura.

– Właź! – zawołał James bez entuzjazmu.

Nie był pewien, czy chce tego spotkania. Z jednej strony było mu miło, że przyszła, ale nie miał ochoty na wykład, jaki musiał nastąpić bez względu na to, jak bardzo na niego zasłużył.

– Wszystko w porządku? – zapytała Laura. – Wyglądasz, jakbyś płakał.

– Nie płakałem – zaperzył się James, ale po chwili wzruszył ramionami. – No, może trochę.

– Kyle powiedział, że mogę z tobą rozmawiać, bo jestem twoją siostrą.

James nie wierzył własnym uszom.

– Co? Musisz pytać tego idiotę o pozwolenie na rozmawianie ze mną?!

Laura pogroziła mu palcem.

– Zejdź z Kyle'a, James, dobra? On i Gabriela uratowali ci tyłek.

– Nie wiesz, o czym gadasz – fuknął James. – Szkoda, że nie widziałaś ich przy kolacji. Normalnie szefowie mafii.

– Nie – zaśpiewała Laura, potrząsając głową. – Andy ma opiekunów: dwóch ogromnych szesnastolatków. Kiedy dowiedzieli się, co się stało, chcieli ci wklepać. To Kyle namówił ich, żeby dali ci spokój. Stwierdził, że bojkot będzie skuteczniejszy.

– Gdyby mi wklepali, przynajmniej byłoby po wszystkim... To jest bez sensu, Laura. Czemu robicie z tego taką aferę? To był tylko jeden cios! Nawet nie cios. Policzek!

– Ty nic nie rozumiesz, co? – powiedziała Laura, w zamyśleniu trąc dłonią bok głowy.

– Jak to?

– To się ciągle powtarza, James. Tracisz nad sobą panowanie i naskakujesz na ludzi.

– Niby kiedy?

– Na przykład wtedy, kiedy zgnoiłeś tego chłopaka w piątej klasie. Rozwaliłeś farby i wszystko. W szóstej klasie wykręciłeś dzieciakowi nogę i prawie złamałeś mu kostkę. W dniu śmierci mamy poharatałeś Samantę Jennings. W domu dziecka też od razu wpakowałeś się w kłopoty. Na szkoleniu nadepnąłeś Kerry na dłoń, a jak o tym pomyśleć, to i mnie parę razy nieźle stłukłeś.

– Ciągle się biliśmy, jak byliśmy mali, Laura, jak normalne dzieciaki.

Laura pokręciła głową.

– A wtedy, kiedy podbiłeś mi oko? Powiedzieliśmy mamie, że to był wypadek, ale nie był, prawda? Wpadłeś w szał, bo zjadłam malutki kawałek twojej czekoladowej pisanki.

– Przestań, Laura. Miałem dziesięć lat. Mówisz, jakbym był jakimś psychopatą z pianą na ustach.

– Może nie jesteś psychopatą, ale masz swoją mroczną stronę. Mam nadzieję, że przez tę aferę naprawdę stracisz wszystkich przyjaciół i że Kerry do ciebie nie wróci. Może wtedy zrozumiesz, że nie można żyć z ludźmi, raz po raz wpadając w amok i bijąc, kogo popadnie.

James był oszołomiony wybuchem siostry.

– Wielkie dzięki – pociągnął nosem. – Bardzo mnie pocieszyłaś.

– Mój ty biedaczku – zadrwiła Laura. – Wiesz, myślałam, że już wyrosłeś z tych bzdur.

– Kerry rzuciła mnie bez żadnego powodu – poskarżył się James.

Laura wiedziała, że jej brat szuka współczucia, i zignorowała go całkowicie.

– Powiedz, co będzie, jeżeli nigdy z tego nie wyrośniesz, James? Pewnego pięknego dnia skopiesz żonę i dzieci?

James zachłysnął się.

– Laura, zgłupiałaś?! Nigdy bym tego nie zrobił.

– Wiesz, że mam gwałtowny charakter. Czasem nie umiem sobie z tym poradzić – powiedziała Laura, imitując głos Jamesa. – Skoro nie potrafisz sobie z tym radzić, to skąd pewność, że nigdy tego nie zrobisz?

– Laura, nigdy w życiu nie uderzyłbym swojej żony ani dziecka. Przysięgam na Boga.

– Też mam dla ciebie przysięgę – powiedziała Laura, podsuwając palec pod nos bratu. – Mam powyżej uszu twoich kretyńskich wpadek. Zatem na grób naszej mamy, jeśli to się powtórzy choćby jeden raz, nigdy więcej się do ciebie nie odezwę.

Laura wstała i skierowała się ku drzwiom.

– Laura! – zawołał rozpaczliwie James.

Zatrzymała się.

– Co?

James opuścił głowę.

– Sam nie wiem... Może zostaniesz i pooglądamy telewizję? Nie chcę być sam.

Laura pokręciła głową.

– Na moim piętrze jest impreza urodzinowa. Mam zamiar pójść na górę i spróbować się dobrze bawić. Jeśli ty będziesz tu siedział sam i rozpaczał, to czyja to wina?

Laura trzasnęła za sobą drzwi. James opadł na łóżko. Młodsza siostra nie tyle trafiła w jego czuły punkt, ile przejechała po całej ich garści tarką do sera. Łykając łzy, James uświadomił sobie, że za każdym razem, kiedy wpadał w szał, to on cierpiał na tym najbardziej. Musiał zatem nauczyć się panować nad sobą.

11. OBIETNICE

CHERUB

Kontrakt na dobre zachowanie

Ja, James Robert Adams, zobowiązuję się do przestrzegania poniższych punktów.

1) Będę traktował z szacunkiem moich kolegów i przełożonych.
2) Wobec nikogo nie będę stosował przemocy – ani werbalnej, ani fizycznej.
3) Będę regularnie uczęszczał na zajęcia kursu opanowania agresji.
4) Jeśli poczuję złość, użyję technik poznanych na kursie do opanowania mojego nastroju. Nie stracę nad sobą panowania.
5) Pisemnie przeproszę Andy'ego Lagana.
6) Nadrobię zaległości w pracach domowych. Nie będę odpisywał prac od kolegów i przyjmuję do wiadomości, że nie wolno mi opuszczać kampusu, dopóki nie odrobię wszystkiego.
7) Będę sprzątał budynek centrum planowania misji pomiędzy godziną siedemnastą a dziewiętnastą, codziennie z wyjątkiem niedziel, przez trzy miesiące lub do czasu otrzymania zadania operacyjnego.
8) Akceptuję jednomiesięczny zakaz wykonywania zadań operacyjnych. Zakaz zostanie przedłużony do trzech miesięcy, jeżeli w tym czasie nie nadrobię zaległości w pracach domowych.
9) Przyjmuję do wiadomości, że w związku z moim zachowaniem w tym roku nie wyjadę na wakacje do ośrodka CHERUBA.

10) Nie będę zadręczał mojej opiekunki Meryl Spencer prośbami
o zmianę warunków kontraktu po jego podpisaniu.

Przyjmuję do wiadomości, że po trzech miesiącach moje zachowanie zostanie poddane ocenie. Jeżeli nie dotrzymam WSZYSTKICH
warunków kontraktu, poniosę surową karę, która może obejmować wydalenie z CHERUBA.

Podpisano: J.R. Adams
Opiekunka: M. Spencer
Świadek: L.Z. Adams

12. SPRZĄTANIE

Miesiąc później

Przez pierwsze jedenaście lat swojej egzystencji James wiódł taki sam monotonny żywot jak większość jego rówieśników: wstając rano, chodząc do szkoły, wracając do domu, do mamy, jeżdżąc na wakacje raz, a jeśli miał szczęście dwa razy w roku. Odkąd jego mama umarła, James wiódł wiele bardzo różnych żywotów: jako wychowanek domu dziecka, kadet CHERUBA, członek hipisowskiej komuny, początkujący diler narkotyków, a nawet więzień zakładu karnego w Arizonie. Jednak James najbardziej lubił codzienne życie w kampusie. Uwielbiał swój pokój. Uwielbiał łatwość, z jaką każdy posiłek w stołówce przemieniał się w plotkarską sesję, na której rozmawiało się o tym, kto dostał rundki karne, kto kogo próbował poderwać, albo dyskutowało zawzięcie o wynikach meczów piłkarskich. A najbardziej lubił dzikie zabawy. Nigdy nie było wiadomo, kiedy wybuchnie bitwa wodna ani kiedy wyższe piętro wyda niższemu wojnę na balony z mąką. Szkoła i treningi były ciężkie, ale w tych dobrych chwilach życie w kampusie było największą frajdą, jakiej James kiedykolwiek zaznał.

Teraz jako obiekt ostracyzmu James czuł się zażenowany wśród ludzi, z którymi nawet nie mógł porozmawiać, i większość czasu spędzał w swoim pokoju. Kiedy już uporał się z zaległymi pracami domowymi, zaczął czytać pisma motocyklowe i grać na Playstation. Nienawidził zamknięcia w dusznym pokoju, podczas gdy wszyscy inni żyli pełnią życia. Zza zamkniętych drzwi wciąż słyszał odgłosy gonitw, nawoływania, krzyki, trzaskanie drzwiami i okazjonalne awantury, kiedy coś wymknęło się spod kontroli. A najgorsze było to, że to wszystko była jego własna głupia wina.

*

Cherubini mogą zostać wysłani na długą misję w każdej chwili, a kiedy wracają do szkoły, oczekuje się od nich, że nadrobią zaległy materiał. Z tego powodu każdy agent CHERUBA uczy się w trybie indywidualnym, zaś lekcje odbywają się przez cały rok, od poniedziałku do soboty. Jedynymi wyjątkami były dni ustawowo wolne od pracy i tydzień między Bożym Narodzeniem a Nowym Rokiem. Dlatego podczas gdy wszyscy inni wyjeżdżali na pięciotygodniowe turnusy do ośrodka na wyspie, James codziennie chodził na zajęcia szkolne.

Czuł, że odniósł małe zwycięstwo, jeśli zdołał przebrnąć przez pracę domową w ciągu godziny dzielącej ostatnią lekcję od sprzątania centrum planowania misji. Udało mu się to także tej środy, więc wychodził z pokoju w całkiem niezłym nastroju. Nie trwało to jednak zbyt długo.

Bruce stał na korytarzu ubrany w szorty do pływania za małe o co najmniej trzy numery. Shak patrzył na niego z rozbawioną miną.

– Musisz pojechać do miasta i kupić nowe, zanim wyjedziemy – zachichotał Shak. – Stary, jak ty się w to wcisnąłeś?

Bruce spojrzał na swoje chude nogi i skinął głową.

– Rok temu były w sam raz. Chodzi o to, że swój przydział ubraniowy już wydałem. Nie pożyczyłbyś mi swoich? Tych niebieskich?

Shak stał na środku korytarza, blokując drogę do windy.

– ...praszam – mruknął James.

Shak cmoknął ze zniecierpliwieniem i cofnął się pod ścianę. Bruce odprowadzał Jamesa wzrokiem pełnym najwyższej pogardy. Czekając na windę, James wyobraził sobie, jak wszedłby w tę sytuację miesiąc wcześniej. Prawdopodobnie wsiedliby razem do autobusu, połaziliby po sklepach w mieście i skończyli w jakimś Burger Kingu.

Zrobiło się jeszcze bardziej niezręcznie, kiedy drzwi windy rozsunęły się, odsłaniając Normana Large'a, niemal dotykającego głową plastikowego sufitu. James widział go po raz pierwszy od czasu, gdy wraz z Daną udali się do Prezesa, uruchamiając łańcuch wydarzeń, który zakończył się degradacją Large'a do rangi zwykłego instruktora. Na stanowisku szefa wyszkolenia zastąpił go jego były asystent pan Speaks.

Stali obok siebie, unikając kontaktu wzrokowego, podczas gdy winda bezgłośnie sunęła w dół. James starał się nie wyobrażać sobie, z jaką łatwością olbrzym mógłby go zmiażdżyć.

Przy wejściu do centrum planowania misji James musiał się pochylić i przyłożyć oko do okularu. Czerwony promień przeskanował jego siatkówkę w celu dokonania identyfikacji, po czym ze szczeliny przyrządu wyskoczyła kolorowa naklejka. Drzwi otworzyły się z cichym kliknięciem. James codziennie dostawał taki sam świeżo wydrukowany identyfikator ze swoim nazwiskiem i fotografią, więc nawet nie zadał sobie trudu, żeby spojrzeć, kiedy przykleił go sobie do koszulki do góry nogami.

James miał już ustaloną procedurę sprzątania. Zaczynał od wyprowadzenia ze schowka wózka sprzątacza. Było to olbrzymie urządzenie z wbudowanym na jednym końcu pojemnikiem na śmieci, który sięgał Jamesowi pod brodę. Był tam też mop, wiadro, przypięty z boku odkurzacz oraz metalowe półki wyładowane ścierkami i środkami czyszczącymi.

Przez całą długość budynku centrum przebiegał banano-kształtny korytarz z dwudziestoma biurami i salami specjalnego przeznaczenia po bokach oraz dwoma luksusowymi gabinetami starszych koordynatorów – Zary Asker i Dennisa Kinga – na przeciwległych końcach.

James zaczynał od gabinetu Kinga, ponieważ po siedemnastej nigdy nie było go w budynku. We wszystkich pomieszczeniach procedura była taka sama: opróżnić śmietniki i popielniczki, zebrać brudne kubki i talerze, przetrzeć wszelkie powierzchnie niezawalone szpargałami, odkurzyć podłogę i zakończyć dzieło psiknięciem odświeżacza powietrza. Praca nie była zbyt wyczerpująca, ale wykonywana codziennie wykańczała swoją monotonią. W dodatku James musiał się porządnie uwijać, jeżeli miał sprzątnąć dwadzieścia biur, wyszorować cztery łazienki i uzupełnić w nich zapas środków czystości, odkurzyć korytarz oraz pozmywać w ciągu dwóch godzin. W rzeczywistości jeszcze nigdy nie udało mu się zejść poniżej dwóch godzin i kwadransa, nawet kiedy pracował bez chwili wytchnienia.

Po półtorej godziny Jamesa zaczęły boleć stopy. Właśnie skończył sprzątać ostatnią łazienkę, co było tą częścią pracy, której nienawidził najbardziej. Bojkot ze strony przyjaciół i utrata wakacji nie sprawiały mu frajdy, ale przepychanie kibli pełnych cudzych klocków i rozmokłego papieru było zdecydowanie najgorsze ze wszystkiego.

Kiedy wrzucał jednorazowe rękawiczki i mokry fartuch do worka przy wózku, usłyszał cichy chichot. Domyślił się, że to Joshua, półtoraroczny syn Zary Asker. James znał zasady tej gry.

– Bu! – pisnął Joshua, wyskakując zza wózka.

James teatralnie zatoczył się pod ścianę.

– Ale mnie przestraszyłeś! Ty okropny mały potworze.

Malec z chichotem przykleił się do nogi Jamesa.

– Joshua potwór. Grrrrr.

– Znowu uciekłeś z gabinetu mamusi?

Joshua promieniał, kiedy James brał go na ręce. Blond grzywka opadała mu na oczy, a pasiaste ogrodniczki były całe w zaschniętych brązowych plamach.

– Wygląda na to, że postanowiłeś ubrać się w ten batonik – westchnął James, stając przed drzwiami gabinetu Zary i wyciągając rękę, by zapukać.

W kadrze CHERUBA znalazłoby się kilka osób, które James lubił, ale Zara była na pierwszym miejscu. Zawsze pracowała do późna i w miesiącach, w których James odbywał swoją karę, nabrała zwyczaju parzenia mu kubka herbaty w czasie jego sprzątania. Zwykle wypijał ją w gabinecie Zary, gdzie ucinali sobie krótką pogawędkę.

James przestąpił próg i postawił Joshuę na dywanie. Poczuł ukłucie zawodu, widząc, że Zara ma towarzystwo.

– To ja już pójdę – mruknął, sięgając do klamki.

– Zaczekaj, James. Poświęcisz nam chwilę?

James odwrócił się i przyjrzał kobiecie siedzącej przy biurku naprzeciwko Zary. Miała około trzydziestu lat, długie ciemne włosy i nienaganną figurę.

– Millie, to jest James, o którym ci mówiłam. James, to jest Millie Kentner, była agentka CHERUBA.

James wyciągnął rękę do Millie, ale Joshua odwrócił jego uwagę, waląc go w but samochodzikiem.

– Paś! – zażądał malec.

James uśmiechnął się.

– Nowy samochód?

Joshua odwzajemnił uśmiech, zadzierając wysoko głowę. Tymczasem Zara wyjaśniała sytuację Millie.

– Joshua zostaje u mnie na czas, kiedy Ewart kąpie i usypia małą. Teoretycznie ma pół godziny na nacieszenie się mamą, zanim pójdzie do łóżka, ale James to jego bohater.

Millie opromieniła Jamesa uśmiechem z reklamy pasty do zębów.

– Czy to prawda, James?

– Na to wygląda. – James wzruszył ramionami, po czym przykucnął, by zabrać nowe lamborghini chłopca na próbną przejażdżkę po dywanie.

Zara pokiwała głową.

– Od chwili kiedy się obudzi, wciąż słyszę tylko James, James i James. Kiedy go spytać, co chce robić, wymyśla niestworzone rzeczy. Wczoraj oznajmił, że jedzie z Jamesem na ryby. Musiał podejrzeć coś w telewizji, bo Ewart nigdy nie zabierał go na ryby.

– A więc, James... – Millie uśmiechnęła się szelmowsko i przyłożyła dłoń do policzka, jakby nie chciała, by Zara ją usłyszała. – Jak cherubin z cherubinem. Jak to się stało, że skończyłeś na mopie?

– Bójka – bąknął niepewnie James.

Zara uśmiechnęła się.

– Cóż, to niezupełnie było tak, prawda, James?

– Nie wiem. Jak to?

Zara spojrzała na Millie i wskazała palcem Jamesa.

– Czaj to – powiedziała wesoło. – Tego małego przygłupa rzuciła dziewczyna. Co więc robi? Wypada z jej pokoju i masakruje pierwszą osobę, jaką widzi: małego jedenastoletniego gnojka.

Millie uniosła dłoń do ust.

– O mój Boże! James, jak mogłeś? – powiedziała z łagodnym uśmiechem. – A dla Joshuy jesteś taki słodki.

James czuł się niezręcznie i było mu głupio, choć wiedział, że Millie stara się być miła.

– Czyli tak, jak mówiłam – podjęła Zara. – Nasz James to agent o sporym doświadczeniu operacyjnym, ale w tej chwili ma przerąbane. Przyjaciele dali mu z buta, stracił letnie wakacje, a jedyną rzeczą, jaka mogłoby go zdjąć z mopa, byłaby nowa misja.

Millie skinęła głową.

– Wezmę, kogo mi dasz. Chodzi tylko o drobną przysługę. Mogę załatwić mieszkanie i wątpię, by potrwało to dłużej niż miesiąc.

Zara zwróciła się do Jamesa.

– Po odejściu z CHERUBA Millie wstąpiła do stołecznej policji. Pracuje jako oficer dzielnicowy we wschodnim Londynie i ma trochę problemów z miejscowymi oprychami. To będzie podręcznikowa sprawa: infiltracja środowiska, nawiązanie kontaktu z dziećmi podejrzanego, próba zaangażowania się w jego życie, interesy i tak dalej. Będę musiała napisać porządny plan misji i postarać się o pozwolenie komitetu etyki, ale zakładam, że jesteś zainteresowany.

James z zapałem pokiwał głową.

– Nie obchodzi mnie, co to za misja, bylebym nie musiał więcej wtykać ręki do kibla.

Zara uśmiechnęła się.

– Spodziewałam się, że to powiesz.

13. TAJNE

WPROWADZENIE DO ZADANIA DLA JAMESA ADAMSA
DOKUMENT CHRONIONY ELEKTRONICZNIE. KAŻDA PRÓBA
WYNIESIENIA GO Z CENTRUM PLANOWANIA MISJI SPOWODUJE
URUCHOMIENIE ALARMU.
NIE KOPIOWAĆ, NIE SPORZĄDZAĆ WYPISÓW.

MILLIE KENTNER

Millie Kentner urodziła się w 1971 r. W latach 1981–1988 służyła jako agent CHERUBA. Odeszła w randze czarnej po jedenastu misjach. Jej działania podczas strajku górników w 1985 r. opisano jako „jedną z najbardziej błyskotliwych akcji, jaką kiedykolwiek przeprowadził agent CHERUBA".

Millie studiowała nauki sądowe na Uniwersytecie Sussex. W 1992 r. wstąpiła do stołecznej policji, gdzie zrobiła błyskawiczną karierę, w ciągu czterech lat awansując do rangi inspektora. Po tym ostatnim awansie Millie zrezygnowała z pracy w wydziale ds. ciężkich przestępstw, by objąć dowództwo w lokalnej jednostce policji działającej na obszarze wschodniego Londynu, w tym na osiedlu Palm Hill.

Palm Hill wciąż jest znane głównie z zamieszek, jakie miały tam miejsce w 1981 r. Dziś osiedla się tam coraz więcej zamożnych ludzi, a przestępczość spadła poniżej londyńskiej średniej.

Owa przemiana jest w dużej mierze zasługą pracy, jaką Millie Kentner wykonała w Palm Hill w ciągu minionych dziewięciu lat. W 2002 r. Millie odrzuciła ofertę awansu na nadinspektora i objęcia dowództwa nad specjalnym zespołem operacyjnym zajmującym się czarnymi punktami londyńskiej przestępczości. Wolała kontynuować pracę w Palm Hill.

BRACIA TARASOW

Leon i Nikola Tarasowowie urodzili się gdzieś w Związku Radzieckim na początku lat 50. Uważa się, że Nikola jest o rok starszy od Leona, ale dokładny wiek obu mężczyzn nie jest znany. Po zakończeniu służby w radzieckiej marynarce wojennej młodzi bracia podjęli pracę na trawlerze-przetwórni.

W sierpniu 1975 r., podczas połowu dorsza na Morzu Północnym, na statku braci doszło do awarii obu maszyn. Po odebraniu wezwania pomocy brytyjski statek ratowniczy bezpiecznie ewakuował czterdziestu dwóch członków załogi w asyście okrętów norweskiej marynarki wojennej.

Leon i Nikola znaleźli się w grupie ośmiu członków załogi statku, którzy poprosili o azyl polityczny. Urzędnicy państwowi nie zdołali nakłonić marynarzy, by wrócili do kraju, ani uniknąć dyplomatycznej utarczki z ZSRR. Brytyjski rząd niechętnie przychylił się do prośby ośmiu Rosjan.

Po nieudanych próbach znalezienia pracy na pokładzie brytyjskiej jednostki Leon i Nikola grawitowali w stronę niewielkiej rosyjskiej społeczności zamieszkującej rejon Bow na londyńskim East Endzie. Bracia imali się rozmaitych nisko opłacanych zajęć, takich jak praca kierowcy minitaksówki, pomocnika kucharza w garkuchni czy szpitalnego recepcjonisty. Uważa się też, że bracia coraz mocniej angażowali się w działalność przestępczą. W 1979 r. Nikola stanął przed sądem za zrabowanie dwóch tysięcy funtów w gotówce z kasy korporacji minitaksówkowej, w której pracował poprzedniego lata. Skazano go na trzy miesiące więzienia.

ZAMIESZKI W PALM HILL

Po wyjściu z więzienia Nikola złożył podanie o przydział mieszkania komunalnego, oświadczając, że jest bezdomny i nie ma środków do życia. Ulokowano go w dwupokojowym mieszkaniu w zdewastowanej części osiedla Palm Hill. Leon wprowadził się do brata i obaj żyli tak samo jak dotychczas, utrzymując się z dorywczych, kiepsko opłacanych zajęć, szemranych interesów i drobnych przestępstw. Jednak ich status finansowy miał się zmienić diametralnie po zamieszkach w Palm Hill.

Zamieszki zaczęły się 13 lipca 1981 r., kiedy policja zatrzymała i aresztowała młodego człowieka wysiadającego z kradzionego samochodu. Świadkowie zeznali później, że funkcjonariusze dokonujący zatrzymania bili aresztanta podczas zakładania mu kajdanek i umieszczania w radiowozie. Zebrał się rozgniewany tłum, niewątpliwie zdopingowany falą ulicznej przemocy, jaka przetoczyła się przez kraj po zamieszkach w Brixton trzy miesiące wcześniej. W ruch poszły cegły i butelki. Policjantów wywleczono z samochodu i skatowano, zanim zdążyli wezwać pomoc.

Po zmroku na ulicach i alejkach Palm Hill trwała już regularna wojna grup miejscowej młodzieży z siłami policyjnymi. Splądrowano ponad dwadzieścia sklepów, wybito setki okien, zdewastowano dziesiątki samochodów, a osiedlowy garaż na sześćdziesiąt aut spłonął do szczętu. Policja potrzebowała ponad ośmiu godzin na przywrócenie porządku.

RZĄDOWE DOTACJE

Po zamieszkach władze przygotowały program wypłaty odszkodowań – ponieważ ubezpieczenie nie pokrywa strat powstałych w wyniku zamieszek – oraz zobowiązały się do sfinansowania odnowy Palm Hill.

Leon i Nikola Tarasowowie zrozumieli, że trafia im się życiowa okazja. Bracia handlowali używanymi samochodami i pięć ich aut spłonęło w pożarze bloku garażowego. Władze hojnie wynagrodziły im stratę. Według niektórych szacunków bracia otrzymali sumę ponadczterokrotnie przekraczającą rzeczywistą wartość samochodów.

Nie mogąc uwierzyć we własne szczęście, Nikola i Leon przeznaczyli odszkodowanie na wydzierżawienie nieczynnego pubu i przylegającej do niego działki na skraju osiedla. Za pomocą rządowych dotacji i subsydiowanych pożyczek remontowych odnowili lokal, a działkę przemienili w komis samochodowy.

MACHLOJKI

Choć żadne z przedsięwzięć nie odniosło oszałamiającego sukcesu, rządowe pieniądze pozwalały braciom na noszenie garniturów i przedstawianie się jako miejscowi biznesmeni ekipom telewizyjnym, które od czasu do czasu pojawiały się na osiedlu, by zdać relację z sytuacji po zamieszkach.

W ciągu następnych lat Tarasowowie prowadzili swoje firmy, całkowicie lekceważąc prawo. Prowadzono przeciw nim dochodzenia w sprawie niezapłaconych podatków i przy więcej niż jednej okazji – kradzionych części i samochodów znalezionych na ich parkingu. Podczas jednego z nalotów policja odkryła zapas fałszywych nalepek rejestracyjnych. Leon i Nikola zeznali, że naklejki zostawił u nich były pracownik, i ostatecznie zostali uniewinnieni przez sąd w Bow.

Należący do braci pub Król Rosji szybko przemienił się w spelunkę odwiedzaną głównie przez margines społeczny. W Palm Hill Król ma opinię mordowni, gdzie można łatwo kupić narkotyki i kradzione towary, pić po godzinach albo wkręcić się na nielegalnego całonocnego pokera.

DYNASTIA

Do niedawna koleje losu braci Tarasowów wykazywały zdumiewające paralele. Obaj ożenili się w 1985 r. i obaj spłodzili syna i córkę. Leon ożenił się z Saszą Arkady. Jego córka Sonia urodziła się w 1989 r. (obecnie szesnastoletnia), zaś Maksym w 1991 r. (dziś trzynastoletni, znany jako Maks). Żoną Nikoli została Paula

Randall. Ich dzieci to Piotr urodzony w 1988 r. (dziś osiemnasto-
letni, znany też jako Pete) oraz Liza urodzona w 1990 r. (dziś
czternastoletnia).

W 2000 r. Paula Tarasow porzuciła swojego męża i dzieci, by
wkrótce ponownie wyjść za mąż. W grudniu 2003 r. po długotrwa-
łej chorobie Nikola Tarasow zmarł na zapalenie płuc. Prawa do
opieki nad Piotrem i Lizą przyznano Leonowi bez żadnych prote-
stów ze strony matki dzieci.

Obecnie Leon jest właścicielem dwóch sąsiadujących ze sobą
mieszkań w bloku na osiedlu Palm Hill, gdzie mieszka wraz z żoną, synem, córką, bratankiem i bratanicą.

PIENIĄDZE
Po śmierci brata Leon Tarasow przeżył załamanie nerwowe. Zaczął pić. Pub i komis samochodowy popadły w długi, a po osiedlu
krążyła plotka, że Leon zaciągnął potężny dług karciany u grubej
ryby przestępczego półświatka. Wielu wierzyło, że bankructwo
Tarasowa jest tylko kwestią czasu.

Policjanci z Palm Hill należeli do grona tych, którzy z utęsknie-
niem wyczekiwali upadku Tarasowa. Leon tkwił cierniem w boku
prawa, nie tylko ze względu na własną działalność przestępczą,
lecz także dlatego, że jego lokal służył za bazę dla innych krymi-
nalistów. Wewnętrzny okólnik policyjny opisywał go następująco:
„Człowiek ten pragnie uchodzić za lidera lokalnej społeczności,
ale w rzeczywistości Tarasow jest rakiem, którego przestępcza
działalność często godzi w efekty dobrej pracy innych. Uważa się,
że Leon ma silne powiązania z miejscową przestępczością samo-
chodową i siecią paserską. Przez wiele lat podejrzewano go o wymuszanie haraczu od lokalnych sklepikarzy. Niedawno zaangażo-
wał się w brutalną wojnę o wpływy z pobliską społecznością
travellersów".

Jednak pod koniec 2004 r. do Tarasowa znowu uśmiechnęło się
szczęście. Nadrobił zaległości w spłatach pożyczek i kupił nowy
samochód. Wydzierżawił też drugi pub na północnym krańcu

Palm Hill, wydał pokaźną sumę na remont i ochrzcił lokal Królo-wą Rosji.

W ubiegłym roku mieszkańcy Palm Hill powtarzali sobie półżar-tem, że Leon Tarasow musiał wygrać fortunę na loterii albo obra-bować bank. Ustaliwszy jednak, że Tarasow nie wygrał na loterii, policja chciałaby poznać prawdziwą przyczynę jego nagłego wzbo-gacenia się.

ZADANIE CHERUBA

Od ponad trzydziestu lat swojej szemranej działalności Leon Ta-rasow skutecznie unika wszelkiej odpowiedzialności karnej, jeśli nie liczyć jednej skromnej grzywny. Trzyma karty przy orderach i jak dotąd wszelkie próby pozyskania informacji o jego działal-ności za pomocą informatorów i tajnych agentów spełzły na niczym.

Daremność tysięcy godzin pracy poświęconej na próby schwy-tania Tarasowa sprawiła, że policja Palm Hill coraz bardziej nie-chętnie patrzy na kolejne inicjatywy zmierzające w tym kierun-ku. Millie Kentner zniechęcona brakiem entuzjazmu kolegów zwróciła się o pomoc do swoich starych przyjaciół z CHERUBA.

Dwaj doświadczeni agenci CHERUBA wprowadzą się do wolne-go mieszkania na piętrze rodziny Tarasowów. Młodszy agent – James Adams, lat 13 – nawiąże kontakt z Maksem i Lizą. Star-szy – Dave Moss, lat 17 – zajmie się Sonią i Piotrem.

Dave będzie podawał się za Davida Holmesa, młodzieńca, któ-ry niedawno opuścił rodzinę zastępczą. James będzie jego młod-szym bratem, wciąż pod opieką rodziny zastępczej, któremu po-zwolono na zamieszkanie z Dave'em. Organizacją operacji zajmie się starszy koordynator Zara Asker, zaś jej prowadze-niem – Millie Kentner.

CELE OPERACJI

1) Infiltracja rodziny Tarasowów i zgromadzenie jak najwięk-szej ilości informacji o nielegalnej działalności Leona.

2) Infiltracja przedsiębiorstw Tarasowa, zwłaszcza komisu samochodowego, prawdopodobnie stanowiącego oś jego przestępczej działalności.

3) Głównym celem jest ustalenie przyczyny niedawnej nagłej poprawy sytuacji finansowej Tarasowa.

KOMISJA ETYKI ZATWIERDZIŁA NINIEJSZY PLAN OPERACJI BEZ ZASTRZEŻEŃ.

Operację zakwalifikowano do grupy zadań niskiego ryzyka. Zezwala się, by doświadczeni agenci działali bez ścisłego nadzoru koordynatora misji.

14. DOM

James i Dave pojechali do Palm Hill odrapanym mondeo w sobotę rano. Oparcie tylnej kanapy było złożone, a samochód wyładowany bagażami po dach. Klimatyzacja nie działała, więc chłopcy otworzyli okna, pozwalając, by podmuchy wiatru czesały ich w fantazyjne fryzury.

Dla Jamesa była to już druga misja z Dave'em. Siedemnastolatek siedział za kierownicą. Miał długie jasne włosy, duże niebieskie oczy i przystojną twarz, która wydawała się o rok lub dwa młodsza niż przymocowane do niej muskularne ciało. James był cięższej postury i miał bardziej płaski nos, ale nie trzeba było wysilać wyobraźni, żeby uwierzyć, że chłopcy są braćmi.

Dave słuchał starego rocka i podróż upłynęła im przy dźwiękach Led Zeppelin, Black Sabbath i The Who. James początkowo trochę kręcił nosem, ale już przy trzeciej płycie z zapałem wygrywał solówki na wyimaginowanej gitarze.

Do Palm Hill dotarli wczesnym popołudniem. Zaparkowali na placyku zastawionym mieszanką zdezelowanych kilkunastoletnich osobówek i bardziej egzotycznych wozów, w tym bmw i audi należących do zamożnych młodych ludzi, którzy zaczęli kupować mieszkania w lepszej części osiedla. Otaczające placyk dwupiętrowe bloki zostały niedawno wyremontowane: odnowiono tynki, odmalowano okna, a każda klatka schodowa otrzymała stalowe drzwi z domofonem.

James wysiadł z samochodu i odszedł na kilka kroków, by rozruszać się po trzygodzinnej podróży. Kiedy spojrzał między bloki, ujrzał skrzynki pustych butelek spiętrzone na tyłach Króla Rosji.

James i Dave wzięli z bagażnika po jednej torbie i ruszyli w stronę klatki. Wspinając się po schodach, James czuł mieszaninę podniecenia i niepokoju, jaka ogarniała go na początku każdej misji, ale tym razem z domieszką ulgi. Był zadowolony, że udało mu się wyrwać z kampusu. Wolał być gdzie indziej, kiedy Laura, Kerry i wszyscy inni wrócą z wakacji z opalenizną i mnóstwem anegdot o swoich przygodach.

Mieszkanie znajdowało się dwadzieścia metrów od początku tarasu na pierwszym piętrze, czworo drzwi od dwóch lokali zajmowanych przez Tarasowów. Miało zatęchły zapach pomieszczenia niewietrzonego od miesięcy. Pierwotnego koloru wykładzin można się było jedynie domyślać, zaś resztki wzorzystej tapety i plastikowy żyrandol wystawiały gustowi poprzednich lokatorów bardzo niepochlebne świadectwo.

– Niewiele tu mebli – zauważył James, wetknąwszy głowę do salonu, umeblowanego kanapą i stolikiem do kawy z pękniętym szklanym blatem.

Dave skinął głową.

– Czytałeś dokumentację. Dzieci z rodzin zastępczych po usamodzielnieniu się dostają sto funtów na meble. Możemy wybrać się do Ikei i kupić sobie jakieś pufy czy coś, ale nic drogiego.

James kontynuował oględziny. Kuchnia i łazienka nie były tragiczne, ale większa sypialnia zawierała tylko metalowy stojak na wieszaki i nowiutkie łóżko. Na podłodze leżał różowy dywanik, a ściany zdobiła aksamitna tapeta.

– Ohyda! – skomentował James.

Dave przepchnął się za nim do pokoju.

– Druga sypialnia jest biała. Wolisz tamtą?

James wzruszył ramionami.

– Dobra.

– Super! – ucieszył się Dave i opadł na sprężynujące podwójne łóżko. – Codziennie będę miał tu inną laskę.

James parsknął śmiechem i pokręcił głową.

– Pomarzyć każdy może.

Druga sypialnia była mniejsza, z kilkoma dziewczyńskimi ozdóbkami i pojedynczym łóżkiem. James trochę posmutniał, ponieważ bardzo przypominała mu pokój, w którym mieszkał, kiedy jego mama jeszcze żyła. Kiedy usiadł na materacu – wciąż owiniętym w folię, z ceną widniejącą na metce – bez trudu mógł sobie przypomnieć, jak walił pięściami w ścianę, dając znać Laurze i jej koleżankom, by bawiły się trochę ciszej, albo chrapanie mamy wprawiające mury w drżenie.

*

Po dziesięciu kursach z bagażami James był zgrzany jak mysz. Wziął prysznic, przebrał się w czyste szorty i jedną ze swoich koszulek Arsenalu. Chłopcy przywieźli z kampusu kilka puszek coli i trochę przekąsek, ale potrzebowali też mleka i normalnego jedzenia. James zapamiętał, że nieopodal bloku jest sklep spożywczy, i postanowił wybrać się na zakupy, podczas gdy Dave brał kąpiel.

Wrzucił do koszyka podstawowe produkty, takie jak chleb, mleko i płatki śniadaniowe, po czym skierował się do lodówki z gotowymi daniami. Zgarnął chińszczyznę do odgrzania w mikrofalówce, coś z makaronem i curry dla Dave'a. W drodze powrotnej przez podwórko pod blokiem James po raz pierwszy zobaczył Tarasowa: trzynastoletni Maks i dwaj jego koledzy śmignęli przez placyk na rowerach.

James dotarł do drzwi klatki schodowej i uświadomił sobie, że przebierając się, zapomniał przełożyć klucze do czystych szortów. Wcisnął guzik domofonu i czekał. Po trzydziestu sekundach nacisnął guzik jeszcze raz.

– Dave, wpuść mnie – powiedział w kratkę mikrofonu.

Po kolejnych trzydziestu sekundach stracił cierpliwość. Spojrzał na zegarek i uznawszy, że to niemożliwe, by Dave wciąż był pod prysznicem, zaczął wściekle tłuc kciukiem w guzik.

– Dave, baranie jeden, otwórz drzwi! Głuchy jesteś?

Z balkonu nad głową Jamesa dobiegł go dziewczęcy głos.

– Nie możesz wejść?

James cofnął się o dwa kroki, żeby zobaczyć, kto to powiedział. Dziewczyna była może o rok starsza od niego.

– Mój brat nie chce mnie wpuścić. Albo ogłuchł, albo próbuje mnie wkurzyć.

Dziewczyna uśmiechnęła się.

– Otworzę ci.

Przez wąską szybkę w drzwiach James patrzył, jak jego wybawczyni schodzi po schodach: najpierw pojawiły się klapki i pomalowane na purpurowo paznokcie stóp, potem opalone nogi i wreszcie krótka dżinsowa spódniczka. Dziewczyna uśmiechnęła się szeroko przez szybkę i ruchem głowy odrzuciła do tyłu długie włosy. Szczęknął zamek.

– Dzięki – uśmiechnął się James.

– Widziałam, jak ty i ten drugi chłopak nosiliście rzeczy na górę. Jestem Hana. Mieszkam dwa lokale dalej.

– Jestem James – powiedział James, wspinając się za Haną po schodach z reklamówką Sainsbury's w każdej ręce. – Ten drugi chłopak to Dave, mój brat.

– Widziałam tylko was dwóch. Gdzie wasi starzy?

– Sześć stóp pod ziemią – zażartował James, kiedy okrążyli barierkę schodów, wychodząc na ciągnący się wzdłuż bloku balkon.

– Och... przepraszam.

James pomyślał, że podał tę informację zbyt nonszalancko. Wzruszył ramionami.

– Miałem cztery lata. Prawie ich nie pamiętam.

– Jakim cudem pozwalają wam żyć na własną rękę?

– Byliśmy w rodzinie zastępczej, ale Dave skończył siedemnaście lat i dostał mieszkanie. Pozwolili mi zamieszkać z nim na próbę. Kilka razy w tygodniu będzie przychodził ktoś z opieki społecznej, żeby sprawdzić, jak sobie radzimy.

Hana zachichotała.

– No to nie możecie za bardzo brykać.

– Obawiam się, że nie.

James zatrzymał się przed drzwiami i nacisnął dzwonek. W głębi mieszkania łomotała głośna muzyka.

– Miło było cię poznać, James. Pewnie się jeszcze zobaczymy.

James uśmiechnął się.

– Robisz teraz coś ważnego? Może wstąpisz i przywitasz się z moim bratem?

– Czemu nie. – Hana wzruszyła ramionami.

Refren *Baba O'Riley* uderzył w nich ścianą dźwięku, kiedy Dave otworzył drzwi ubrany jedynie w krótkie spodenki.

– Gdzie masz klucze?! – zawołał, przekrzykując hałas.

– W dupie – rzucił James z irytacją. – A co myślisz? Zapomniałem. Może gdybyś nie próbował ogłuszyć wszystkich sąsiadów, usłyszałbyś domofon.

Dave pogalopował do salonu i ściszył muzykę, żeby mogli słyszeć siebie nawzajem. Kiedy wrócił, podał rękę Hanie. Dziewczyna zrobiła błogą minę.

– Miło cię poznać, Dave – zamruczała.

James miał już trzy oficjalne dziewczyny, a z kilkoma innymi dokazywał na imprezach i przy innych okazjach. Uważał, że radzi sobie całkiem nieźle jak na trzynastolatka, ale Dave budził w nim zawiść. W jego towarzystwie dziewczyny robiły się czerwone i śmiały ze wszystkich jego żartów. Dave miał tłumy seksownych partnerek i zdaniem większości ludzi w kampusie, z którymi James o tym rozmawiał, każdą traktował jak powietrze.

– Skąd masz tę bliznę na piersi? – zapytała Hana, zatrzymując palec centymetr przed skazą, jakby ciało Dave'a było piękną rzeźbą, której nie ważyła się dotknąć.

– Kilka miesięcy temu miałem skrzep w ścianie klatki piersiowej – wyjaśnił Dave. – Musieli wetknąć mi rurkę i wszystko wyssać.

Hana cofnęła rękę.

– Błeee!

– No i nici z kariery modela – zażartował Dave.

– Lepiej włożę zakupy do lodówki – mruknął James.

Dave skinął głową.

– Dobry pomysł. Może przy okazji zrobisz nam herbatę?

Gdyby nie było z nimi Hany, za taką bezczelność Dave usłyszałby tylko kilka mocnych słów, ale tym razem James bez słowa wyszedł do kuchni, gdzie napełnił czajnik i rozpakował zakupy. Kiedy zamykał lodówkę, zobaczył stojącą w drzwiach Hanę.

– Nie mogę zostać – powiedziała dziewczyna. – Mam sporo zadane i muszę skończyć przed wieczorem.

– Co planujesz? – wyszczerzył się James. – Gorącą randkę?

Hana pokręciła głową.

– Na tyłach osiedla jest duży staw. Chodzimy tam czasem, kiedy jest ładna pogoda. Takie tam spotkanie dla ludzi z osiedla, ale jak chcesz, to możesz przyjść. Weźmiemy jakiś alk, przedstawię cię paru ziomalom...

James skinął głową.

– Jasne, że chcę. Nie muszę się ubierać ani nic?

– No więc... Koszulkę to lepiej zmień – orzekła Hana. – To mogłoby poważnie zaszkodzić mojej reputacji, gdybym pokazała się ludziom z kimś takim.

15. KONTAKT

Chłopcy siedzieli przed telewizorem z tandetną anteną pokojową, jedząc odgrzane w mikrofalówce lasagne, kiedy Dave zauważył przechodzącą za oknem Sonię Tarasow. Natychmiast zerwał się i potykając się o stopy Jamesa, rzucił do drzwi wejściowych. Na balkonie podbiegł do dziewczyny i klepnął ją w ramię.

– Hej, Mela! – zawołał entuzjastycznie.

Sonia odwróciła się. Miała mysie włosy, lekką nadwagę i okrągłą twarz.

– Nie jestem żadna Mela – odburknęła.

Dave przytknął dłoń do ust i udał zakłopotanie.

– Och... Bardzo cię przepraszam. Nie chciałem cię przestraszyć. Ja po prostu... Wyglądasz dokładnie jak dziewczyna, z którą kiedyś chodziłem.

James zakradł się do przedpokoju z tacką lasagne i jedząc, słuchał. Kiedy do Soni dotarło, że nie jest zaczepiana przez jakiegoś dziwaka i zarejestrowała widok przystojnej gęby Dave'a, jej twarz rozjaśnił szeroki uśmiech.

– Nie ma sprawy – zachichotała. – Mnie też się to raz zdarzyło.

– Powinienem był się domyślić, że to zbyt piękne, żeby było prawdziwe – westchnął Dave. – Dopiero się wprowadziłem i nikogo tu nie znam.

– Właśnie się wprowadziłeś?

Dave skinął głową i wskazał kciukiem drzwi.

– Pod szesnastkę. Ja i mój młodszy brat.

Sonia uśmiechnęła się, ale nie wiedziała, co odpowiedzieć.

– No więc... – Dave zatarł dłonie. – Dzieje się tu coś ciekawego w sobotnie wieczory?

Sonia wskazała na przestrzeń między budynkami.

– Za tym blokiem jest Król Rosji, ale tam chodzą same zgredy. Za to jak pójdziesz tamtędy i dojdziesz do końca osiedla, trafisz na Królową Rosji. Towarzystwo jest bardziej w moim stylu, a prawie w każdą sobotę gra kapela. Czasem pomagam za barem, kiedy jest duży tłok.

– Super. – Dave skinął głową. – Jeśli wpadnę tam później, może pozwolisz postawić sobie drinka?

Sonia zagryzła koniec kciuka i uśmiechnęła się.

– No – zgodziła się. – Może ja też ci postawię.

– A tak w ogóle to jestem Dave.

– Sonia.

Dave ujął dłoń dziewczyny i delikatnie ją uścisnął.

– Miło było cię poznać, Sonia. Muszę już wracać. Robię obiad dla braciszka.

Dave wtoczył się do mieszkania i zamknął drzwi za sobą efektownym kopnięciem. James stał w przedpokoju z opadniętą szczęką.

– Nie do wiary – sapnął.

– Co? – spytał niewinnie Dave.

– Jadła ci z ręki. Nigdy jej przedtem nie widziałeś.

– To nie takie trudne. Kiedy byłem w twoim wieku, też się bałem, ale laski to nie są bagienne potwory z planety Zog, wiesz? Po prostu podchodzisz i zaczynasz rozmowę. Albo coś z tego wyjdzie, albo nie.

– No dobra. – James kręcił głową z niedowierzaniem. – A jednak podejść do obcej babki i tak po prostu ją wyrwać to jest... To jest...

Dave uśmiechnął się łobuzersko i wziął ze stolika tackę z lasagne.

– Oczywiście nie zaszkodzi, jeśli przy okazji jesteś zabójczo przystojny.

Połknął grudę mięsa i wydał z siebie monstrualne beknięcie.

– Musiałeś mówić tak, jakbym miał pięć lat? – powiedział z pretensją w głosie James, sadowiąc się na kanapie obok Dave'a.

Dave zmarszczył brwi.

– Że co?

– „Robię obiad dla mojego braciszka" – zacytował James.

– Nie czepiałbym się, ale to ja wyciągnąłem żarcie z pudełek i wstawiłem do mikrofali.

*

Hana przyszła po Jamesa z dwiema koleżankami. Pulchną buzię Lizy Tarasow znał z fotografii, które pokazała mu Millie Kentner. Druga dziewczyna miała na imię Jane.

– Jane mieszkała kiedyś tu, gdzie ty teraz – powiedziała Hana, kiedy James zamknął drzwi i ruszył za dziewczętami wzdłuż balkonu. – Przeprowadziła się na parter w innym bloku, bo nie znosi schodów.

Do stawu szli dziesięć minut. Tereny przy sztucznym jeziorze porastały krzewy i trawa. Biegacze i psiarze zajmowali ścieżki, a na łąkach dzieci grały w piłkę lub rzucały frisbee pod czujnym okiem rodziców. Jednak trzy dziewczyny wyprowadziły Jamesa daleko od cywilizacji na zarośniętą i zaśmieconą polanę za nieuczęszczaną drogą. Jedynym uroczym elementem otoczenia pomiędzy puszkami po piwie i starymi oponami był rwący strumyk, który zasilał zalew, ale nawet on został częściowo oszpecony zardzewiałym sprzętem kuchennym.

James czytał historię Palm Hill. Wiedział, że po zamieszkach kosztem trzech milionów funtów wybudowano tu młodzieżowy dom kultury oraz strefy przyjazne dla nastolatków ze skate parkami, gdzie młodzież mogła spotykać się i bawić, nie przeszkadzając starszym mieszkańcom osiedla. Jednak wykonując misje w różnych środowiskach, James zauważył, że jego rówieśnicy wykazują tendencję do unikania miejsc stworzonych dla nich, wybierając zamiast tego obskurne zakamarki, gdzie mogli zajmować się wszystkim tym, o czym ich rodzice śnili koszmary.

Na polance było około trzydzieściorga dzieci w wieku od dwunastu do piętnastu lat zebranych w niewielkie grupki. Panowała sielska atmosfera. Kilku młodszych chłopców trochę hałasowało, szalejąc wokół na rowerach, ale większość obecnych siedziała w długiej trawie, wymieniając się ploteczkami i patrząc, jak słońce chowa się za widocznymi w dali blokami.

Głównym zadaniem Jamesa było zaprzyjaźnienie się z Lizą i Maksem, ale niełatwo mu było oderwać się od Hany. Dziewczyna dołożyła wszelkich starań, by przekazać mu, że jest wolna, i prowadzili naprawdę zajmującą rozmowę o wszystkim – od meczów Premier League po sposoby wykręcenia się od pracy domowej.

Liza zniknęła z grupą dziewcząt, zostawiając Hanę i Jamesa nad heinekenem wyłudzonym od starszego kolesia, który bez skrępowania wodził za Haną łakomym wzrokiem. Jane czuła się opuszczona. Po kilku minutach oświadczyła, że musi wrócić do domu i sprawdzić, jak się czuje babcia.

Co pewien czas ktoś podchodził, by zamienić słowo z Haną i zapoznać się z Jamesem. Kiedy Maks Tarasow wyciągnął dłoń, żeby przybić z nim piątkę, była już ósma i James wiedział, że nie może przegapić okazji na zakumplowanie się ze swoim głównym celem, nawet gdyby miało to zrujnować jego szanse na dobranie się do Hany.

– Będziemy kumplami z jednego balkonu, James – oświadczył Maks. – Dobrze powitać w sąsiedztwie kibica Kanonierów.

James uśmiechnął się do swojej koszulki.

– Zdaje się, że w tej części miasta jesteśmy zagrożonym gatunkiem.

– Żebyś wiedział – wyszczerzył się Maks. – Same śmiecie z West Hamu i Chelsea.

James był zachwycony. CHERUB ustawił wszystko tak, żeby miał jak największą szansę na nawiązanie kontaktu z Maksem, ale wspólne upodobania piłkarskie dodatkowo upraszczały sprawę.

– Ja i paru chłopaków idziemy do nocnego po browar – oznajmił Maks. – Dołączysz do nas?

– Mam kasę, ale raczej nie wyglądam na osiemnaście lat – powiedział James.

– Znamy dobre miejsce. Właściciel sprzedałby gaz paraliżujący sześciolatkowi, gdyby mógł na tym zarobić parę funtów.

James roześmiał się.

– To też ma na stanie?

– Zawsze możesz zapytać.

James wstał i spojrzał na Hanę. W jej oczach zauważył urazę.

– Idę po piwo z chłopakami. Chyba nie masz nic przeciwko temu, co?

Hana wzruszyła ramionami.

– Dlaczego miałabym mieć?

Jednak zaciśnięte usta i sztywna postawa sugerowały, że dziewczyna ma coś przeciwko temu, i to niemało.

– Przyniosę ci prezent – powiedział James, rozpaczliwie próbując pogodzić obowiązki agenta z pociągiem do kształtnej dziewczyny siedzącej przed nim na trawie. – Baton, chipsy, co tylko chcesz.

Hana dała się skusić.

– Kup mi colę. Półlitrową, nie puszkę. I małą butelkę wódki.

James uświadomił sobie, że będzie musiał wybulić większą część dziesiątaka, ale kieszenie miał wypchane pieniędzmi, które dostał od Zary na jedzenie, więc przełknął to w miarę bezboleśnie.

Wycieczkę do nocnego prowadzili dwaj nieco starsi chłopcy. James i Maks szli kilka kroków za nimi.

– Jesteś gość, James – powiedział Maks z uznaniem. – Wyrwać Hanę pierwszego dnia...

James starał się mówić równie nonszalancko jak Dave kilka godzin wcześniej.

– Kwestia śmiałości, stary. Laski to nie obcy z planety Zog. Trzeba po prostu zagadać.

– Taa... – Maks zatoczył się i James pojął, że jego nowy kolega wlał w siebie znacznie więcej niż jedno piwko, jakim on sam raczył się z Haną.

– Ale Hana zrobiła się naprawdę dziwna po tej historii z jej kuzynem – ciągnął bełkotliwie Maks.

– Jakiej historii?

– No, z jej kuzynem Willem. Miał osiemnaście lat. Totalny grzejnik, ćpun, hipol, popapraniec. W zeszłym roku spadł z dachu naszego bloku. Pewnie był tak najarany, że nawet nie wiedział, gdzie jest.

James nie pamiętał, żeby plan misji zawierał jakieś wzmianki o tym wydarzeniu, ale ostatecznie nie musiało to mieć żadnego związku z Tarasowem.

– Hana była z nim związana? – zapytał James.

– Niespecjalnie. – Maks wzruszył ramionami. – Ale Hana i Jane stały pięć metrów od niego, kiedy zleciał.

– Nie gadaj! – zachłysnął się James.

– A tak – zachichotał Maks. – Miejsca w pierwszym rzędzie na spektakl pod tytułem „Mój kuzyn przemienia się w spaghetti po bolońsku”. Taki widok każdemu zrobiłby z mózgu sieczkę.

16. MAKS

Droga do sklepu zajęła im dwanaście minut. Właściciel okazał się taki jak w reklamie: bez mrugnięcia okiem sprzedał Jamesowi wódkę dla Hany i sześciopak piwa. Nie trzeba było nawet wołać do kasy piętnastolatków.

Kiedy wyszli, było już prawie całkiem ciemno, dlatego postanowili wrócić nieco dłuższą trasą prowadzącą drogą, a nie nieoświetlonymi ścieżkami w zaroślach. Idąc, James w zamyśleniu kręcił siatką z piwem to w jedną, to w drugą stronę. Maks odzywał się z rzadka, ale James wolał ten typ od dzieciaka, któremu usta nigdy się nie zamykają.

Niedaleko stawu zboczyli z drogi i przeskoczyli przez murek sięgający im do ramion. Na polanie wyraźnie ubyło ludzi, było ciszej, a wszyscy wydawali się trochę spięci.

– Ożeż! – wybuchł Maks. – Co oni tu robią?

James dostrzegł nowo przybyłych – czterech rosłych byczków, na oko szesnastoletnich, w obcisłych dżinsach i glanach. Towarzyszyły im dwie dziewczyny o równie agresywnym wyglądzie.

– Są stąd? – zapytał James.

Maks skinął głową.

– Z osiedla Grosvenor po drugiej stronie stawu. Zazwyczaj się tu nie zapuszczają.

James zauważył Hanę stojącą pięćdziesiąt metrów dalej. Była z Lizą i dwiema innymi koleżankami. James porzucił starszych kolegów i pobiegł w stronę dziewcząt. Maks ruszył za nim.

– Hej – powiedział James. – Wszystko w porządku?

Hana była spięta.

– Czekałyśmy tylko na was i zmywamy się. Wiecie, jacy oni są. Na pewno coś zaczną.

– Idziemy do domu kultury? – zapytała Liza.

Chuda dziewczyna o imieniu Georgia prychnęła z pogardą.

– Lamerka. Wyjące dziesięciolatki ganiające się w kółko z rakietkami do ping-ponga. Lepiej pokręćmy się po osiedlu.

– Tak – zgodził się Maks. – Ci z Grosvenor nie wejdą między bloki.

– Dlaczego? – zainteresował się James.

Maks zachichotał.

– Bo mogliby już nie wyjść.

– A ty dokąd chcesz iść, James? – zapytała Hana.

– Bo ja wiem. – James wzruszył ramionami. – Wy decydujcie. Nawet nie wiem, co tu można robić.

– Gówno można robić i tyle! – parsknęła Liza. – Wieczorami możesz się najwyżej zapłakać z nudów. Nie mogę się doczekać, kiedy dorosnę. Będą kluby, imprezki...

– Przystojne ciacha do wyrywania... – wtrąciła Georgia.

– Mówcie za siebie – powiedziała Hana, podczas gdy trzy koleżanki zanosiły się nieopanowanym śmiechem. – Ja przynajmniej mam Jamesa. Jest słodki.

James objął Hanę w talii, zadowolony, że już się na niego nie dąsa.

– Dobrze się bawicie? – zabrzmiał głęboki głos.

James odwrócił się, by ujrzeć dwóch drabów z sąsiedniego osiedla. Wyższy miał rzadką bródkę nastolatka, a obaj – szerokie ramiona, muskularne ręce i posturę ludzi, z którymi nie warto zadzierać.

– Wiecie co? Strasznie mnie suszy – zaskrzeczał brodaty, trąc szyję palcami dla zilustrowania swojej wypowiedzi. – Przypadkiem zauważyłem, że macie przy sobie kilka piwek, i pomyślałem że chętnie podzielicie się ze spragnionymi.

– Wystarczą dwie puszki – dodał niższy.

Maks zmierzył ich wzrokiem.

– Kupcie sobie sami, zamiast żebrać.

Brodaty spojrzał na swojego kompana i pokręcił głową.

– Czy to ładnie nazywać nas żebrakami?

– Czuję się dotknięty – oświadczył niższy i wskazał palcem Maksa. – Wiesz, kto to jest? Jego stary to ten tłuścioch, który prowadzi Króla Rosji.

– Cała knajpa wódy, a ten żałuje nam dwóch piwek. Dobra, dawaj to.

Maks odskoczył, kiedy niższy z oprychów rzucił się na jego torbę.

– Odwalcie się – jęknął Maks.

W jego głosie słychać było strach.

– Jaki odważny chłopiec – zaśmiał się brodacz.

Hana pociągnęła Jamesa za rękę.

– Są za wielcy – szepnęła mu do ucha. – Chyba nie chcesz dać się zabić za parę browarów.

Po tym jak zrujnował sobie życie jednym nieprzemyślanym ciosem, James był skłonny zapomnieć o swojej dumie. Sięgnął do torby i wydłubał ze zgrzewki dwie puszki.

– Macie – rzucił kwaśno. – Ja stawiam.

– A może całą szósteczkę? – uśmiechnął się brodacz. – Suszy mnie coraz bardziej i naprawdę nie podobało mi się, jak twój kumpel nazwał mnie żebrakiem.

– A może reflektujesz na flekowanko? – dodał mniejszy, przysuwając się bliżej i stając tak, że jego pierś prawie dotykała nosa Jamesa.

– Odpuść, James – poprosiła Hana, odsuwając się od chłopców.

Jednak nagła zmiana warunków nasunęła Jamesowi nie-przyjemną myśl, że dwaj obwiesie chcą czegoś więcej niż piwa. Maks ich obraził i James podejrzewał, że napastnicy zamierzają ich upokorzyć w obecności dziewczyn. Gdyby oddał im resztę browaru, prawdopodobnie zażądaliby cze-goś więcej, na przykład pieniędzy, a wziąwszy pieniądze, z pewnością i tak spuściliby mu baty za to, że musieli się fatygować. James uznał, że prędzej czy później będzie mu-siał stawić im czoło, więc równie dobrze może to zrobić prędzej.

— Wiecie co? — powiedział, siląc się na swobodny ton. — Próbowałem załatwić to pokojowo, ale wy się robicie na-molni.

Niższy cofnął się o krok i zrobił zamach, szykując się do ciosu, ale w tej samej chwili James złapał go oburącz za ko-szulkę pod szyją i grzmotnął głową w twarz. Osiłek zato-czył się do tyłu i upadł, trzymając się za rozkrwawiony nos.

Brodacz rzucił się na Jamesa, próbując złapać go w pa-sie. James przechwycił jego rękę i błyskawicznym ruchem założył mu bolesną dźwignię. Nie miał pojęcia, czy reszta bandy z Grosvenor włączy się do bójki, i nie mógł ryzyko-wać walki czterech na jednego, co oznaczało, że przynaj-mniej jednego przeciwnika musi wyłączyć z gry. James wy-prostował ramię osiłka za jego plecami, po czym uderzył nasadą dłoni w łokieć, rozrywając ścięgna i krusząc kość.

Ćwiczył ten cios setki razy, ale różnica między celowym chybieniem na treningu a chrzęstem pękającej kości przy-prawiała o zawrót głowy. Podczas gdy brodacz szamotał się na ziemi, wyjąc z bólu, Jamesa ogarnęła dziwna mie-szanka mdłości i lękliwego podziwu dla niezwykłej mocy, jaką nabył drogą setek godzin ćwiczeń. Dziesięć miesięcy wcześniej strzelił do człowieka i zabił go, ale to mógł zro-bić każdy. Myśl o tym, że potrafi bez trudu połamać ko-muś kości, wydała mu się znacznie bardziej przerażająca, choć konsekwencje takiego czynu nie były nawet w części tak poważne.

Dwaj pozostali z bandy Grosvenor zbliżali się powoli podjudzani przez swoje dziewczyny. James wolał z nimi nie walczyć i postanowił spróbować powstrzymać ich megahardą postawą. Wskazał na chłopaka z zakrwawioną twarzą.

– Ktoś chce do niego dołączyć? – krzyknął wyzywająco. – Chodźcie bliżej, zabawa dopiero się zaczyna.

Pozostałe dzieciaki na polanie patrzyły w stronę zamieszania, nie mogąc dojrzeć w półmroku, co się właściwie dzieje. Jamesowi kamień spadł z serca, kiedy zobaczył, że zbiry zatrzymały się kilka metrów od niego. Jedna z dziewczyn przykucnęła przy kolesiu ze strzaskaną ręką.

– Lepiej wezwijcie karetkę – powiedział James, z nutką współczucia wkradającą się w twardy ton jego głosu.

Wzmianka o interwencji dorosłych zmieniła atmosferę dwudziestoosobowego zgromadzenia z napiętej na graniczącą z paniką. „A jeśli z karetką przyjadą gliny? A jeśli bandziory pójdą po swoich kumpli?". Każdy ciąg myśli nieuchronnie zmierzał do takiej samej konkluzji: „Wynośmy się stąd jak najszybciej".

Publiczność zaczęła się rozpraszać. James poczuł, że Hana szarpie go za rękę.

– No chodź, James – błagała.

Maks, James i dziewczyny ruszyli w mrok, ścigając cienie innych uciekinierów biegnących w stronę osiedla. Hana dała Jamesowi chusteczkę, by wytarł sobie twarz, zaś Maks nagle odzyskał głos i najwyraźniej poczuł się prezesem klubu wielbicieli talentów Jamesa.

– Gdzie się tego nauczyłeś, James? To było super, jak... Jak w *Terminatorze*... I to chrupnięcie, kiedy rozwaliłeś mu rękę. To brzmiało jak... O, meen! Jak wtedy, kiedy bierze się pieczonego kurczaka i odłamuje mu nogę.

James nie chciał sobie niczego przypominać i irytowała go powolność towarzyszy. Dzięki treningom w CHERU-BIE i częstym rundkom karnym miał na tyle dobrą kondycję, by przebiec pięć kilometrów bez większej zadyszki. Jego nowi znajomi umierali po jednej dziesiątej tego dystansu.

– Gdzie się tego nauczyłeś? – powtórzył Maks.

Miał oczy jak spodki i szeroki uśmiech na twarzy.

– W rodzinie zastępczej miałem instruktora karate – skłamał James.

– Nauczysz mnie paru ciosów?

James obejrzał się przez ramię i odkrył, że dziewczęta coraz bardziej zostają w tyle.

– Na to potrzeba miesięcy – odparł z irytacją.

Pierwsza syrena nikogo nie wystraszyła – to z pewnością była karetka. Jednak symfonia, jaka wybuchła pół minuty później, nie mogła oznaczać niczego dobrego. Karetka powinna być tylko jedna, co oznaczało, że pozostałe cztery wyjące samochody to auta policyjne.

James zauważył latarkę w chwili, gdy grupa biegnąca kilkadziesiąt metrów przed nim dotarła do bramy parku.

– Psy! – zawołała Hana.

James poczuł ukłucie strachu. Przez chwilę rozważał pomysł ukrycia się wśród drzew albo powrotu na polankę i ucieczki przez mur, ale po krótkim namyśle uznał, że lepszy będzie blef.

– Przestańcie biec! – rozkazał. – Zachowujcie się naturalnie.

Maks spojrzał na Jamesa z lękiem.

– Lepiej pozbądź się alku.

James westchnął i cisnął w krzaki siatkę z zapasem alkoholu za dwadzieścia funtów. Spojrzał na dziewczęta.

– Jest tu jeszcze jakieś miejsce, w którym kręcą się dzieciaki?

Georgia skinęła głową.

– Plac zabaw.

– Bardzo dobrze. Jakby ktoś nas pytał, byliśmy na placu zabaw.

Hana podeszła do Jamesa.

– Pokaż mi twarz.

James zatrzymał się. Hana polizała chusteczkę i starła mu z czoła ostatnie ślady krwi. Podchodził do policjantów trochę zdenerwowany, ale poprzednią grupę dzieciaków przepuścili po niecałej minucie przepytywania.

– Witam – powiedziała uprzejmym tonem policjantka, zastępując dzieciom drogę i włączając latarkę. – Mogę wam zadać kilka pytań?

– Czy coś się stało? – zapytała niewinnie Hana, zatrzymując się.

Drugi policjant, o rysach Azjaty, wyszedł z samochodu i również włączył latarkę. Maks rozpoznał go natychmiast.

– Dzień dobry, sierżancie Patel.

– Cześć, Maks – odpowiedział policjant, nieznacznie kiwając głową. – Trzymasz się z dala od kłopotów, mam nadzieję? Żadnych powybijanych okien?

– Gdziee tam. – Maks uśmiechnął się z miną winowajcy.

– Gdzie się włóczyliście? – zapytała policjantka.

Georgia i Liza odpowiedziały jednocześnie.

– Byliśmy na placu zabaw.

– A nie na górze? Przy strumieniu?

Dziewczęta pokręciły głowami.

– Dostaliśmy zgłoszenie, że kilku chłopców z Grosvenor zostało napadniętych i pobitych. Jeden z nich ma złamaną rękę. Kłamiąc, możecie napytać sobie biedy, dlatego dam wam jeszcze jedną szansę: jesteście pewni, że nie byliście nad strumieniem?

James odetchnął z ulgą, widząc, że dziewczyny zgodnie zaprzeczyły.

– Nie, proszę pani.

– Jak już mówiłam, zdarzył się poważny wypadek, dlatego muszę spisać wasze nazwiska i adresy. Być może później ktoś od nas się do was odezwie.

Hana, która była pierwsza w kolejce, skwapliwie wyrecytowała swoje dane policjantce. James był następny.

– James Robert Holmes, Palm Hill sześć, mieszkania szesnaście.

Policjantka uśmiechnęła się.

– Kod pocztowy?

– E... – zająknął się James. – E coś tam?

Kobieta uniosła głowę, najwyraźniej wietrząc kłamstwo.

– Nie znasz własnego kodu pocztowego? Jak długo tu mieszkasz?

– Wprowadziliśmy się dziś rano.

– Ach tak. – Policjantka zmarszczyła czoło.

– To prawda – wtrącił Maks. – Mieszka cztery numery ode mnie. Mogę za niego poręczyć.

Nie rozwiało to podejrzeń funkcjonariuszki.

– Twój numer telefonu? Domowy.

– Jeszcze nam nie założyli.

– A twoi rodzice? Mają komórki? Chciałabym z nimi porozmawiać.

– Moi rodzice nie żyją – wyjaśnił James. – Mieszkam ze starszym bratem, ale jego teraz nie ma.

– Zatem wprowadziłeś się dzisiaj tylko ze swoim bratem i tak się składa, że akurat teraz nie ma go w domu – podsumowała policjantka z powątpiewaniem. – Ile lat ma twój brat?

– Siedemnaście. Oficjalnie wciąż jestem pod opieką rodziny zastępczej, ale pozwolono mi zamieszkać z Dave'em.

Policjantka kręciła głową, nie wierząc w ani jedno słowo. Uniosła latarkę i zaświeciła Jamesowi w twarz. Po chwili na jej twarzy wykwitł triumfalny uśmiech.

– Co masz pod brodą?

– Gdzie?

James przesunął dłonią po szyi i poczuł, jak jego palec rozciera coś, co mogło być tylko kroplą krwi.

– A skąd to się mogło tu wziąć? – spytała policjantka.

James gorączkowo myślał nad odpowiedzią, ale Hana dobiła wieko trumny.

– Proszę pani, to nie jego wina! – krzyknęła. – Oni nas napadli. To oni zaczęli.

– Właśnie – przytaknęła Georgia. – I byli o wiele więksi od niego.

– Dobra, dobra, po kolei – krzyknęła policjantka, z trudem powstrzymując uśmiech. Obejrzała się przez ramię na swojego kolegę. – Michael, załóż Jamesowi kajdanki i wezwij drugi samochód. Zabieramy całe towarzystwo.

– Faktycznie nie jest zbyt duży – zauważył Patel, przyglądając się badawczo Jamesowi.

James był zły na siebie, że tak łatwo dał się złapać. Powinien był zapamiętać coś tak oczywistego jak kod pocztowy. Uświadomił sobie, że trzydzieści sekund wcześniej Hana podała swój kod, który prawie na pewno był identyczny.

– Chodź no tutaj – powiedział Patel zmęczonym głosem, wyjmując kajdanki z kabury przy pasku. – I radzę ci, nie pyskuj. Nie jestem w nastroju.

James postąpił naprzód i wyciągnął przed siebie nadgarstki. Patel zatrzasnął na nich kajdanki. Odprowadzając Jamesa do radiowozu, monotonnym głosem recytował prawa zatrzymanego.

– Masz prawo nie odpowiadać na pytania. Wszystko, co powiesz, zostanie zanotowane i może być wykorzystane przeciwko tobie...

James bywał już aresztowany i znał tekst na pamięć, ale akurat ta recytacja miała zaskakujące zakończenie. Kiedy

James schylił się, by wsiąść do samochodu, Patel złapał go za głowę i mocno walnął nią w krawędź dachu.

James opadł na tylną kanapę z gwiazdami w oczach.

– Załatwimy cię – wysyczał Patel, zatrzaskując drzwi. – Rzygać mi się chce od uganiania się za takimi głupimi szczylami jak ty.

17. GLINY

James obudził się na lepkim winylowym materacu. Opuścił stopy na zimną posadzkę i w samych skarpetkach powlókł się do toalety. Załatwiając się, badał palcami małe rozcięcie z boku głowy powstałe po uderzeniu przez sierżanta Patela.

Zapiąwszy rozporek, podszedł do drzwi upstrzonej graffiti celi i nacisnął przycisk dzwonka. Po minucie zjawił się dyżurny strażnik.

– Moglibyście spuścić wodę? – zapytał James.

Tyczkowaty policjant o pociemniałych zębach i rozczochranych rudych włosach był w pogodnym nastroju.

– Zjadłbyś jakieś śniadanie, synku?

James miał lekkie mdłości i nie był pewien, czy jedzenie pomoże mu, czy raczej zaszkodzi.

– A co macie?

– Pełne angielskie z bekonem lub baranią kiełbaską, jajka przyrządzone wedle życzenia, razowy tost z kandyzowanymi owocami i masłem śmietankowym.

James zdecydowanie nie był w formie. Zrozumienie, że strażnik go wkręca, zajęło mu znacznie więcej czasu, niż powinno.

– Myślę, że trochę zgłodniałem – powiedział niepewnie.

– Przywożą je zawinięte w celofan i podobno jest bardzo pożywne. Chcesz czy nie?

James wzruszył ramionami.

– Chyba chcę.

Policjant wyszedł, a kiedy wrócił, wsunął przez okienko w drzwiach plastikową tackę i plastikowy kubek z herbatą z mlekiem.

– Wie pan może, co się dzieje? – zapytał James. – Tkwię tu już całą noc.

– Jesteś nieletni, więc nie możemy cię przesłuchiwać, zwolnić ani zrobić nic innego, dopóki nie pojawi się twój rodzic albo opiekun – wyjaśnił policjant.

Wcześniej James wymienił Zarę jako swoją kurator i podał lokalny numer telefonu, pod którym czuwał automat przekierowujący rozmowy do pracującego przez całą dobę biura nagłych wypadków w CHERUBIE. Jednak Jamesowi nie groziło niebezpieczeństwo i wyglądało na to, że nikomu się nie spieszy, by pędzić mu na ratunek w niedzielę bladym świtem.

James zjadł płatki i wgryzł się w gumowate waflopodobne coś z kostkami różowych i pomarańczowych owoców w środku. Mimo woli wciąż wyobrażał sobie, co powiedziałaby Laura, gdyby się dowiedziała, że znowu wdał się w bójkę. Miał szczery zamiar trzymania się z dala od kłopotów, ale to nie zawsze jest łatwe, kiedy wypełnia się misję.

Kiedy dopijał herbatę, usłyszał obiecujący szczęk klucza w drzwiach celi.

– Wygląda na to, że wracasz do domu – powiedział strażnik, otwierając drzwi.

Policjant rzucił na łóżko pudełko z rzeczami Jamesa.

– Nie będą mnie przesłuchiwać ani nic?

James włożył buty i zaczął upychać po kieszeniach klucze, komórkę i inne drobiazgi.

– Zdaje się, że twoi znajomi powiedzieli już wszystko – wyjaśnił sierżant. – Ale ci z Grosvenor lubią sami załatwiać swoje porachunki. Ci dwaj kolesie ze szpitala odmówili złożenia zeznań, co oznacza, że jesteś czysty.

– I dzięki Bogu – powiedział James.

– Na twoim miejscu nie cieszyłbym się tak bardzo – ostrzegł policjant, prowadząc Jamesa w stronę recepcji. – Nie chciałbym być w twojej skórze, kiedy cię dorwą.

Nieprzyjemne zadanie wyciągnięcia Jamesa z aresztu w niedzielę o piątej rano powierzono Johnowi Jonesowi, byłemu policjantowi i agentowi MI5, który dołączył do CHERUBA jako koordynator zaledwie rok wcześniej. James współpracował z nim w swoich dwóch najważniejszych misjach.

John wręczył dyżurnemu fałszywy identyfikator z napisem: „Dzielnicowe Biuro Opieki Społecznej, Tower Hamlets, Londyn".

– Skąd się tu wziąłeś? – zapytał James, kiedy wyszli z komisariatu prosto w dżdżysty niedzielny poranek.

– Zara ma dwoje dzieci – wyjaśnił John. – I tak za rzadko się z nimi widuje, nawet bez podrabiania identyfikatorów i jeżdżenia do Londynu w środku nocy. Poza tym jest starszym koordynatorem, a ta robótka nie należy raczej do priorytetowych.

– To znaczy, że teraz ty jesteś moim koordynatorem? – zapytał James, podchodząc do samochodu.

John pokiwał głową.

– Kara za grzechy.

– Przepraszam, że wyrwałem cię z łóżka o tej porze.

– Jakoś przeżyję – westchnął John. – Pracowałem w wywiadzie, zanim się urodziłeś, James. Nie jest to moja pierwsza zarwana noc i postawiłbym sporą sumkę na to, że nie ostatnia.

John przyjechał jednym z samochodów z floty CHERUBA: czarnym vauxhallem omegą. Siadając obok miejsca kierowcy, James zauważył Millie Kentner skuloną na tylnej kanapie.

– Dobry – rzucił przez ramię.

Millie spojrzała na Johna.

– Możemy stąd zniknąć, zanim rozpozna mnie ktoś z komisariatu?

Komisariat dzieliło od Palm Hill zaledwie kilka minut jazdy. John zaparkował w bocznej uliczce i cała trójka ucięła sobie pogawędkę przy akompaniamencie kropel deszczu bębniących w dach samochodu.

– Co się stało, James? – spytała szorstko Millie.

James obejrzał się przez ramię zaskoczony ostrym tonem policjantki.

– To tamci dwaj wystartowali do nas. Robiłem, co mogłem, żeby ich zadowolić, ale oni szukali kłopotów. No i dostali.

Millie cmoknęła z dezaprobatą.

– Mam dość kłopotów z tutejszymi oszołomami i bez ciebie próbującego rozpętać trzecią wojnę światową między Palm Hill a Grosvenor.

– Niczego nie zacząłem – zirytował się James. – Byłaś w CHERUBIE, wiesz, jak to działa. Nie da się zaprzyjaźnić z bandytami, siedząc na tyłku i zgrywając grzecznego chłopca.

– Zgoda. – Millie skinęła głową. – Ale proszę, staraj się pamiętać, że jesteś tu po to, żeby pomóc mi pozbyć się Tarasowa i uczynić Palm Hill lepszym miejscem do życia.

James wypuścił powietrze z płuc.

– A kim jest ten skośnooki facet, który mnie aresztował?

– Michael Patel – odpowiedziała Millie. – Co z nim?

– To świr, oto co z nim! – James znów podniósł głos. – Przywalił mi głową w samochód, kiedy wsiadałem. Normalnie łeb mi pęka.

Millie popatrzyła na niego z niedowierzaniem.

– To musiał być przypadek.

– Patrzcie. – James odgarnął włosy znad rany.

John zrobił zatroskaną minę.

– Nie wygląda to dobrze. Może powinieneś pokazać to lekarzowi?

– Bywało gorzej – mruknął James.

– Cóż, skoro tak wolisz... – powiedział John, po czym zwrócił się do Millie. – Czy Patel był kiedykolwiek oskarżony o stosowanie nieuzasadnionej przemocy?

– Z całą pewnością nie! – oburzyła się Millie. – Mike jest moim zastępcą. To nasz jedyny funkcjonariusz azjatyckiego pochodzenia. Mamy tu dużą społeczność Azjatów i postępy, jakie Mike zrobił wśród tych ludzi w ciągu czterech lat swojej służby, są fantastyczne.

James nie mógł uwierzyć własnym uszom.

– Mam gdzieś, co zrobił dla azjatyckiej społeczności! – krzyknął. – Ten psychol próbował rozwalić mi łeb!

– James, ja znam Mike'a Patela. To był wypadek.

James z furią potrząsnął głową.

– Millie, dwadzieścia lat temu może i byłaś agentem CHERUBA, ale teraz jesteś gliną do szpiku kości i po prostu trzymasz ze swoimi. Niby czemu miałbym cię oszukiwać, ty głupia krowo?!

– Hola, hola! – zawołała wstrząśnięta Millie. – Licz się ze słowami, młody człowieku.

– James – wtrącił sucho John. – Nie mów do Millie tym tonem.

– Typowe – westchnął James. – Kolejny glina bierze stronę gliny.

– Nie biorę niczyjej strony! – krzyknął John z nietypową dla siebie furią, która wgniotła Millie i Jamesa w siedzenia. – Nie dojdziemy do niczego, jeżeli nie nauczymy się ze sobą współpracować! James, wiem, że to trudne, ale spróbuj rozważyć to, co powiedziała Millie, i trzymaj się z dala od kłopotów. Millie, kiedy współpracuje się z CHERUBEM, trzeba traktować poważnie to, co mówią młodzi agenci. Inaczej w ogóle nie byłoby sensu ich zatrudniać.

– Mike jest prawdopodobnie najlepszym policjantem w mojej jednostce – odrzekła Millie sztywno.

– Wobec tego na pewno nie będziesz miała nic przeciwko temu, by pogrzebać trochę w jego aktach i sprawdzić, czy w przeszłości nie stawiano mu podobnych zarzutów.

Millie uniosła ręce.

– Dobra, dobra... Jeżeli to konieczne, żeby załatwić tę sprawę, zrobię to. Ale ja znam swoich ludzi. Jestem matką chrzestną córki Michaela, na miłość boską!

John uśmiechnął się.

– Może miał zły dzień. Policyjna robota bywa stresująca.

– No i co teraz? – zapytał James, czując się lepiej ze świadomością, że John jest przynajmniej częściowo po jego stronie.

– Trafisz stąd do domu? – zapytał John.

– Dam radę.

– W porządku, zatem sugeruję, żebyś dalej poszedł pieszo. Nadal działasz zgodnie z planem: pracujesz nad Tarasowami. Ja odwiozę Millie do domu, a potem wrócę do kampusu.

Kiedy James wysiadał z samochodu, Millie odprowadzała go wzrokiem, uśmiechając się łagodnie, jakby na zgodę. Nie kupił tego.

– Wieczorem zadzwonię do was na komórkę – powiedziała policjantka. – Urządzimy mininaradę i sprawdzę, jak sobie radzicie.

– Super – mruknął James, po czym trzasnął drzwiami i ruszył w deszcz.

*

– Dave, jesteś?! – zawołał James, wchodząc do przedpokoju. W kuchni mruczało radio. – Ta Millie to normalnie...

James już miał w mocnych słowach wyrazić swoją opinię na temat Millie, która śmiała nie uwierzyć w jego opowieść, ale kiedy skręcił do kuchni, osłupiał na widok Soni

Tarasow. Dziewczyna miała mokre włosy i była ubrana w biały szlafrok Dave'a.

– Ty jesteś James, tak? – zapytała z uśmiechem.

– No... tak – zająknął się James. – Gdzie Dave?

– Pod prysznicem. Za chwilę wyjdzie. Chcesz herbaty albo kawy?

James usiadł za stołem, a Sonia zakrzątnęła się wokół herbaty.

– Czyli zostałaś na noc? – zapytał James, patrząc na postawiony przed nim kubek.

– Aha – przytaknęła Sonia, uśmiechając się skromnie. – Słyszałam, że gliny zgarnęły cię z moim Maksem.

James skinął głową.

– Zgarnęli całą masę ludzi. Na przesłuchanie.

Dave wszedł do kuchni, zapinając dżinsy.

– Cześć, aresztant – rzucił z uśmiechem, po czym objął Sonię i ostentacyjnie pocałował ją w szyję.

James był zażenowany tą demonstracją czułości i Dave o tym wiedział.

– Co z tobą, brachu? – zapytał Dave, odrywając się od Soni i włączając czajnik. – Spędziliśmy ze sobą noc, no i co? Oboje mamy po szesnaście lat, nie ma w tym nic nielegalnego.

James gapił się tępo w kubek, wykręcając dłonie w zakłopotaniu. Po części był zwyczajnie zazdrosny, bo sam nie miał takich doświadczeń, ale przede wszystkim czuł się naprawdę dziwnie, przebywając w jednej kuchni z parą, która właśnie spędziła ze sobą noc, uprawiając seks. Przypominało to uczucie, jakie ogarniało go, kiedy wyciągał sobie z ust włos i uświadamiał sobie, że nie jest jego.

– Idę się umyć – powiedział James, wstając i wsuwając krzesło pod stół. – Śmierdzę jak więzienna cela.

Wchodząc do przedpokoju, usłyszał dzwonek. Przez matową szybkę w drzwiach rozpoznał sylwetkę Maksa.

– No hej – powiedział James. – Jak wam poszło z glinami?

– Brali nas pojedynczo i pytali, jak to było. Wszyscy powiedzieliśmy, że to tamci zaczęli i w ogóle, że to wszystko ich wina.

– Ten palant Patel rozwalił mi łeb o samochód.

Maks skinął głową.

– To stuknięty facet. Widziałem z nim wywiad w telewizji. Zgrywa dobrego glinę, ale słyszałem o nim co nieco.

– Na przykład co?

Maks wzruszył ramionami.

– No wiesz, takie tam. Potarmosił parę dzieciaków. W sumie nic bardzo poważnego, ale podobno ma ciężką rękę.

– A twój tata? Jak zareagował?

– Nie było tak źle – powiedział Maks. – Wkurzył się, że musiał zostawić pub i po nas pojechać, ale on też miał kilka starć z ludźmi z Grosvenor i nienawidzi ich do bólu.

– Jak to?

– Była taka banda stamtąd, co przychodziła na High Street i robiła straszną bardachę. Parę razy rozwalili okna w Królu, a tata twierdzi, że kilku z nich włamało się na parking komisu i zasunęło mu kasetkę z forsą. Nieważne. Przyszedłem, bo w niedzielę zwykle urządzamy sobie meczyk. Pogoda zapowiada się nieźle. Idziesz?

– Teraz? – skrzywił się James. – Właśnie miałem wziąć prysznic. Skóra mi cierpnie, jak pomyślę o tych wszystkich menelach i kloszardach, którzy spali w tej celi przede mną.

– Żaden problem. Wiesz, gdzie jest boisko. Przyjdź, jak już będziesz mógł.

James skinął głową.

– Ale ostrzegam, darem niebios dla światowego futbolu to ja nie jestem.

– W takim razie dopilnuję, żebyś był w przeciwnej drużynie – wyszczerzył się Maks. – To na razie.

– Na razie.

James zamknął za nim drzwi. Kiedy mijał kuchnię, zauważył Sonię gramolącą się z szafki pod zlewem. Wybuchnął śmiechem.

– Co wy znowu wyprawiacie?

– Bałam się, że wpuścisz Maksa do środka – wyjaśniła Sonia. – Musiałam się schować.

– Dave mówił, że wszystko jest czyste i legalne.

– Według prawa. Mój tata to zupełnie inna bajka.

– Maks by cię wsypał? – zdziwił się James.

Sonia wzruszyła ramionami.

– Może i nie. Ale nie dałabym głowy, że ta mała świnia powstrzyma się przed szantażem i wymuszeniem.

18. LUNCH

James nie wypadł najgorzej w grze i nawet udało mu się strzelić fuksiarskiego gola z połowy boiska. Kiedy sześciu piłkarzy zmęczyło się kopaniem piłki, trzech z nich poszło do sklepu po napoje, zostawiając Jamesa z Maksem i czarnoskórym dzieciakiem imieniem Charlie. Chłopcy rozsiedli się na szczątkach drewnianej ławki i ucięli sobie klasyczną pogawędkę trzynastolatków: o piłce, koleżankach i zabawnych przygodach, jakie przytrafiły się im albo innym dzieciakom.

Charlie był typem ważniaka, którego opowieść zawsze musiała przebić historie wszystkich innych. James podejrzewał, że zmyśla, a przynajmniej mocno przesadza, ale nie przeszkadzało mu to. Witał z wdzięcznością wszystko, co utrzymywało konwersację z dala od jego fikcyjnej tożsamości. Nawet najlepiej dopracowana legenda wymaga wymyślania pewnych szczegółów na bieżąco, a im więcej się wymyśla, tym łatwiej zapomnieć o czymś, co się powiedziało, i później zaplątać się w sprzecznościach.

Przed południem Maks zaprosił Jamesa i Charliego na niedzielny lunch.

– Twoja mama się zgodzi? – zapytał James.

– Moja mama jest walnięta – odparł Maks. – Uwielbia gotować.

Układ mieszkania Tarasowów był taki sam jak tego, do którego wprowadzili się James i Dave. Jedyną różnicą były wąskie schodki w przedpokoju prowadzące do pomieszczeń na górnym poziomie.

Maks zaprowadził chłopców do gorącej i parnej kuchni.

– Mam dwóch ekstra na lunch, dobra, mamo?

James nie mógł uwierzyć, że w tak małym pomieszczeniu można upchnąć aż tyle rzeczy. Półki na ścianach były zastawione przetworami w słoikach i monstrualnej wielkości puszkami. Z kołków nad stołem zwieszały się garnki i patelnie, pod stołem zaś piętrzyły się siatki z warzywami. Sasza Tarasow miała bladą cerę, krągłą sylwetkę i fartuch z Garfieldem zawiązany wokół pulchnej talii.

– Twój brat jest na górze, z Leonem – powiedziała Sasza, obdarzając Jamesa przyjaznym uśmiechem. Następnie przeniosła wzrok na Maksa i zmieniła ton na bardziej szorstki, jaki rodzice rezerwują zwykle dla własnych pociech. – Daj chłopcom coś do picia, a potem przynieś mi z góry gulasz. I nie chodzić mi w butach po domu.

Maks napełnił colą trzy szklanki, które chłopcy zabrali na górę, po drodze zdejmując buty w przedpokoju. Wzorzysta tapeta, kolorowe dywaniki i krzykliwe obrazy z dzikimi zwierzętami rozwieszone wzdłuż schodów zdawały się walczyć między sobą o uwagę patrzącego. Tu i ówdzie piętrzyły się stosy poskładanego prania, a pod ścianami stały wieże z pudełek ze sprzętem elektrycznym. Choć wystrój trącił tandetą, Jamesowi odpowiadała atmosfera tego mieszkania. Był to dom pełen ludzi, zapachów i dźwięków, w którym wszystko było trochę nieporządne i wyświechtane i gdzie od pierwszej chwili można było czuć się swobodnie.

– I właśnie dlatego powiedziałem, że mama jest walnięta – wyszczerzył się Maks, prowadząc Jamesa i Charliego do niewielkiego pokoju na górze.

Był to gabinet Leona Tarasowa. Mieścił zawalone papierzyskami biurko, obrotowy fotel udający antyk, a także największą zamrażarkę, jaką James kiedykolwiek widział poza sklepem z mrożonkami. Maks uniósł wieko, odsłaniając tacki z jagnięciną i schabem, oraz mnóstwo domowych potraw w plastikowych pudełkach. Każdy produkt opatrzono naklejką zapisaną odręczną grażdanką. James był przyjemnie zaskoczony, gdy odkrył, że ograniczona znajomość języka rosyjskiego, jakiej nabył na kursach w CHERUBIE, pozwala mu odczytać większość opisów.

– Moglibyście żywić się tym przez rok – zachwycił się Charlie. – W mojej zamrażarce są tylko paluszki drobiowe i lody.

– Przynajmniej masz zamrażarkę – zauważył James.

– Coś ci powiem, James – powiedział Maks. – Jeśli tobie i twojemu bratu kiedykolwiek zabraknie żarcia, po prostu poproście mamę. Uwielbia rozdawać jedzenie, pod warunkiem że zwraca się jej umyte naczynia.

Maks zanurzył rękę w zamrażarce i chrzęścił skamieniałymi bryłami jedzenia, dopóki nie znalazł okrągłego naczynia, wypełnionego gulaszem z wołowiny.

– Wiecie co, idźcie już do salonu – powiedział do kolegów. – Zaniosę to mamie i zaraz przyjdę.

Wszyscy Tarasowowie spali w sąsiednim mieszkaniu, dlatego połączyli dwie sypialnie na piętrze, tworząc gigantyczny salon. James wszedł do środka, brodząc po kostki w puszystym turkusowym dywanie.

W kącie pokoju zobaczył Dave'a. Przysiadł na podłokietniku kanapy obok osiemnastoletniego Piotra. Sonia siedziała po drugiej stronie pokoju, udając, że widzi Dave'a pierwszy raz w życiu, a Liza przycupnęła na dywanie przed telewizorem. Liza wyraźne ucieszyła się na widok Charliego, który rozsiadł się obok niej na podłodze niczym członek rodziny.

– Ty pewnie jesteś James – powiedział Leon Tarasow, wyciągając do Jamesa owłosioną łapę.

Mówił ze wschodniolondyńskim akcentem, w którym unosiła się ledwie uchwytna sugestia jego rosyjskich korzeni. Był wielkim otyłym człowiekiem o łysej głowie i zamiłowaniu do masywnej złotej biżuterii. Żeby uścisnąć mu dłoń, James musiał obejść bok elektrycznie rozkładanego fotela i przełożyć rękę nad kolosalnym brzuchem.

Rosjanin pogmerał w kieszeni koszuli i wydobył stamtąd dwudziestofuntowy banknot.

– Trzymaj.

– Za co to? – ucieszył się James.

– Nagroda – wyjaśnił Leon. – Po dyszku za każdego łachmytę z Grosvenor, którego rozłożyłeś. Gdybym mógł, zaszedłbym tam z paroma bejsbolami i ustawił całą tę hołotę raz, a dobrze.

– Chryste, tato! – oburzyła się Sonia. – Jesteś faszystą.

Leon rzucił córce złowrogie spojrzenie.

– Nie powinnaś być na pontonie i ratować wielorybów z całą resztą tych swoich hipisów?

Nacisnął guzik w podłokietniku fotela i jego ogromne cielsko z elektrycznym wizgiem uniosło się do bardziej pionowej pozycji.

– Piotr i Leon to genialni goście, James – powiedział Dave z entuzjazmem. – Rano grat nie chciał odpalić, więc Piotrek przyszedł, żeby rzucić na niego okiem. Leon mówi, że zna właściciela szrotu, który da mi dobrą cenę na sprężarkę do klimy i parę innych części.

– Myślałem, że jesteśmy całkiem spłukani – powiedział James. – To, co nam zostało, mieliśmy wydać na meble i jedzenie.

– Już ty się nie martw – powiedział Leon. – Znam tego złomiarza od lat. Policzy mi grosze. Ściągnę części i możecie naprawić auto u mnie w komisie. W zamian Dave mógłby trochę dla mnie popracować. Prowadzę komis i dwa puby, czasem przydałby mi się ktoś na parę godzin, kto pozałatwiałby za mnie różne sprawy. Dostaniesz piątaka za godzinę.

Dave gorliwie pokiwał głową.

– Naprawdę doceniam to, co pan dla mnie robi, panie Tarasow. I będę ciężko pracował. Przysięgam.

– Jak ci się udało ubezpieczyć wóz? – zapytał Leon. – Siedemnastolatek rozbija się w dwulitrowym mondeo. Oj, musiałeś zabulić.

Dave udał zakłopotanie.

– Dowiadywałem się o ubezpieczenie, ale wyszło ponad tysiąc funtów. Nie stać mnie, żeby tyle zapłacić.

Leon pokręcił głową.

– Lepiej uważaj, mały. Jak przyhaltują bez polisy dzianego gnojka z dobrego domu, wlepiają mu mandat, ale jak sędzia zobaczy takiego łachmaniarza jak ty czy ja, z mety daje mu maksymalny wymiar. Zwłaszcza jeśli ma przeszłość.

– Jesteś notowany? – zapytał Piotr.

– Miałem kilka wpadek – mruknął Dave, udając zawstydzonego.

Planiści CHERUBA tak obmyślili każdy detal legend Jamesa i Dave'a, by zmaksymalizować ich szanse na zbliżenie się do Leona Tarasowa. Usterki samochodu dały Dave'owi pretekst do zwrócenia się do Rosjanina z prośbą o pomoc, zaś połączenie przestępczej przeszłości i braku pieniędzy czyniło z chłopców taki gatunek młodzieży, jaki doświadczeni złoczyńcy pokroju Tarasowa uwielbiali wykorzystywać.

– Dwa lata temu dałem się przyłapać za kierownicą kradzionego wozu – wyjaśnił Dave. – Myślałem, że mnie posadzą, ale trafiłem do specjalnego programu, gdzie uczyli naprawiać samochody i takie tam.

James z trudem stłumił uśmiech, kiedy dostrzegł błysk w oku Tarasowa. Strasznie było pomyśleć, jak dobrze zaplanowana operacja CHERUBA mogła zmanipulować człowieka.

– Wiesz, David... – zaczął Leon, splatając kiełbaskowate palce na brzuchu i uśmiechając się. – Ja i mój starszy brat przybyliśmy do tego kraju trzydzieści lat temu. Wszystko, co mieliśmy, to kalosze i kombinezony uwalane rybimi flakami. Dlatego kiedy widzę takie dzieciaki jak ty i James, serce mi pęka. Dobrze wiem, jak to jest, i zamierzam zrobić, co w mojej mocy, żeby wam pomóc.

Dave i James uśmiechnęli się szeroko.

– Dziękuję, panie Tarasow – powiedział Dave. – Jesteśmy bardzo wdzięczni.

*

Byli już w domu. James oglądał telewizję z nogami wyciągniętymi na stoliku do kawy. Pięć godzin po obfitym lunchu wciąż czuł się wypełniony po przełyk rosyjskimi potrawami Saszy. Nic dziwnego, że nikogo z rodziny Tarasowów nie można było nazwać szczupłym. Dave wkroczył do pokoju, niosąc curry z mikrofalówki i ziemniaki po bombajsku.

– Jak ty możesz jeść po takim lunchu?

Dave usiadł przy stole i zademonstrował:

– Wbijam widelec, podnoszę, wkładam do ust. Chcesz spróbować?

Dave podetknął Jamesowi pod nos kawałek kurczaka w sosie curry. James odepchnął jego rękę.

– Przestań! – powiedział ze złością. – Jak przez to twoje śmierdzące curry zechce mi się rzygać, to odwrócę się w twoją stronę.

– Możesz winić wyłącznie siebie – powiedział Dave. – Pożarłeś wielką michę gulaszu z ziemniakami i górą warzyw, a potem dopchnąłeś schabowymi i trzema kawałkami ciasta. Zjadłeś tyle co Leon, a on waży ze sto dwadzieścia kilo.

James przypomniał sobie marchewkowe ciasto z lukrem. Trudno mu było pogodzić wspomnienie jego wspaniałego smaku z mdłościami, jakie ogarniały go teraz na samą myśl o deserze.

– Niedobrze ci? – wyszczerzył się Dave i połknął kolejnego ziemniaka. – Na co miałbyś ochotę? Na niedosmażoną jajecznicę? Rozmiękłe ciastko ponczowe? A może kotleta? Takiego surowego w środku, z którego krew cieknie po brodzie, jak się go ugryzie.

– Dave, to nie jest śmieszne! – zirytował się James. – Możesz się zamknąć i dać mi oglądać?

Dave parsknął śmiechem.

– Naprawdę oglądasz *Śpiewajmy Panu*? Nie wiedziałem, że jesteś taki religijny.

James wzruszył ramionami.

– Oglądałem program o hipopotamach. Chciałem przełączyć, kiedy się skończył, ale pilot wpadł gdzieś między poduszki, a ja jestem zbyt obżarty, żeby się ruszyć.

Dave zaczął śmiać się jeszcze głośniej. James nie mógł nie dostrzec zabawnej strony swojego dylematu.

– Przestań się ze mnie nabijać – powiedział, trzęsąc się ze śmiechu i masując brzuch. – Ja tu umieram.

– Wiesz co? – Dave nagle spoważniał. – W tej zielonej apteczce, którą dała nam Zara, chyba jest jakiś lek na niestrawność. Apteczka jest na półce w łazience.

– Och, super – ucieszył się James, podnosząc się z kanapy. – Może to postawi mnie na nogi.

19. PROPOZYCJA

Lekarstwo pomogło i kładąc się do łóżka o wpół do jedenastej, James czuł się już dobrze. Spał twardo do ósmej rano, kiedy obudził go dzwonek do drzwi. James zerwał się i pobiegł do przedpokoju, by zastać tam Dave'a otwierającego drzwi przed Leonem Tarasowem.

– Dzień dobry, panie Tarasow – powiedział Dave ubrany jedynie w bokserki i najwyraźniej zaskoczony.

– Nie jestem twoim nauczycielem, Dave. Możesz mi mówić po imieniu.

– Myślałem, że mam dziś przyjść do komisu.

– Mam małą propozycję – powiedział Leon. – Łatwa robota. Mogę wejść?

Dave nieprzytomnie zamrugał oczami.

– Ja właśnie... Jasne, jasne.

Poprowadził gościa do salonu. Widok wielgachnego brzucha Leona przetaczającego się przez przedpokój przypomniał Jamesowi lekcję geografii, na której oglądał film o supertankowcu przeciskającym się przez Kanał Panamski. Rosjanin rozsiadł się na malutkiej kanapie, a James wszedł do salonu za Dave'em.

– Obaj miewaliście już kłopoty z prawem – zaczął Leon. – Powinniście rozumieć znaczenie starego powiedzenia: „Długi język, krótkie życie".

Dave skinął głową.

– Nie jestem kapusiem.

– Nie chodzi o kablowanie. W waszym wypadku problem jest raczej w tym. – Leon uniósł ręce i zademonstrował gadające dłonie. – Luźna gęba. Plota idzie w świat... Nie życzę sobie tego, rozumiecie?

– Długi język, krótkie życie – powtórzył Dave, a James pokiwał głową.

– Wiem, chłopcy, że cały szmal, jaki macie, dostajecie od opieki społecznej. Myślałem o tym wczoraj przed snem i uświadomiłem sobie, że mógłbym ustawić was w czymś, co bardzo poprawi wasz fundusz startowy na początku samodzielnego życia. Być może nawet o kilka tysięcy w ciągu następnego miesiąca. Zainteresowani?

James i Dave wyszczerzyli się do siebie w sposób, jakiego można oczekiwać od pary młodych oberwańców, którym pomachano przed nosem czterocyfrowymi kwotami.

– Jasne, że tak – rozpromienił się Dave.

– Dobrze – powiedział Leon. – Sprawa, rzecz jasna, nie jest legalna, ale jest pewna. Znam ludzi, którzy pracują dla największych agencji sprzątających w kraju. Klientami są zwykle dziani goście, którzy nie mają czasu zawracać sobie głowy zatrudnianiem sprzątaczki. Zamiast tego dzwonią do Big Kleen, The Brite House, Supa-Maid czy czegokolwiek innego, pani Ścierkowska przychodzi, kiedy kolo jest w pracy, i facet jest najbliżej wyciągania własnych włosów z odpływu wanny, kiedy spłaca swoją kartę kredytową. A teraz najpiękniejsze – o tej porze roku większość tych bogatych dupków urządza sobie śliczne długie wakacje i odwołuje sprzątanie, zostawiając moich znajomych na dwa lub trzy tygodnie z kodami alarmów i kluczami do domów, gdzie w garażach stoją sobie luksusowe fury.

– Niech zgadnę – uśmiechnął się Dave. – Kiedy wracają z wakacji, fury już na nich nie czekają.

– Bingo – powiedział Leon i cmoknął. – Interesują nas tylko wózki prawie nowe, które można przewieźć do Europy Wschodniej albo rozebrać na części. Kiedy już mam kody i klucze, wysyłam zwiadowcę, który ma cały czas świata na przeszukanie domu i znalezienie kluczyków do samochodu. Następnego dnia ktoś inny włamuje się tam i uruchamia alarm, co nie stanowi wielkiego zagrożenia, bo mój zwiadowca zostawił kluczyki w drzwiach samochodu. Zanim przyjadą gliny, mój człowiek jest już daleko.

– Czemu po prostu nie użyć kluczy, zamiast się włamywać? – zapytał James.

Dave obrzucił go pogardliwym spojrzeniem.

– Bo wtedy od razu wyjdzie na jaw, że maczał w tym palce ktoś z wewnątrz.

– Ach... No tak – bąknął cicho James, zawstydzony własną tępotą.

– I policja nigdy nie podejrzewa agencji? – zapytał Dave.

– To może się zdarzyć – przytaknął Leon. – Gdyby w krótkim czasie ukraść dziesięć fur z domów sprzątanych przez jedną firmę, gliny mogłyby coś zwęszyć, ale my jesteśmy ostrożni. Różne rejony, różne agencje, rozsądna liczba kradzieży. Ale do rzeczy. Mamy sezon i przydałaby mi się dodatkowa para rąk do włamów i odprowadzania wozów.

– Ile z tego będzie dla nas? – zapytał Dave.

– Ćwierć tysia za skok.

– Na głowę? – zainteresował się James.

– To robota dla jednego. Jak chcecie, możecie chodzić razem, ale nie płacę nic ekstra.

Dave wiedział, że to wspaniała szansa na wejście w kryminalny świat Leona, ale gdyby przyjął ofertę bez zastrzeżeń, wyglądałoby to podejrzanie. Podrapał się w głowę.

– Chodzi o to, Leon, że jestem notowany. Jak znowu mnie złapią w kradzionej bryce, dostanę dwa lata poprawczaka.

– Słuchaj. – Leon wzruszył ramionami. – Nie będę miał pretensji, jeśli nie czujesz się na siłach. Ja tylko składam ofertę. Pięć, sześć robótek w ciągu tego miesiąca i zarobicie dość, żeby odpicować auto i doprowadzić tę waszą norę do stanu używalności.

– Dwieście pięćdziesiąt funtów to niedużo – zauważył Dave. – Mówimy tu o furach po dwadzieścia, trzydzieści tysięcy sztuka.

– Mam swoje wydatki – odparł Leon. – Zwiadowca, kontakt w agencji, człowiek, który wysyła auta za granicę, też nie bierze swoich cen z *Przewodnika po pchlim targu*. Cieszę się, jak wyciągnę pięć kawałków z mercedesa, który dopiero co wyjechał z salonu za trzydzieści.

– Doceniam twoją ofertę, Leon – powiedział Dave. – Ale ryzykowanie dwóch lat mojego życia musi być warte więcej. Myślę, że bliżej czterystu.

– Twoje szczęście, że zaczął się sezon i mam teraz więcej samochodów niż złodziei – uśmiechnął się Leon. – Niech będzie trzysta, ale więcej nie dam.

– Trzysta dwadzieścia pięć.

Leon przechylił głowę i namyślał się chwilę. Wreszcie jego ręka z ociąganiem popełzła w stronę Dave'a.

– Jeszcze jedno – powiedział Rosjanin, ściskając dłoń siedemnastolatka. – Przez te wszystkie lata trzymałem gliny na dystans dzięki temu, że byłem ostrożny. Teraz, skoro wszystko jest ustalone, więcej o tym nie rozmawiamy, jasne? Moi ludzie będą dzwonić, a pieniądze wpadać przez szparę na listy. Jeśli zapytasz mnie o coś w tej sprawie, nie będę miał pojęcia, o czym mówisz, będę za to bardzo niezadowolony.

– A jak coś się stanie, na przykład nie dostanę pieniędzy czy coś? – zapytał Dave.

– Dostaniesz numer, pod który będziesz mógł dzwonić – powiedział Leon, zwlekając się z kanapy. Spojrzał na Jamesa. – Nie mieszam w te sprawy swojej rodziny, więc w towarzystwie Maksa albo Lizy trzymacie gębę na kłódkę, rozumiemy się?

– Oczywiście. – James pokiwał głową.

Supertankowiec odpłynął do przedpokoju eskortowany przez Dave'a. James opadł na kanapę, poczekał na trzaśnięcie zamykanych drzwi, po czym rozparł się wygodnie, pozwalając sobie na triumfalny uśmiech. Nagle poczuł na ramieniu czyjś palec i wyskoczył na pół metra w górę.

– Jezu! – zachłysnął się, odwracając gwałtownie, by ujrzeć Sonię Tarasow siedzącą w kucki za kanapą. – Prawie dostałem zawału! Siedziałaś tu przez cały czas?

– Tata już poszedł? – wyszeptała szesnastolatka.

W miarę jak mijał szok, na twarz Jamesa powoli wypełzał obleśny uśmiech. Dziewczyna była naga.

Sonia zasłoniła piersi rękami.

– Przestań się gapić, mały zboku!

– Widziałem lepsze – zachichotał James.

– James, zachowuj się – powiedział twardo Dave, który w tej chwili wszedł do pokoju. Rzucił Soni swój szlafrok. – Przyprowadziłem tu twojego tatę, bo myślałem, że wciąż jesteś w kuchni.

– Miałam znów włazić pod ten zlew? W życiu. Jeszcze mnie bolą plecy po wczorajszym.

– Co wy robiliście w kuchni i bez ubrania? – zbystrzał nagle James. – Przysięgam na Boga, już nigdy nie będę jadł przy tym stole.

Sonia szybko wślizgnęła się w szlafrok i zawiązawszy go w pasie, przysiadła na brzegu kanapy.

– Dave, błagam cię, nie daj się zapędzić mojemu ojcu do brudnej roboty.

Dave wzruszył ramionami i zaczął wkładać koszulkę.

– To dla mnie szansa na w miarę normalny start, Sonia. Spójrz na to bagno, w którym żyjemy. Potrzebuję pieniędzy, żeby coś z tym zrobić, a z tego, co zarobię w supermarkecie albo jakimś fast foodzie, będę odkładał na to z pięćset lat.

– A co, jeśli cię złapią? Pójdziesz na dno, Dave, a James pewnie razem z tobą. W najlepszym razie skończy w domu dziecka.

– Wobec tego nie dam się złapać – odparł Dave.

Przysunął się, by uspokoić Sonię pocałunkiem, ale nie kupiła tego.

– Ojciec nie powinien was w to wciągać – oświadczyła gniewnie. – Nawet nie musi już się tym zajmować. Ma dwie świetnie prosperujące knajpy, a do tego komis, który też nieźle przędzie. On was wykorzystuje, Dave. Gdyby naprawdę chciał wam pomóc, dałby ci normalną pracę albo poszukał kogoś, kto mógłby cię zatrudnić.

– Sonia, znamy się od dwóch dni – zirytował się Dave.

– Lubię cię, ale nie możesz mówić mi, jak mam żyć.

– Świetnie, olej mnie, jak chcesz. – Sonia wzruszyła ramionami. – Ale ostrzegam cię – mój tata troszczy się wyłącznie o siebie, a ja nie będę odwiedzać cię w pudle.

– Słuchaj, Sonia, wiem, że chcesz dla mnie jak najlepiej, ale ja naprawdę potrzebuję tych pieniędzy.

– Mój ojciec jest jak teflon – nic się do niego nie klei. Wiesz, co było rok temu? Wykonał absolutnego killera, największy numer w swoim życiu. Obłowił się, biedna mama o mało nie zeszła ze strachu, że policja da nam teraz popalić, a oni go nawet porządnie nie przesłuchali.

– Co zrobił? – zapytał James niewinnie.

– Nigdy nam nie powiedział, ale wszyscy twierdzą, że zrobił jakiś większy skok – powiedziała Sonia. Nagle jej wzrok padł na zegar na ścianie i dziewczyna się przeraziła.

– O rany. Wpół do dziewiątej, a ja jeszcze nie jestem ubrana. Ale się dziś spóźnię do szkoły.

20. DACH

Dave pojechał z Piotrem Tarasowem na szrot, zaś James lenił się w domu. Nie było sensu zapisywać się do jednego z miejscowych gimnazjów, bo wakacje zaczynały się już za dwa dni.

Nie było niczego, co James mógłby zrobić dla misji, podczas gdy Maks, Liza i wszystkie dzieci z sąsiedztwa były w szkole. Niestety, Zara przewidziała to i poprosiła kilku nauczycieli, by zapewnili mu zajęcie.

Po wyjściu Dave'a James zaczął grać w „FIFA 2005" na swojej Playstation. Miał zachowaną grę, w której Arsenal prowadził w rozgrywkach Premiership z pięciopunktową przewagą, którą szybko powiększył do ośmiu punktów, rozgramiając Chelsea. James wiedział, że powinien zacząć odrabiać lekcje, ale bramki padały jedna za drugą i zanim uporał się z Liverpoolem, Charltonem i Aston Villą, minęło południe. Spadek formy nastąpił dopiero w marnym meczu z Tottenhamem zakończonym remisem dwa do dwóch, po tym jak komputer przyznał sobie karnego w dodatkowym czasie.

– Karny srarny! – wrzasnął James, wymierzając wściekłego kopniaka stolikowi do kawy. Cisnął kontrolerem w telewizor i wyłączył konsolę. – Głupia parszywa gra... Napisana przez kibica Spursów albo innego kretyna.

Kiedy się uspokoił, uświadomił sobie, że zgłodniał. Posmarował nutellą kilka tostów i udekorował każdy z nich kupką bitej śmietany w sprayu. Kiedy wreszcie usiadł do książek, była już prawie pierwsza.

James leżał na łóżku i zachodził w głowę, jak jego nauczyciel, mając do wyboru tyle wielkich bitew, cywilizacji i katastrof, mógł zadać mu napisanie wypracowania o objętości tysiąca pięciuset słów, z minimum trzema ilustracjami, na tak boleśnie nieinteresujący temat jak kanalizacja Londynu w epoce wiktoriańskiej. James czuł wstręt do wszystkiego, co miało związek z długimi wypracowaniami, tym bardziej że pan Brennan miał zwyczaj narzekania na nieczytelność jego leworęcznych bazgrołów i zmuszania go do przepisywania całych prac od początku.

Ostatecznie James zajął się tym jednym przedmiotem, w którym był dobry. Większość dzieci nawet nie zaczyna matematycznego programu na poziomie egzaminu licealnego przed czternastym rokiem życia, ale James zdał go na piątkę już w listopadzie poprzedniego roku i od tamtej pory wgryzł się głęboko w materiał na poziomie maturalnym.

Siedział na łóżku z grubym podręcznikiem na kolanach, podkładką do pisania i ołówkiem, pewnie kreśląc sobie drogę przez zadania z końca rozdziału 14F: *Wzór trapezowy przybliżonego obliczania całek*. Talent matematyczny nie był czymś, od czego dziewczyny mdlały z wrażenia, ale choć James nie chwalił się nim, w głębi serca czuł dumę. Dobrze było mieć jeden przedmiot, z którego miał same najwyższe oceny i którego nauczyciele uśmiechali się, mijając Jamesa na korytarzu, zamiast odciągać go na bok, by wypytywać o zaległe prace domowe.

Zaczął czytać rozdział 14G i naprawdę go to wciągnęło, kiedy rozległ się dzwonek. Wyszedł do przedpokoju i spochmurniał, widząc przez mętną szybkę zarys policyjnego munduru.

– Cześć – uśmiechnęła się Millie, kiedy otworzył drzwi. – A więc jesteś w domu. Dzwoniłam na komórkę.

James niedbale sięgnął do wieszaka i z kieszeni bluzy wyjął telefon.

– Chyba się rozładował. Jestem największym niechlujem świata, jeśli chodzi o pamiętanie o naładowaniu komórki.

Millie wprosiła się do środka.

– Pomyślałam, że nic się nie stanie, jeśli raz do was wpadnę – powiedziała, zamykając za sobą drzwi. – Jak ktoś zapyta, po co przyszłam, powiedz, że to w związku z aresztowaniem.

Jamesowi przyszło do głowy, że Millie wygląda atrakcyjnie nawet w policyjnych butach i mundurze tragicznie spłaszczającym jej sylwetkę. Policjantka usiadła na kanapie, otworzyła mały plecak i wyjęła papierową torbę.

– Przyniosłam kilka kanapek i ciastka – wyjaśniła Millie. – Jadłeś już?

– Tylko parę tostów – odrzekł James, rozchylając brzeg torby i badając wzrokiem zawartość. – Mogę wziąć tę z wędzonym łososiem? Ta druga jest z majonezem, a ja go nie cierpię.

Millie uśmiechnęła się z zakłopotaniem.

– Jedz, co chcesz, James. Ja już się najadłam – wstydu.

– Co?

– Wstydu – powtórzyła Millie, sięgając do plecaka i wyciągając kilka dokumentów. Każdy był kserokopią formularza 289B – „Oficjalnego zawiadomienia o popełnieniu wykroczenia przez funkcjonariusza" – z nazwiskiem Michaela Patela wypisanym w górnym rogu. – Jeśli ktoś składa skargę na policjanta, jedna kopia formularza wędruje do niego, a druga do jego teczki. Każdy funkcjonariusz pracujący na ulicy zbiera kilka skarg. Wobec mnie prowadzono dochodzenie dwa razy, w obu wypadkach ktoś, kogo zgarnęłam, próbował się zemścić, składając fałszywe doniesienie.

James policzył kartki.

– Tu jest osiem skarg.

Millie skinęła głową.

– To więcej niż średnia, ale wszystkie sprawy umorzono, a kolorowi funkcjonariusze z reguły gromadzą więcej skarg niż biali.

– Rasiści?

– Właśnie, James. Chodzi jednak o to, że... Spójrz na te dwa formularze na końcu, te zaznaczone markerem. Okienko siódme.

James rozdzielił formularze.

– „Punkt siódmy, główne zarzuty – przeczytał na głos. – Napaść na nieletniego podczas pełnienia dyżuru w areszcie komisariatu w Holloway".

James spojrzał na drugi papier.

– „Piętnastoletnia dziewczyna została uderzona przez funkcjonariusza Patela podczas wsiadania do radiowozu. Stwierdzono u niej wstrząśnienie mózgu oraz rozcięcie na głowie wymagające założenia trzech szwów".

– Obie sprawy umorzono, bo nie było żadnych dowodów. Słowo Michaela przeciwko słowu oskarżonego. Skargi są wprawdzie sprzed pięciu lat, a jednak... – Millie zacisnęła wargi.

James odgryzł kęs kanapki.

– Ta druga sprawa wygląda dokładnie tak samo jak to, co zrobił mnie.

– Wiem – powiedziała cicho Millie. – Kiedy to zobaczyłam, opadła mi szczęka. Poczułam się jak ostatni śmieć. Nazwałam cię kłamcą przed twoim koordynatorem. Naprawdę bardzo mi przykro, James.

– Każdy popełnia błędy. – James wzruszył ramionami. – Spytaj tego jedenastolatka, którego stłukłem.

– A co do twojej uwagi o tym, że trzymam z Michaelem, bo jest gliną, nie masz pojęcia, jak bardzo miałeś rację. Nikt nie lubi policji. Złoczyńcy nie lubią nas z oczywistych powodów, a z normalnymi ludźmi mamy do czynienia tylko w stresujących dla nich sytuacjach, na przykład kiedy ktoś rozbije samochód albo zostanie okradziony i nie może zrozumieć, dlaczego nie wysłaliśmy całego wydziału do spraw ciężkich przestępstw na poszukiwania jego telewizora. Każdy zawsze ma do nas pretensje. W końcu osiągasz specyficzny stan umysłu, w którym trzymasz stronę kolegów po prostu dlatego, że tylko oni będą kiedykolwiek trzymali z tobą.

– Zanim wciągnę tę kanapkę i ciasto, pewnie nie będę już o tym pamiętał – stwierdził James.

– To słodko, że tak mówisz, James. – Millie się uśmiechnęła. – John jeszcze nic nie wie i nie mogę powiedzieć, żeby cieszyła mnie perspektywa przyznania, że zrobiłam z siebie idiotkę. Zostawię ci te papiery, żebyś mógł pokazać Dave'owi, ale pilnuj ich i nie zostawiaj na widoku.

– Zrobić ci herbatę? – zapytał James.

Millie zerknęła na zegarek, zębami wyszarpując ze swojej kanapki całkiem niekobiecy kęs.

– Lepiej nie – wysepleniła, plując okruchami. – Za pół godziny mam spotkanie w komisariacie. Ale mam jeszcze coś, co chciałabym ci pokazać.

Wyjęła z plecaka jeszcze jeden papier.

– Dave zadzwonił do mnie rano i opowiedział, co Sonia mówiła o swoim ojcu i pieniądzach z rabunku. To jest lista ważniejszych niewyjaśnionych rabunków, jakich dokonano pomiędzy marcem a lipcem ubiegłego roku. W sumie jest ich osiemdziesiąt sześć, ale oceniamy, że na spłacenie długów i kupienie drugiego pubu Leon potrzebował ponad dwustu tysięcy funtów, co wyklucza wszystkie z wyjątkiem czterech spraw.

– To znaczy, że Leon może być zamieszany w którąś z nich?

Millie pokręciła głową.

– Nie wydaje nam się. W trzech spośród czterech rabunków wydział do spraw ciężkich przestępstw ma całkiem składną teorię na temat tego, kto jest sprawcą, ale wciąż za mało dowodów, by zacząć aresztowania. Czwarty rabunek to skok na furgonetkę wiozącą do Banku Anglii trzy miliony w starych banknotach przeznaczonych do zniszczenia. Rzecz była fachowo przygotowana, użyto supernowoczesnego sprzętu i niemal na pewno brał w tym udział ktoś z banku.

– Tarasow to chyba nie ta liga – zauważył James.

– Z całą pewnością – przytaknęła Millie. – Wśród miejscowych opryszków rozeszła się plotka o wielkim skoku, ale jeśli chcesz znać moje zdanie, to wszystko zasłona dymna postawiona przez Leona. Jest tylko jeden sposób, w jaki menel w rodzaju Tarasowa mógłby szybko zarobić dwieście tysięcy.

– Narkotyki?

– Czytasz w moich myślach, James.

*

Wróciwszy do pracy, James uświadomił sobie, że postąpiłby rozsądnie, gdyby przynajmniej zaczął swoje wypracowanie o wiktoriańskiej kanalizacji. Najpierw przejrzał stosowny rozdział w podręczniku. Następnie przygotował kartkę i napisał na niej swoje imię, nazwisko oraz tytuł wypracowania – w sumie osiem słów.

Zaczął pierwszy akapit:

> *W epoce wiktoriańskiej było dużo ścieków, które płynęły wszędzie po ulicach Londynu. Ludzie ~~ciongle~~ ciągle chorowali na choroby, których dziś już prawie nie ma, jak malaria, dżuma, szpotawe kolana i tyfus, które były wtedy niepohamowane. Z czasem zrobiło się lepiej, bo Wiktorianie zbudowali kanały i woda zrobiła się ~~bardziej~~ czystsza.*

Naliczył pięćdziesiąt osiem wyrazów, wliczając nagłówek i słowa, które przekreślił. Po namyśle zamazał dżumę i zmienił ją na czarną śmierć, bo to dawało dodatkowe dwa słowa. Tysiąc czterysta czterdzieści dwa wyrazy przed końcem pracy James odniósł nieprzyjemne wrażenie, że napisał już wszystko, co wie o wiktoriańskiej kanalizacji. Wreszcie uznał, że najlepszym wyjściem będzie ściągnięcie czegoś z internetu, ale kiedy wpełzał pod łóżko po laptop, ktoś zadzwonił do drzwi.

To była Hana ubrana w białe rajtuzy, szarą spódniczkę, bladozieloną bluzę i krawat w paski.

– Wpuść mnie, szybko! – zapiszczała, odpychając Jamesa na bok i zatrzaskując za sobą drzwi.

– Skąd ta panika? – zapytał James.

Hana zignorowała go.

– Ty nie masz dziewczyny, co, James?

James pokręcił głową.

– Nie. Co się...

Zanim zdążył skończyć, Hana zarzuciła mu ręce na szyję i wessała w usta w długim wilgotnym pocałunku. Minęło pół minuty, nim wreszcie się oderwała.

– Co się dzieje? W coś ty się ubrała? – zapytał James.

Hana mówiła pospiesznie.

– Nienawidzę tego mundurku. Kiedy zginął Will, wylali mnie ze szkoły i teraz jestem w prywatnej. Daj mi numer swojej komórki.

James wyrecytował cyfry, a Hana zapisała je na dłoni.

– Nie mogłam dziś przestać o tobie myśleć, James. Wtedy, w sobotę, jak nas broniłeś, to było niesamowite. Ale mój tata dostał piany, kiedy odebrał nas z komisariatu, i mam szlaban jak stąd na Księżyc. On nie cierpi, kiedy zadaję się z dziećmi z osiedla, i raczej nie uda mi się nigdzie wyrwać przynajmniej przez tydzień. Potem zadzwonię do ciebie i jeszcze pogadamy, dobra?

James uśmiechnął się.

– Dobra, jasne.

Hana pocałowała go jeszcze raz.

– Jak tata nas złapie, zawsze możesz połamać mu ręce.

Podniosła plecak z podłogi, okręciła się na pięcie w marszczonej spódniczce i pobiegła balkonem w stronę swojego mieszkania.

*

James poszedł na popołudniowy mecz z Maksem i Charliem, a potem przyjął zaproszenie Tarasowów na obiad. Po swoich pierwszych doświadczeniach z czterodaniowym rosyjskim obiadem James dzielnie odpierał podejmowane przez Saszę próby wciśnięcia mu dokładki.

Kiedy wrócił do domu, Dave i Sonia oglądali telewizję w salonie, tym razem, co przyjął z ulgą, całkowicie ubrani. James wszedł do swojego pokoju i zobaczył osobliwego SMS-a na wyświetlaczu swojego telefonu:

„MASZ LEK WYSOKOSCI? HANA".

James uniósł brwi i odpisał:

„NIE, CZEMU?".

Hana siedziała w swoim pokoju z telefonem tuż obok siebie, więc odpowiedziała natychmiast:

„CHCESZ ZAGRAC W GRE?".

Jamesa to zaintrygowało.

„TAK".

Wystukanie następnej wiadomości zajęło Hanie dłuższą chwilę.

„IDZ NA DRUGIE PIETRO SKREC W LEWO IDZ DO KONCA BALKONU NAPISZ SMS-A KIEDY DOJDZIESZ".

James nie miał pojęcia, co wymyśliła Hana, ale chciał wziąć udział w grze. Złapał klucze, telefon i zamknąwszy mieszkanie, pognał po betonowych schodach na najwyższe piętro.

„JESTEM" – wystukał szybko James, podchodząc do ściany na końcu balkonu. Kilka sekund później zadzwonił jego telefon.

– Hana? – usmiechnął się James. – O co tu chodzi?

– Widzisz wyjście ewakuacyjne?

– No.

– Przejdź przez drzwi.

– Hana, o co tu chodzi, do cholery?

Dziewczyna zachichotała.

– Przejdź przez drzwi, to może się dowiesz.

Trzymając telefon przy uchu, James wszedł przez wygraffitowane drzwi do betonowej klatki schodowej.

– Chryste – jęknął James. – Śmierdzi szczynami.

– Wejdź po drabinie i przez klapę.

James spojrzał na aluminiową drabinę przykręconą do ściany i klapę w suficie powyżej.

– Hana, tam jest obrzydliwie wielka kłódka.

– Wejdź tam i mocno pchnij – powiedziała Hana. – Muszę kończyć, nie mam już kasy na komórce.

Połączenie zostało przerwane. James schował telefon do kieszeni i wspiął się po drabinie. Nie wyobrażał sobie, jak mógłby pokonać kłódkę, ale pchnął klapę, tak jak mu kazano, i ujrzał rozświetloną szczelinę. Z zawiasów po drugiej stronie naprzeciwko kłódki ktoś usunął wszystkie wkręty.

James pchnął mocniej, otwierając klapę całkowicie, i wygramolił się na płaski dach bloku. Słońce świeciło mu prosto w oczy, ale rozpoznał sylwetkę Hany idącej ku niemu po rozgrzanej papie.

– Uciekłam z więzienia – uśmiechnęła się Hana, zarzucając Jamesowi ramiona na szyję. – W moim mieszkaniu jest druga klapa, nad schodami obok mojego pokoju, a stary siedzi na dole i ogląda telewizję.

James zauważył, że Hana zmieniła szkolny mundurek na legginsy i T-shirt.

– Świetnie wyglądasz – powiedział, nagle uświadamiając sobie, że sam wciąż cuchnie potem po popołudniowym meczu.

– Dziękuję – uśmiechnęła się Hana. – Słyszałeś kiedyś o Willu?

James poczuł się trochę niezręcznie.

– Maks coś wspominał. To był twój kuzyn... tak?

– Biedny głupek – powiedziała smutno Hana. – Chodź, pokażę ci.

Hana ujęła dłoń Jamesa i poprowadziła go na skraj dachu. Stanęła tam z czubkami najków wystającymi za krawędź.

– Ostrożnie – powiedział James, zatrzymując się o stopę dalej od brzegu. – Ładny widok na centrum Londynu. Musimy być całkiem wysoko.

Hana uśmiechnęła się lekko.

– Wiesz, to w końcu Palmowe Wzgórze.

– No tak, racja – stropił się James.

– Musisz spojrzeć w dół – powiedziała Hana. – I musisz stanąć na samym skraju, żeby to poczuć.

James przysunął się do krawędzi jeszcze o pół stopy i spojrzał w dół ściany budynku. W porównaniu z najwyższą częścią napowietrznego toru przeszkód w kampusie widok nie był bardzo przerażający, przynajmniej do chwili, w której James zauważył sugestywnie powyginaną barierkę schodów na samym dole.

– To dokładnie to miejsce – wyszeptał James.

– Nie mieli nawet tyle przyzwoitości, żeby to naprawić – powiedziała Hana, cofając się na środek dachu. W jej głosie brzmiał smutek. – Za każdym razem, kiedy tamtędy przechodzę, widzę Willa z przetrąconym grzbietem i krwią cieknącą z uszu.

– Byliście dobrymi przyjaciółmi?

– Jak byłam mała, bawiliśmy się razem, ale później już nie tak często. Will był totalnym gikiem: komputery, te sprawy, świata za nimi nie widział. Nie miał żadnych znajomych, ale był zabawny i naprawdę bardzo inteligentny. Pod koniec zaczął strasznie ćpać. Myślę, że coś go gnębiło.

James nie bardzo wiedział, co powiedzieć.

– Samobójstwo?

– Może. – Hana wzruszyła ramionami. – Ale nie zostawił listu ani niczego. Ludzie mówią, że pewnie był tak skuty, że nie wiedział, gdzie jest, i po prostu zleciał.

– Biedny kolo – powiedział melancholijnie James.

Rzucił ostatnie spojrzenie na pogiętą barierkę i podszedł do Hany, która oparła mu się na ramieniu i zachichotała nerwowo.

– Pewnie myślisz, że jestem kompletną idiotką. To spotkanie na dachu... Cały dzień myślałam, jak się z tobą zobaczyć mimo szlabanu, a teraz... To pewnie najgorsza randka w twoim życiu.

James objął Hanę ramieniem.

– Daj spokój, jest super. Założę się, że w nocy światła Londynu wyglądają stąd przepięknie.

Przypieczętował swoje słowa krótkim pocałunkiem, ale Hana wciąż była smutna i James zrozumiał, że to nie jest dobry moment na obłapianki. Usiedli na ciepłej papie; on oparł się plecami o metalowy komin, ona położyła mu głowę na kolanie. Rozmawiali o wszystkim i o niczym, patrząc na zachodzące słońce.

James naprawdę polubił Hanę. Była przyjemnie wyluzowana i miała nieco mroczne poczucie humoru. Żałował, że nie spotkali się w innych okolicznościach. Wtedy mógłby opowiedzieć jej o Laurze, o mamie i o prawdziwym sobie, zamiast trzymać się tej głupiej legendy operacyjnej.

21. CAYENNE

Dave siedział przy stole i czytał „Daily Star", kiedy James wmaszerował do kuchni i triumfalnie pomachał mu przed nosem masą pogniecionego papieru.

– Ta-da! – wykrzyknął James. – Nieźle jak na jeden ranek pracy. Tysiąc pięćset jedenaście słów o wiktoriańskiej kanalizacji. Trzy kolorowe wykresy, a wszystko wykreślone moim najlepszym pismem.

Dave ledwo zerknął na kartki i zacmokał z fałszywym podziwem.

– Aleś się szarpnął z tymi jedenastoma słowami ekstra. A ta plama to co?

– Przewróciła mi się puszka z colą. Ale atrament prawie się nie rozmazał.

– Może powinieneś przepisać tę stronę, James? Wiesz, jaki jest Brennan. Dać mu tekst z plamą po coli, to jakby błagać, żeby kazał ci przepisać wszystko jeszcze raz.

James zdał sobie sprawę z tego, że Dave ma rację, ale perspektywa dodatkowej pracy zepsuła mu humor tylko na chwilę.

– Niech to szlag... Ech, trudno. Przepiszę jutro, w końcu to tylko jedna strona. A ty, dlaczego nie masz nic zadane?

– Czekam na wyniki matury – wyjaśnił Dave. – Mój opiekun mówi, że wciąż wyglądam na tyle młodo, że mógłbym zostać w CHERUBIE jeszcze przez ten rok, zanim pójdę na studia, ale ja chyba wolę powłóczyć się po świecie. Tajlandia, Australia, te klimaty.

James uśmiechnął się.

– Fajnie.

Dave odwrócił stronę gazety i zachłysnął się.

– Ale ekstra! Wyobraź sobie, że budzisz się z głową na takich poduchach.

James przegramolił się dookoła stołu, by spojrzeć na zdjęcie modelki topless siedzącej na piłce futbolowej.

– Za chude nogi – wyszczerzył się. – Ale z łóżka bym jej nie wyrzucił.

Dave zerknął na zegarek.

– Już za piętnaście dwunasta. Raul chciał, żebym odstawił wóz przed ósmą, ale...

– Kto to jest Raul? – przerwał James.

– Facet, który pracuje z Leonem. Zadzwonił do mnie w sprawie roboty. Wolałbym uniknąć tłoku w godzinach szczytu, więc proponuję, żebyśmy przeczekali w jakimś zacnym lokalu i spokojnie zjedli lunch. Potem pojedziemy metrem do Pinner.

– Daleko to?

Dave skinął głową.

– Na północnym zachodzie Londynu, daleko od linii Metropolitan. Przesiądziemy się na Baker Street, a dom jest piętnaście minut drogi od stacji. Samochód dostarczymy do jakiejś meliny niedaleko Bow Road.

– Powiedziałeś Millie?

– Oczywiście – odparł Dave. – Zawiadomi wydział kradzieży pojazdów, kiedy tylko nie będzie to groziło spaleniem naszej misji.

– Może nawet przyskrzynią Leona.

– Tak, James, jeśli znajdą mocne dowody łączące Leona ze skradzionymi autami, a to jest bardzo duże jeśli. Wiesz, jak on potrafi się zabezpieczać.

Od stacji metra do domu było dalej, niż chłopcy się spodziewali. Obaj byli w naciągniętych na twarze bejsbolówkach, a Dave założył dodatkowo ciemne okulary, kiedy tylko skręcili w Montgomery Grove. Była to bogata okolica pełna luksusowych willi.

Dave wyjął z kieszeni kartkę i jeszcze raz przeczytał instrukcje. Najwyraźniej zrobił to z nerwów, bo cały tekst znał przecież na pamięć.

Minęła ich grupa chłopców na rowerach. Dave poczekał, aż się oddalą, po czym pochylił się do Jamesa.

– Alarm włączy się trzydzieści sekund po naszym wejściu, więc bez marudzenia, dobra?

James zacmokał ze zniecierpliwieniem.

– Przecież wiem.

– Samochód jest w garażu, kluczyki w drzwiach kierowcy. Każdy z nas weźmie jedną tablicę.

– Co to za fura?

– Porsche cayenne turbo.

– Ale ekstra! – zachwycił się James. – Czteronapędówka. Mogę prowadzić? Wolę motory od samochodów, ale cayenne wyciąga nawet dwieście siedemdziesiąt, chociaż jest ciężki jak czołg.

– Świetny pomysł – powiedział Dave z przekąsem. – Trzynastolatek śmiga przez Londyn furą za sześćdziesiąt kawałków, i to w biały dzień. Na pewno nikt nie zwróci na ciebie uwagi.

James uśmiechnął się.

– Nadal uważam, że powinniśmy byli to zrobić wczoraj w nocy.

– Noc ma swoje plusy i minusy. Ciemność ułatwia wejście, ale w nocy jest znacznie mniej samochodów, więc podczas ucieczki trudniej wtopić się w ruch.

James zatrzymał się i zawołał Dave'a.

– Numer trzydzieści sześć. To tutaj.

Chłopcy weszli na podjazd, naciągając gumowe rękawiczki.

– Trema? – zapytał Dave.

James uśmiechnął się.

– Może trochę.

– Pamiętaj, James, nie będziemy ryzykować życia dla jakiegoś głupiego Leona Tarasowa. Jak zrobi się gorąco, poddajemy się.

– OK. – James skinął głową i wcisnął przycisk dzwonka przy drzwiach.

Dave przekradł się na tyły domu i wyjął z plecaka łom. James odczekał pół minuty, a skoro nikt nie otwierał, dołączył do Dave'a i skinął mu głową. Dave wbił końcówkę łomu w szczelinę oszklonych drzwi oranżerii. Po dwóch mocnych pociągnięciach puścił zamek, ale trzeba było jeszcze szarży ramieniem i solidnego kopniaka, by zerwał się łańcuch trzymający drzwi od środka.

Chłopcy przebiegli przez duszną oranżerię i wparowali do domu. Dave trzymał się za ramię, zaciskając zęby z bólu. James poczuł przypływ adrenaliny, kiedy usłyszał popiskiwanie pulpitu kontrolnego alarmu, który rozpoczął odliczanie trzydziestu sekund do uruchomienia syreny.

Przebiegli przez luksusowo wyposażony salon z olbrzymią fotografią małżeństwa i dwóch synów wiszącą nad kominkiem. Dave otworzył wąskie drzwi prowadzące do dwustanowiskowego garażu. Obok ogromnego porsche stała czarna beemka.

– Klasa – wyszczerzył się James.

Dave wręczył mu tablicę rejestracyjną.

– Załóż to.

Raul wyposażył Dave'a w zestaw naklejanych tablic. Numer odpowiadał innemu cayenne turbo o tym samym kolorze lakieru, dzięki czemu, gdyby policja zainteresowała się autem i sprawdziła je w komputerze, kontrola niczego by nie wykazała.

Syrena zawyła, kiedy James i Dave kucali po dwóch stronach samochodu. James zdjął rękawiczkę, żeby paznokciem oddzielić naklejkę od osłonki, ale ze zdenerwowania trzęsły mu się ręce i za nic nie mógł sobie z tym poradzić. Serce zabiło mu mocniej, kiedy uświadomił sobie, że Dave okleił już tylną tablicę i właśnie wsiada do samochodu.

– Co się tak guzdrzesz?! – zawołał Dave, przekrzykując wycie alarmu.

Zawarczał silnik i w tej samej chwili James zdołał zerwać osłonkę naklejki. Szybko przykleił tablicę, obiegł samochód dookoła i wskoczył na miejsce pasażera. Dave spanikował.

– Nie mogę znaleźć pilota! – zawołał.

– Co? – zachłysnął się James.

– Musi być jakiś guzik albo... Albo jakieś takie pudełeczko czy coś do otwierania garażu – wyjaśnił Dave z obłędem w oczach.

James dołączył do gorączkowych poszukiwań. Otworzył schowek i na kolana wysypała mu się lawina map i pokrowców na okulary.

– O szit!

– Wysiadaj i wciśnij włącznik! – krzyknął Dave, wskazując na zielony przycisk zamontowany na ścianie.

James zaczął wysiadać, ale kiedy otworzył drzwi, zauważył dyndający pod kierownicą pilot.

– Jest w breloczku, baranie!

Dave gwałtownie złapał breloczek i wdusił przycisk. Wrota garażu zaczęły unosić się w rozpaczliwie powolnym tempie. Kiedy były w połowie drogi, zanurkowała pod nimi starsza kobieta w słomkowym kapeluszu i ogrodniczych rękawicach, która przypadła do samochodu i szarpnięciem otworzyła drzwi po stronie Jamesa.

– Natychmiast wysiadaj z auta, młody człowieku! – zażądała twardo. – Nie tolerujemy tu takich łobuzów jak wy.

Kobieta obiema garściami wczepiła się w koszulkę Jamesa, zmuszając Dave'a, który już zaczął wycofywać samochód z garażu, do wdepnięcia hamulca. James miał wolne ręce i wystarczająco dużo siły, by posłać swoją przeciwniczkę w przyszły tydzień, ale nie mógł się zmusić do uderzenia staruszki.

– Pozbądź się jej! – wrzasnął Dave.

James pchnął z całej siły, przewracając kobietę na plecy przy zgrzycie rozdzieranego materiału koszulki. Obrócił się w skórzanym fotelu i nogami przesunął staruszkę jak najdalej od samochodu, po czym wychylił się, by zatrzasnąć drzwi.

– Jedź! – krzyknął.

– Nie przejedziemy jej nóg? – zaniepokoił się Dave.

– Nie, jedź.

James zablokował drzwi, podczas gdy Dave ostrożnie wyprowadzał porsche z garażu.

– Nie chcę jej przejechać – powtórzył. – Na pewno nie ma stóp pod kołami?

– Mówiłem ci: nie! Jedź, do jasnej cholery.

Ogromny samochód zaryczał, kiedy Dave wcisnął mocniej gaz. Na podjeździe pojawił się mąż starszej pani. Widząc, co się dzieje, pokuśtykał do ataku w blezerze ze złotymi guzikami i widłami w dłoni.

– Wy małe psubraty! – zasapał gniewnie.

Przez jedną paskudną chwilę James był pewien, że staruszek rzuci się na maskę, lecz ten po prostu cisnął widłami w samochód niczym oszczepem. James instynktownie skulił się na fotelu, kiedy metalowe zęby odbiły się niegroźnie od przedniej szyby. Dave gwałtownie wcisnął hamulec, by nie przejechać dzieciaka pedałującego na rowerku wzdłuż ulicy. Z domu naprzeciwko wybiegła cała rodzina, żeby zobaczyć, co wywołało alarm.

Dave spojrzał w obie strony, wyjechał na drogę i ruszył z kopyta. Zdążył rozpędzić się do setki, nim gwałtownie zahamował i skręcił w ruchliwą główną ulicę.

– Te dwa stare pryki mają skłonności samobójcze! – krzyknął z wściekłością. – Przecież gdyby to byli prawdziwi bandyci, mieliby noże, spluwy, wszystko!

– Walnięci – zgodził się James, gapiąc się tępo na swoją rozdartą koszulkę i kręcąc głową. – Normalnie kompletnie popaprani.

Dave zatrąbił, rzucił samochodem w bok, by ominąć auto stojące przed skrzyżowaniem, przejechał na czerwonym świetle, po czym wdusił gaz, przelatując obok stacji metra z prędkością ponad stu dziesięciu kilometrów na godzinę.

– To będzie cud, jeśli urwiemy się policji – powiedział Dave. – I nie obchodzi mnie, ile zaproponuje Leon ani ile to znaczy dla misji. Nie kradnę więcej samochodów.

– Święta racja – przytaknął James, oglądając się za siebie i z niepokojem wypatrując pościgu. – To nie jest tego warte.

22. MEBLE

Rdzewiejący ford Dave'a wtoczył się na parking komisu tuż po dziewiątej. Plastikowy znak wiszący nad barakiem oznajmiał, że firma Prestiżowe Auta Tarasowa specjalizuje się w „najlepszych używanych autach marki Jaguar i Mercedes", co kłóciło się z zawartością parkingu zastawionego głównie samochodami wycofanymi z flot firmowych i małymi hatchbackami.

Niewiele osób kupuje samochody w środę rano, więc Piotr nie miał nic przeciwko temu, by pomóc Dave'owi w montażu nowej sprężarki klimatyzacji oraz kilku innych części, jakie wyszperali na szrocie poprzedniego dnia. Obaj chłopcy dłubali pod wspartym na stojakach mondeo, kiedy z baraku wytoczył się Leon z dwoma kubkami w dłoniach.

– Gorąca herbata na masce – oznajmił tubalnym głosem.

Dave wypełzł spod samochodu i zanim wstał, przez chwilę podziwiał osobliwie fascynujący masyw brzucha Leona przesłaniający mu niebo.

– Raul mówi, że wczoraj to był twój pierwszy i ostatni raz – wyszczerzył się Rosjanin.

Dave zerknął nerwowo w bok, niepewny, czy może mówić przy Piotrze.

– W porządku, jest wtajemniczony.

– Kłopoty z gangiem staruszków, jak słyszałem – uśmiechnął się Piotr, po czym ujął swój kubek usmarowaną dłonią i upił łyk z głośnym siorbnięciem.

– Przepraszam, Leon – powiedział Dave. – Przez całe życie tułam się po domach dziecka i rodzinach zastępczych. Chcę wreszcie zacząć z Jamesem normalne życie. Nie mogę ryzykować odsiadki.

– Rozumiem cię. – Leon skinął głową. – Nie mam pretensji. Zdaje się, że miałeś pecha, a nie każdy ma nerwy do tej roboty.

– Wiesz, wujku, tak sobie myślę... – zaczął Piotr.

Leon uśmiechnął się.

– Dlaczego za każdym razem, kiedy zaczynasz myśleć, mój portfel robi się nerwowy?

Piotr pokręcił głową z uśmiechem.

– Nie, ja na poważnie, wujku. Za parę miesięcy idę na studia, a wtedy Dave mógłby mnie zastąpić w komisie. Byłby idealny. Zna się na samochodach. Na razie mógłby naprawiać drobne rzeczy, kiedy przyjdzie nowa partia z aukcji, myć auta, może nawet zacząć trochę sprzedawać, kiedy w sobotę zrobi się ruch.

Leon wzruszył ramionami.

– Słyszałem już o gorszych pomysłach, ale co ze szkołą?

– Myślałem o college'u, ale wieczorowym – powiedział Dave.

– Mógłbym pokazać mu, co i jak, póki tu jestem – dodał Piotr.

– Wezmę cię na miesiąc próbny. Sześć funtów za godzinę na początek, a co do czasu pracy, to jeszcze się zobaczy.

– Dzięki, Leon – wyszczerzył się Dave. – Nie do wiary, jacy jesteście wspaniali. Ja i James jesteśmy wam naprawdę wdzięczni.

Leon machnął ręką i odtoczył się do baraku. Dave odwrócił się, żeby podziękować Piotrowi.

– Nie ma za co – uśmiechnął się Piotr. – Tylko pilnuj, żebyś nie leżał pod którymś z samochodów, kiedy wujek dowie się, co wyprawiałeś z jego córeczką.

James odrobił straty po fatalnym remisie z Tottenhamem, skalpując kilka słabszych drużyn w swojej kampanii Premiership „FIFA 2005". Na pięć meczów przed końcem prowadził dziesięcioma punktami, co oznaczało, że mistrzowski tytuł ma właściwie w kieszeni. Zatrzymał grę, kiedy zadzwonił telefon.

– Nie powinnaś być w szkole? – zapytał.

– Za ładny dzień na naukę – zachichotała Hana. – Jestem w autobusie i właśnie jadę do domu. To ostatni dzień przed końcem roku. Doszłam do bramy szkoły i pomyślałam: „Ja tego nie zniosę".

James uśmiechnął się.

– W ostatni dzień szkoły zwykle są luzy: bieganie po korytarzach i otwieranie drzwi z kopa. W jednej szkole, w której byłem, mieliśmy siedem alarmów przeciwpożarowych w jeden dzień.

– W mojej to by nie przeszło. Kulminacją przedwakacyjnych szaleństw był pewnie recital klarnetowy. To jak, chcesz się spotkać czy nie?

– Pewnie, że chcę. Nie mam tu nic do roboty oprócz siedzenia na tyłku i grania w „FIFA".

– Moi rodzice są w pracy, a twoje mieszkanie nie jest zbyt, em...

– Śmiało, wykrztuś to – zaśmiał się James. – Wiem, że mieszkam w obskurnej norze. Lepiej nam będzie u ciebie, jeśli jesteś pewna, że to bezpieczne.

Kiedy Hana się rozłączyła, James wznowił grę i dokończył mecz. Zaledwie kilka minut później dziewczyna zastukała pierścionkiem w okno salonu. Poprowadziła Jamesa do swojego mieszkania, dwupoziomowego tak jak lokal Tarasów. Wystrój przytłaczał przesadnością, jakby ktoś naoglądał się za dużo programów o urządzaniu wnętrz, ale pokój Hany okazał się fajny. Była tam kolekcja lamp lawowych, biały dywanik z owczej skóry i papierowy Austin Powers naturalnej wielkości przypięty do drzwi.

– Retro – powiedział James z uznaniem, badając stary adapter z głośnikiem wbudowanym w płytę czołową.

– Lubię wynajdywać różne stare rzeczy na bazarach i giełdach – wyjaśniła Hana. – Sklepy są nudne, wszyscy wynoszą z nich to samo.

James ukląkł i zaczął przeglądać dwumetrowy szereg winylowych singli.

– Skąd masz to wszystko?

– Mój tata chciał wyrzucić swój zbiór. Część dokupiłam w komisach i na eBayu. Wybierz coś, chcę się przekonać, jaki masz gust.

Większość płyt była w nieopisanych okładkach; trzeba je było wyciągać i odczytywać tytuły utworów przez otwór na środku koperty. Podczas gdy James przeglądał zbiór w poszukiwaniu czegokolwiek znajomego, Hana zmieniła szkolną spódnicę i bluzę na koszulkę i krótkie bojówki. James nie miał odwagi, by otwarcie się gapić, ale to, co zdołał zobaczyć kątem oka, bardzo mu się podobało.

– No dobra – powiedział, wyciągając płytę z koperty i unosząc pokrywę adapteru.

Nagle uświadomił sobie, że jeszcze nigdy nie puszczał muzyki z czarnych płyt.

– Jest automatyczny – powiedziała Hana.

Ułożyła krążek na talerzu i wcisnęła guzik. Metalowe ramię opadło na brzeg płyty. Po kilku trzaskach głośnik wypluł z siebie pierwsze takty piosenki The Monkees.

– O, super – ucieszyła się Hana. – Dobry wybór.

– Kiedy byłem mały, oglądałem The Monkees na satelicie – wyznał James.

Hana stała boso na dywanie, podrygując w rytm piosenki.

– Fajnie, ja też – powiedziała z uśmiechem.

Siedzieli na łóżku Hany ponad godzinę, słuchając starych płyt i rozmawiając o różnościach. Hana była w pogodnym nastroju, ale James wyczuwał kryjący się w niej smutek. W swojej ekskluzywnej szkole była niczym ryba wyjęta z wody, bez przerwy kłóciła się z tatą, a jej najlepsza przyjaciółka poświęcała połowę swojego wolnego czasu na opiekowanie się babcią.

Po raz pierwszy pocałowali się, jak należy, ale kiedy James spróbował wsunąć Hanie rękę pod szorty, nagle oświadczyła, że jest głodna. James powlókł się za nią do kuchni, wygładzając pomięte ubranie i emanując rozczarowaniem, widocznym zapewne z orbity okołoziemskiej.

– Coś taki skwaszony? – zapytała niewinnie Hana, wkładając paluszki rybne do opiekacza.

– Ech... – westchnął James, siadając przy stole z łokciami na blacie i głową między dłońmi. – Nic takiego.

Hana obejrzała się i uraczyła Jamesa spojrzeniem, które nagle uświadomiło mu, że chyba się zakochuje. Podręcznik szkoleniowy CHERUBA zawierał cały rozdział mówiący o niebezpieczeństwach przywiązywania się do ludzi spotykanych podczas wykonywania tajnych operacji. Niestety, był to ten aspekt służby w CHERUBIE, z jakim James miał największe kłopoty. Kiedy skończy się misja, ta atrakcyjna dziewczyna pozostanie tylko wspomnieniem, a on sam wróci do kampusu i do losu społecznego wyrzutka.

– Lepiej o tym nie myśleć – wymamrotał James.

– Co mówisz?

James ocknął się z zamyślenia i zrozumiał, że powiedział na głos coś, co chciał tylko pomyśleć.

– Nic, jestem zmęczony – rzucił na usprawiedliwienie. – Ja i Dave graliśmy na Playstation do trzeciej rano.

– Super macie, że mieszkacie bez starych. Moi to tacy debile...

James pokiwał głową.

– Pewnie masz rację, ale za to prawie nie mamy kasy. No i dwa razy w tygodniu przychodzi ktoś z opieki społecznej, żeby sprawdzić, jak sobie radzę.

– Wiesz, myślałam o waszym mieszkaniu. Powinniście je odmalować, to trochę by przejaśniało.

– Mamy przydział na meble od magistratu. Kiedy Dave naprawi samochód, pojedziemy do Ikei.

– Ikea – skrzywiła się Hana. – To najgorszy sklep ze wszystkich.

– Może, ale niektóre ich rzeczy są tanie jak barszcz. A twoi rodzice może i są debilami, ale dzięki nim masz fajne ciuchy i rzeczy, na jakie mnie i Dave'a może nigdy nie będzie stać.

– Wiem, wiem – powiedziała Hana, próbując zdjąć paluszki rybne z rusztu tak, by nie poparzyć sobie palców. – Kocham swoich rodziców, James, to jasne. Po prostu po tej historii z Willem zrobili się tacy drętwi... Nie pozwalają mi zadawać się z dziećmi z osiedla. Umierają ze strachu, że wpadnę w złe towarzystwo, zacznę ćpać i tak dalej.

– Rodzice Willa nadal tu mieszkają?

Hana pokręciła głową.

– Ciocia i wujek nie mogli tu już wytrzymać. Sprzedali mieszkanie i przeprowadzili się nad morze.

Hana zamilkła, po czym nagle się rozpromieniła.

– Właściwie... – powiedziała tajemniczo, unosząc palec wskazujący i uśmiechając się jak obłąkaniec.

– No co? – niecierpliwił się James.

– Przyszedł mi do głowy pewien pomysł. Kiedy ciocia Shelley się wyprowadzała, nie chciała wziąć żadnych rzeczy Willa. Wszystko chciała wyrzucić, a ja pomyślałam, że to byłoby smutne, więc poszłam na górę i uratowałam parę gratów. Stoją u nas w piwnicy. Jest trochę mebli, na przykład biurko Willa i krzesło. Stoją tam i tylko się kurzą.

23. KOMPUTER

Zatęchły zapach połaskotał Jamesa w nozdrza, kiedy Hana otworzyła zamknięte na kłódkę drzwi piwnicy i włączyła zakurzoną żarówkę. Komórka mierzyła mniej niż dwa metry szerokości, najwyżej cztery długości i potrzebowała porządnego sprzątania. W środku były stosy pudeł piętrzące się do sufitu, na wpół opróżnione puszki z farbą, stare zwoje tapety i kosiarka-poduszkowiec spoczywająca na mocno sfatygowanym fotelu.

– Przecież nie macie ogrodu – uśmiechnął się James.

Wszystkie rzeczy Willa zgromadzono w jednym kącie. Były tam pudła z podręcznikami, krzesło na kółkach, drewniane biurko oblepione naklejkami z Action Manem i Power Rangersami, stolik nocny, lampa na biurko, a nawet stary zdezelowany komputer.

– Co ty na to? – zapytała Hana, kiedy James przestawiał dwa składane krzesła, żeby podejść bliżej.

– Niezłe – powiedział James. – Krzesło i biurko przydałyby mi się do odrabiania lekcji.

– Komputer też możesz sobie wziąć. Niedługo będzie już całkiem przestarzały, a teraz i tak nie ma kto z niego korzystać.

James miał w mieszkaniu wypasiony laptop z bezprzewodowym internetem, ale uświadomił sobie, że jego alter ego, biedny James Holmes, nie przepuściłby szansy zdobycia darmowego komputera.

– Jest w porzo – skinął głową. – Ale co na to twoi rodzice? Nie będą marudzić, że rozdajesz te rzeczy?
– Zacznijmy od tego, że tata w ogóle nie chce, żebym trzymała rzeczy Willa. Mówi, że to jest chore.
James pocałował Hanę w policzek.
– Dziękuję. To naprawdę wiele dla mnie znaczy – powiedział z uśmiechem, wyjmując z kieszeni komórkę. – Dave jest niedaleko, w komisie. Zadzwonię do niego, żeby pomógł nam nosić.

*

Choć James i Dave mieszkali w Palm Hill dopiero około trzech tygodni, penetrując otoczenie Leona Tarasowa, musieli zachowywać się tak, jakby zaczynali nowe życie i urządzali się w swoim mieszkanku na stałe. Uporawszy się z przenoszeniem na górę rzeczy Willa, chłopcy wyruszyli do Ikei, by wydać część trzystu dwudziestu pięciu funtów, jakie wspólnik Leona wsunął przez szczelinę na listy, kiedy nie było ich w domu.
Silnik mondeo pracował równo, a świeżo naprawiona klimatyzacja działała jak marzenie. Niestety, na autostradzie M25 zdarzył się wypadek i chłopcy utknęli w korku szczelnie wypełniającym wszystkie trzy pasy ruchu i pełznącym z prędkością pieszego.
– Co myślisz o tym pomyśle Millie, że Leon dorobił się na narkotykach? – zapytał James.
Dave przetoczył samochód o kilka metrów do przodu i zahamował. Wzruszył ramionami.
– To oczywisty wybór, jeżeli wykluczy się rabunek – powiedział po chwili. – Leon nie ma powiązań z narkobiznesem, ale umie wykorzystywać okazje. Pamiętasz, jak szybko zatrybił, kiedy wciągnął nas w ten swój złodziejski interes z samochodami? Gdyby dostał szansę zarobienia grubszego szmalu na dragach, myślę, że nie zastanawiałby się zbyt długo.

– Pamiętaj, że na liście były tylko rabunki dokonane w Londynie. Z tego, co wiemy, to mogło się zdarzyć wszędzie.

Korek wprawiał Dave'a w drażliwy nastrój.

– Co z tego? – rzucił prawie ze złością. – Możemy przez cały dzień spekulować na temat tego, skąd Leon wziął swoje pieniądze, ale to i tak nie ma sensu. Nie dowiemy się prawdy inaczej, jak tylko przechodząc przez tę misję. Ja działam z Sonią, Piotrem i Leonem, ty z Maksem i Lizą.

– Wiem. – James skinął głową, obserwując osę pełznącą po zewnętrznej stronie okna. – Teraz, kiedy Maks skończył szkołę, spróbuję bywać u nich częściej. Myślisz, że powinniśmy założyć kilka podsłuchów?

Dave potrząsnął głową.

– Na dużej akcji można zakładać pluskwy gdzie popadnie, a ekipy podsłuchowe rejestrują każde słowo. Ale my tu odwalamy drobną fuchę. Jestem tylko ja, ty, Millie i od czasu do czasu wpadnie John Jones. Nie warto ryzykować zakładania podsłuchów, dopóki nie wiemy, gdzie i kiedy będzie się dziać coś godnego uwagi. Inaczej skończymy z kilometrami bezwartościowych taśm, których nikt nigdy nie przesłucha.

James pokiwał głową.

– Szczerze mówiąc, James, wątpię, żeby udało ci się wycisnąć coś ciekawego ze swojej części zadania – ciągnął Dave. – Leon prowadzi swoje interesy z baraku w komisie, a Saszę i młodsze dzieci trzyma od nich z daleka. Ja to co innego. Pracując na parkingu, będę mógł trzymać rękę na pulsie. Zaprzyjaźniłem się z Piotrem i prędzej czy później trafi mi się okazja przeszukania baraku, kiedy Leon pojedzie na aukcję czy coś.

– Możesz mieć rację – powiedział James ze smutkiem.

Dave wdusił klakson, kiedy samochód z sąsiedniego pasa wcisnął się przed mondeo, zmuszając go do gwałtownego hamowania.

– Ekstra! No i co ci to dało, palancie?!

Kierowca z samochodu przed nimi otworzył okno i wytknął w górę środkowy palec.

– Wsadź to sobie i pokręć! – krzyknął z furią Dave, ale zaraz uspokoił się i wrócił do rozmowy z Jamesem. – Jak dotąd szczęście ci sprzyjało. Zgarnąłeś całą chwałę na tej misji narkotykowej i kiedy posłali nas za kratki w Arizonie, ale śmiem twierdzić, że tym razem będzie to przedstawienie Davida Mossa.

James rozmyślał o tym przez chwilę i uświadomił sobie, że nie ma nic przeciwko temu.

– Kogo to obchodzi? – wyszczerzył się. – Za tę partaninę i tak nie dostanę czarnej koszulki. Zabieraj sobie swoją chwałę, Dave. Dopóki jest ładna pogoda i mogę spędzać czas z Haną...

Dave zacmokał głośno z udawaną dezaprobatą.

– Ech, te dzisiejsze dzieciaki – powiedział, kręcąc głową i z trudem tłumiąc rozbawienie. – Tylko jedno wam w głowie. Zadarłbyś jakąś spódniczkę przed powrotem do kampusu, co?

James zaczął się śmiać.

– O tak, Dave, ty nigdy byś tego nie zrobił!

*

Chłopcy wrócili o piątej po południu. Kupili tanie rolety, żeby pozasłaniać okna, lampki nocne, regał do salonu i dwa dywaniki, którymi zasłonili najbardziej zniszczone fragmenty podłogi w sypialniach.

Hana miała szlaban, ale Maks i Piotr zgodzili się przyjść. Piotr przyniósł narzędzia i drabinę. On i Dave zajęli się montowaniem rolet, podczas gdy James i Maks skręcali sosnowy regał. Kiedy młodsi chłopcy skończyli, przenieśli się do pokoju Jamesa i ustawili na wysłużonym biurku stary komputer Willa. Maszyna działała bez zarzutu, ale na twardym dysku nie było żadnych gier ani innych zajmujących rzeczy, więc ostatecznie postanowili zejść na boisko, by dołączyć do wieczornego meczu.

Koniec roku szkolnego wprawił młodzież z Palm Hill w świetny nastrój. James także dobrze się bawił. W CHERUBIE wszyscy byli wysportowani i jego piłkarski antytalent był boleśnie widoczny, ale wśród zwyczajnych dzieci jego siła i świetna kondycja z powodzeniem kompensowały braki w umiejętnościach.

Gra ciągnęła się przez pomarańczowy zachód słońca aż do zmroku rozjaśnianego niebieskawym blaskiem latarni. Tuż przed jedenastą drużynom zabrakło graczy, kiedy Charlie zniknął gdzieś z Lizą Tarasow, a dwójkę nieco młodszych chłopców odholowały z boiska lekko naburmuszone mamy. James wziął z ławki swoją koszulkę i wytarł nią pot z twarzy.

– Przyjdziesz do mnie jutro? – zapytał Maks, kiedy wspinali się po schodach do swoich mieszkań. – Mam cztery kontrolery do mojego X-Boksa. Możemy zaprosić jeszcze dwie osoby i urządzić sobie turniej FIFA albo coś.

– Byłoby super – powiedział James, przechodząc na balkon i wyjmując klucze z kieszeni. – Zdzwonimy się jutro. Masz moją komórkę, nie?

James przekroczył próg, nie mogąc się zdecydować, czy wziąć prysznic, czy nie. Wprawdzie był zgrzany jak pies, ale z drugiej strony bolały go nogi i tak naprawdę miał ochotę po prostu walnąć się na łóżko i zasnąć.

– Jesteś tu, Dave? – zapytał, zaglądając do salonu.

Nie doczekawszy się odpowiedzi, poczłapał do kuchni, wetknął głowę pod kran i zaczął złopać zimną wodę. Kiedy zaspokoił pragnienie, otarł usta koszulką, którą cisnął na stół, po czym, ziewając, ruszył do swojej sypialni.

Kiedy otworzył drzwi, w nozdrza uderzył go ostry swąd spalenizny. Serce załomotało mu w piersi. James rzucił się w tył i zaczął krzyczeć.

24. DYM

– Pali się! – wrzeszczał James.

Dave leżał rozciągnięty na swoim podwójnym łóżku, z tyłkiem na wierzchu i kołdrą skotłowaną wokół stóp.

– No już! – krzyknął James z furią, wymierzając Dave'owi siarczystego klapsa w udo. – Dave, obudź się!

Dave przetoczył się na plecy i przetarł oczy.

– Co się dzieje?

– W moim pokoju chyba się pali. Czuć dym.

Dave zbystrzał. Szybkim ruchem włączył nową lampkę nocną.

– Jesteś pewien? – zapytał, staczając się z łóżka i naciągając szorty.

– Zadzwonię po straż pożarną – powiedział James, sięgając do kieszeni po telefon.

– Widziałeś płomienie? – zapytał Dave. – Może to wiatr wdmuchnął jakiś zapach z zewnątrz? Poczekaj, niech to zobaczę.

James opuścił rękę z telefonem. Dave pobiegł do jego sypialni i przyłożył rękę do drzwi.

– Nie są nawet ciepłe, James. Były ciepłe, kiedy je otworzyłeś?

James potrząsnął głową.

– Nie, tylko śmierdziało.

Dave uchylił drzwi o kilka centymetrów. Chłopcy poczuli zapach spalenizny. Z ciemności dobiegał cichy mechaniczny gwizd. Upewniwszy się, że w pokoju nie ma ognia, Dave włączył światło. Sypialnię wypełniała szara mgła. Dave wszedł do środka, by otworzyć okno. James ruszył za nim i nagle zdał sobie sprawę, że zapach wydobywa się z komputera.

– Musiałem zostawić włączony – powiedział, schylając się pod biurko i wyszarpując kabel z gniazdka.

Chłopcy pochylili się nad stojącą na biurku wieżową obudową. Dźwięk wirującego wiatraka stopniowo słabł, a kiedy ucichł, z napędu CD-ROM z przodu zaczęła się sączyć smużka dymu.

Dave spróbował obrócić komputer, żeby obejrzeć tył i zlokalizować źródło zapachu, ale blaszana skrzynka była zbyt gorąca, więc zgarnął z podłogi brudną bluzę od dresu i użył jej jako rękawicy.

– Dżizas! – zawołał Dave, wpatrując się z ukosa w szczeliny w obudowie zasilacza. – Ten wiatrak jest cały zapchany kurzem. Nie oczyściłeś go przed włączeniem? Nie uczyli cię na zajęciach z hakowania, że komputery się nagrzewają?

– Ja... Nie pomyślałem – powiedział James.

– Człowieku, patrz, jaki tu syf.

James był zły.

– Teraz wszystko będzie mi śmierdziało: łóżko, ciuchy, wszystko – skarżył się. – Jutro będę musiał zrobić pranie.

Dave wydłubał tłusty wałek brudu z otworu wiatraka i rzucił nim w Jamesa.

– Pochodziłby jeszcze trochę, to jak nic mógłby się zapalić. A to co? – Dave pochylił się nad komputerem, nagle czymś zaintrygowany. – Czekaj, tu jest coś dziwnego.

– Co? – zapytał James, kucając obok Dave'a.

– Coś jest pod zasilaczem. Patrz, to chyba jakaś torebka.

– Widzę. Przyniosę multinarzędzie.

James wygrzebał składane multinarzędzie ze sportowej torby, którą wyciągnął spod łóżka. Dave otworzył śrubokręt i usunął cztery wkręty mocujące blaszaną pokrywę. Wciąż była gorąca, więc przed zdjęciem zarzucił na nią bluzę. Zrolowana torebka była przyklejona do spodu zasilacza kawałkiem taśmy samoprzylepnej. Gorąca i lepka folia sprawiała wrażenie, jakby była bliska roztopienia. Dave oderwał ją i rozwinął. Torebka zawierała garstkę poskręcanych, wysuszonych liści przypominających herbatę.

– Marihuana – orzekł Dave po otwarciu torebki i wetknięciu w nią nosa. – Zdaje się, że odkryliśmy trawową skrytkę Willa.

James pokiwał głową.

– To by się zgadzało. Hana mówiła, że Will przez większość czasu chodził upalony jak biedronka.

– A jeśli jego starzy węszyli mu w pokoju, to pewnie otwierali szuflady i zaglądali pod materac, ale założę się, że nie rozkręcali komputera.

James zajrzał w trzewia komputera i zauważył coś jeszcze. Pod twardy dysk wsunięta była purpurowa koperta. Wyjął ją, a ze środka wyciągnął tanią kartkę urodzinową ze zdjęciem piłkarza. James przeczytał na głos tekst:

– „Kochany Williamie, życzymy ci fantastycznych osiemnastych urodzin. Babcia i dziadek".

Ale w kopercie było coś jeszcze. James wytrzeszczył oczy, kiedy wyjął ze środka plik pięćdziesięciofuntowych banknotów i płytę CD-ROM z napisem PATPaT na etykiecie.

– Akcja nabiera tempa – oznajmił Dave dramatycznym basem. – Ile tego jest?

– Nie wiem, sam policz – odparł James, rzucając pieniądze koledze. – Chcę wiedzieć, co jest na tej płycie.

James wyciągnął laptop spod łóżka, położył na biurku i uniósł ekran. Podczas gdy wczytywał się system, Dave w skupieniu liczył pieniądze.

– Dwa tysiące dwieście funtów – powiedział wreszcie. – Niezła sumka jak na bezrobotnego osiemnastolatka.

James zdmuchnął kurz z płyty i włożył ją do napędu z boku laptopa. CD-ROM wirował przez chwilę, po czym na ekranie pojawił się komunikat:

Ten plik nie jest poprawną aplikacją systemu Microsoft Windows.
Czy chcesz uruchomić program w trybie MS-DOS?
TAK/ANULUJ

Na kursie komputerowym James miał kiedyś lekcję poświęconą DOS-owi, ale niewiele z niej pamiętał.
– Dave, pomóż mi, dobrze?
Dave spojrzał na ekran.
– Kliknij TAK. MS-DOS to skrót od Microsoft Disk Operating System. To system operacyjny, którego wszyscy używali, zanim pojawił się Windows.
Ekran poczerniał, a po lewej stronie pojawił się pojedynczy znaczek:
C>:
– Powinienem to wiedzieć – jęknął James. – Co się robi, żeby zobaczyć listę plików na dysku?
– Dawaj to – powiedział Dave, przysuwając laptop do siebie. – Trzeba przełączyć na CD-ROM i wpisać DIR, jak directory.
Wstukał komendę i przez ekran przemknęła lista około trzystu plików. Dave wskazał na jeden z nich o nazwie cpx.exe.
– Pamiętasz, co oznacza rozszerzenie .exe? To samo co w Windows.
– Plik wykonywalny, czyli inaczej program – powiedział James.
– No właśnie – skinął głową Dave. – A te z rozszerzeniem .cpx to zachowane archiwa współpracujące z tym programem.

Dave wstukał nazwę programu. Ekran zamigotał dość topornym wyobrażeniem koła ruletki, głośnik laptopa zapiszczał kilka pierwszych taktów z *Viva Las Vegas*, po czym pojawił się napis:

CPX – moduł obsługi kasyna dla systemu księgowego Nimbus
Copyright Gamblogic Corp. 1987
Proszę wprowadzić hasło operatora >_

Dave prawidłowo odgadł, że hasłem jest PATPaT z okładki. Na ekran wypłynęła lista opcji:

(1) Wprowadzanie danych
(2) Kadry
(3) Wynagrodzenia
(4) Kasa
(5) Księga handlowa
(6) Inne

Dave zamyślił się.

– To musi pochodzić z jakiegoś starego komputera. Ale dlaczego Will to skopiował?

– Bóg wie. – James wzruszył ramionami. – Może to dane, jakie znalazł w jakimś używanym pececie? Hana wspominała, że Will był rasowym gikiem. Dorabiał sobie, składając komputery z używanych części.

– Co nie wyjaśnia, dlaczego wypalił dane na płycie i schował we własnym kompie – zauważył Dave. – W tym musi kryć się coś więcej.

– Otwórz jakieś dane. Może da się sprawdzić, z jakiego to kasyna.

Dave wybrał jedynkę. Na ekranie pojawiły się kolumny pól danych i nagłówek.

– Golden Sun Casino, Octopus House, London SE2 – odczytał na głos James i zachłysnął się. – Niech to mokra śrubka w zadzie!

– Co? – Dave zmarszczył brwi.

– Lista Millie. Pamiętasz? Pokazywałem ci. Ta z napadami, masz ją jeszcze?

– Zniszczyłem. Nie możemy zostawiać takich rzeczy na wierzchu, kiedy co pięć minut wchodzi tu Maks, Piotr albo Sonia.

– Dobra, nieważne. Wyłącz to i połącz się z internetem. Przegogluj kasyno Golden Sun i zobaczymy, co wyjdzie.

Ponowne wczytywanie systemu i łączenie z internetem trwało kilka minut. Wynik wyszukiwania w Google News potwierdził podejrzenia Jamesa:

<u>Napad na kasyno Golden Sun, zrabowano ponad 90 000 funtów.</u>
BBC London News – 3 czerwca 2004
LONDYN – Pracownik ochrony został poważnie ranny podczas napadu na kasyno Golden Sun. Napad miał miejsce w... (8 odnośnych artykułów)

Dave uśmiechnął się do Jamesa.

– Dobrze pamiętałeś. Jedyny problem w tym, że Leon potrzebował znacznie więcej niż dziewięćdziesięciu kawałków, żeby kupić pub, zwłaszcza jeśli musiał podzielić się łupem ze wspólnikami.

– Ale popatrz na datę: czerwiec dwa tysiące czwartego pasuje idealnie – gorączkował się James. – To na pewno nie jest cała historia, ale nie powiesz mi, że to przypadek, że chłopak mieszkający w tym bloku ma dane z kasyna, które zostało okradzione dokładnie wtedy, kiedy Leon nagle dorobił się dużych pieniędzy.

Dave pokiwał głową.

– Myślę, że Millie jest dziś na służbie. Zostawię jej wiadomość na sekretarce, a ty skontaktuj się z biurem nagłych wypadków w kampusie. Prześlij im e-mailem dane z płyty i powiedz, żeby przekazali je MI5 do szczegółowej analizy. Kopię wiadomości wyślij do Johna Jonesa, żeby dowiedział się, co jest grane, kiedy tylko przyjdzie rano do pracy.

25. CHWAŁA

Zanim James przekonwertował dane z płyty na format od-
czytywany przez Windows i wysłał wiadomość, minęła
pierwsza w nocy. Kiedy skończył, zaciągnął materac i kołdrę do salonu, żeby uciec przed wciąż wiszącym w powietrzu swędem spalenizny.

Dave wyszedł już do pracy, kiedy Jamesa obudził SMS
z kampusu:

PRACUJE NAD SPRAWA. DOBRA ROBOTA;)
POGADAMY POZNIEJ. JOHN.

James zamknął klapkę telefonu i wtulił się w kołdrę. Po
długim poprzednim wieczorze miał ochotę powylegiwać
się w łóżku, ale wiedział, że jeśli nie chce śmierdzieć ogni-
skiem do końca tygodnia, musi ruszyć tyłek i wybrać się do
pralni.

*

Pierwszy dzień pracy Dave'a zapowiadał się spokojnie.
Piotr pojechał na ryby z kilkoma kolegami z college'u,
Dave woskował auta, a Leon oglądał telewizję w swoim
baraku, dopóki nie pojawiła się pierwsza klientka. Chciała
wypróbować vauxhalla astrę z naklejką „Samochód tygodnia" na przedniej szybie.

– Za chwilkę wracam! – wydarł się Leon, z jedną nogą w samochodzie. – W razie problemów skocz do pubu

i pogadaj z George'em. Jeśli pojawią się klienci, bądź uprzejmy. Powiedz, że wrócę w ciągu pół godziny i że cierpliwość im się opłaci.

Kiedy Leon odjechał, Dave pobiegł do baraku. Zanurkował pod biurko szefa i wetknął pendrive'a w gniazdo USB na płycie czołowej komputera. Maszyna była włączona i nie miała żadnych zabezpieczeń, nawet prostego hasła. David otworzył folder „Mój komputer" i przeciągnął ikonkę twardego dysku do okna, które otworzyło się automatycznie, kiedy podłączył pamięć USB. Kopiowanie zawartości dysku trwało pięć nieco nerwowych minut.

Kiedy Leon wrócił z przejażdżki, Dave był już znów pochłonięty woskowaniem, z zawartością komputera swojego szefa bezpiecznie spoczywającą w kieszeni szortów. Rosjanin wycisnął swoje beczkowate ciało z astry i poprowadził klientkę do baraku, by omówić szczegóły umowy. Wyszli dziesięć minut później. Leon długo i entuzjastycznie potrząsał ręką klientki, po czym kobieta odjechała.

– Gdyby każdy klient był tak tępy jak ona, już dawno jeździłbym rollsem – wyszczerzył się Leon, podchodząc do Dave'a z palcem w uchu. – Na giełdzie za taki sam samochód zapłaciłaby o sześćset funtów mniej. Z niej też niezła gablota, co?

Dave skinął głową.

– Owszem, ale jak na mój gust trochę za duży przebieg.

– Zamknijmy firmę na pół godziny i chodźmy na śniadanie. Ja stawiam.

Bar Palm Hill Grill mieścił się na rogu, kilkaset metrów od komisu. Pracownicy i bywalcy najwyraźniej dobrze znali Rosjanina. Dave i Leon zajęli miejsca. Przy sąsiednim stoliku dwaj starsi mężczyźni cmoktali krokiety. Pozostali goście byli pokryci plamami farby albo ceglanym pyłem.

– Bekon, fasola, dwa sadzone, mineralka, tost i herbata – zaordynował Dave, kiedy do stolika podeszła kelnerka.

Była niska, okrągła, z wydatnymi ustami i gwiazdozbiorem pryszczy na czole.

– Patrz, ale nie dotykaj, Dave – wyszczerzył się Leon. – Mój Piotrek lata za Lorną od dwóch lat.

Wszyscy w kafejce gruchnęli śmiechem z wyjątkiem Lorny, która spiekła raka. Dave pomyślał, że to dobry moment na próbę zorientowania się, czy Leona i Willa kiedykolwiek coś łączyło.

– Słyszałeś o nowym komputerze mojego brata? – zapytał Dave.

Leon potrząsnął głową i upił łyk herbaty.

– James chodzi teraz z Haną Clarke – ciągnął Dave. – Dziewczyna zlitowała się nad nim i dała mu komputer razem z paroma meblami.

– Miła dziewczyna, ta Hana – pokiwał głową Leon. – Przyjaźni się z moją Lizą, choć teraz wysłali ją do jakiejś zadętej szkoły.

– To były rzeczy kuzyna Hany Willa. James zostawił komputer włączony, ale nie zauważył, że cały jest zapchany kurzem. Ustrojstwo przegrzało się i omal nie puściło nas z dymem. Przeleciałem pokój odświeżaczem powietrza, ale wciąż capi jak nieszczęście.

Jeden ze staruszków przy stoliku obok odwrócił się do Dave'a.

– Ten Will... Czy to przypadkiem nie Will Clarke? Ten młody chłopak, który spadł z dachu? – zapytał z ciężkim irlandzkim akcentem.

– Ten sam – przytaknął Dave.

Staruszek powoli pokręcił głową.

– Co za nieszczęście.

– Tragedia – powiedział Leon. – Naprawdę bystry dzieciak. Miał dopiero trzynaście lat, kiedy kupiłem pierwszy komputer do komisu, ale wszyscy mówili mi, że to fachura, no to go wziąłem na kilka wieczorów. Wszystko mi poustawiał i jeszcze pokazał parę sztuczek. Kiedy Maks chciał mieć własny komputer, kupiłem jakiegoś złoma od jednego kolesia z pubu. Will przyszedł i wszystko wyrychtował, wiecie? Wrzucił Windowsa i najnowsze gry. Musiałbym wydać setki funtów, gdybym miał kupować oryginały.

Dave był usatysfakcjonowany. Nie mógł drążyć tematu dalej, nie wzbudzając podejrzeń, ale był pewien, że później ułowi coś więcej.

Irlandczyk spojrzał na Dave'a przekrwionymi oczami alkoholika.

– Jak myślisz, dlaczego dzieciak się zabił?

Dave wzruszył ramionami.

– Skąd mam wiedzieć? Dopiero co się tu sprowadziłem. Nawet go nie znałem.

– Ale jesteś młody – upierał się starzec. – Pomyślałem, że pewnie wiesz, jak to jest.

– Narkotyki go zabiły – oświadczył Leon z pewnością siebie człowieka ważącego ponad sto kilogramów. – Czy spadł, czy skoczył z własnej woli, źródłem wszystkich kłopotów były narkotyki, które mieszały Willowi w głowie.

Obaj starcy skwapliwie pokiwali głowami.

– Święta prawda. To straszne, co ci młodzi teraz w siebie pompują.

Kucharz przemeandrował między stolikami, niosąc śniadanie dla Leona i Dave'a.

– Bardzo proszę, chłopcy. Smacznego.

– Dzięki, Joe – sapnął Leon, łapiąc solniczkę i posypując obficie swoje śniadanie zawierające dodatkową kiełbaskę, dodatkowe jajko sadzone i cztery tosty. – Normalnie umieram z głodu.

Kucharz spojrzał na Dave'a.

– Oczywiście domyślasz się, dlaczego Leon nie lubi, kiedy młodzi ćpają?

Dave zrobił głupią minę.

– Nie, dlaczego?

– Bo wolałby mieć was wszystkich w swoim pubie chlających jego piwo i palących jego papierosy.

Dave uśmiechnął się niepewnie, ale starcy przy sąsiednim stoliku zarechotali opętańczo, jakby usłyszeli najzabawniejszą rzecz w swoim życiu. Irlandczyk walił pięścią w stół tak mocno, że butelka z sosem przewróciła się i stoczyła na podłogę.

– Ale jaja! Chce ich mieć w swoim pubie... Ja nie mogę...

Drugi staruszek wystrzelił salwę terkotliwego śmiechu prosto w ucho Dave'a.

– Browar i fajki Leona – jęknął i wciągnął powietrze z głośnym chrapnięciem. – To było dobre, Joe.

*

James zataszczył swoje ciuchy i pościel do pralni, by wydać dwanaście funtów na usunięcie z nich zapachu dymu. Czekając na koniec prania, niechcący wdał się w męczącą konwersację z kierowniczką. Kobieta plotła coś o swoim synu, który poszedł do wojska. Powiedziała Jamesowi, że to byłaby świetna kariera dla takiego przystojnego chłopca jak on. James uprzejmie odpowiedział na kilka pierwszych pytań, ale kiedy spostrzegł, że kobieta zamierza poznać historię jego życia, trochę go to zirytowało. Rozejrzał się na boki i pochylił do przodu.

– Tak naprawdę to ja nie mogę z panią rozmawiać – oznajmił, ściszając głos. – Widzi pani, bo ja jestem tajnym agentem. Pracuję dla organizacji, która nazywa się CHERUB, ale gdybym powiedział coś więcej, musiałbym panią zabić.

– Nie musisz być taki złośliwy – nadąsała się kobieta. – Chciałam tylko porozmawiać, wiesz?

Kierowniczka znikła na zapleczu, a James poczuł się jak ostatni dupek. To był tylko głupi żart, ale kobieta naprawdę się obraziła. Potem zacięły się drzwi suszarki i James musiał poprosić o pomoc. Kierowniczka zrobiła, co do niej należy, wyłączając zasilanie, żeby zresetować maszynę, ale kiedy oddawała Jamesowi monety, jej wzrok mógłby kruszyć skały.

Dwie i pół godziny po wejściu do pralni James wyszedł na High Street, główną ulicę Palm Hill, dźwigając cztery gigantyczne torby czystego prania. Wrzucił je do bagażnika mondeo zaparkowanego przy krawężniku i z furią zatrzasnął klapę.

– Co ci się stało? – zapytał Dave, kiedy James z nieszczęśliwą miną opadł na fotel pasażera.

– Wolałbym pójść do szkoły, wiesz? – burknął James. – Taki miałem poranek.

Dave zerknął na kolegę ze współczuciem.

– Tak? Ja spędziłem przedpołudnie, myjąc i odkurzając samochody. Jedna babka oddała swój wóz w rozliczeniu. Jej dzieciak wyplul do popielniczek chyba z pięćdziesiąt gum, a ja musiałem to wszystko wydłubać.

– Bleee. – James wykrzywił twarz z odrazą. – Ohyda. To chyba gorsze od poranku w pralni.

Dave westchnął.

– A myślałem, że będą skoki ze spadochronem, egzotyczne wyspy i ucieczki przez góry przed zamaskowanymi typami na skuterach śnieżnych.

– Właśnie – zachichotał James. – A co dostajemy? Przeżutą gumę i pranie.

– A, właśnie. Prezes ma dziś jakieś spotkanie na Whitehall i John załapał się na podwózkę śmigłowcem do Londynu. Jesteśmy umówieni w domu Millie na naradę. To jakieś dziesięć mil stąd w stronę Romford. Wyjmij plan spod siedzenia. Mniej więcej wiem, jak tam dojechać, ale na miejscu możemy mieć problem ze znalezieniem adresu.

*

Millie mieszkała w bliźniaku z dziewczyńską metalicznie fioletową toyotą RAV4 na podjeździe. Kiedy chłopcy zaparkowali przed domem, otworzyła im drzwi i poprowadziła przez przedpokój do kuchni. John Jones siedział przy sosnowym stoliku, którego środek zajmowały dwa talerzyki z pokrojonym na kawałki ciastem.

James i Dave skorzystali z toalety, po czym zasiedli do stołu i wzięli po kawałku battenberga. Millie zajęła się parzeniem herbaty.

– Dziś rano spotkałem twoją siostrę. Właśnie wróciła z wyjazdu – powiedział John, patrząc na Jamesa obgryzającego marcepan z krawędzi swojego kawałka ciasta.

James pokiwał głową.

– Mówiła coś?

– Niewiele. Ładnie się opaliła i pytała, co u ciebie. Powiedziałem, że zadzwonisz, kiedy będziesz mógł.

– Fajnie – powiedział James. – Zadzwonię do niej, jak skończy lekcje.

Millie postawiła przed chłopcami herbatę i usiadła przy stole. Zanim James pociągnął pierwszy łyk, przeczytał napis na kubku: „Klub Squasha Policji Stołecznej", umieszczony pod dwiema skrzyżowanymi rakietami.

– No dobrze... – zaczął John, delikatnie stukając dłonią w stół, by wszyscy spojrzeli w jego stronę. – Przede wszystkim gratuluję wam, chłopcy. Spisaliście się wczoraj na medal. Wiem, że wasze odkrycie było w dużej mierze dziełem przypadku, ale zasłużyliście na ten łut szczęścia po wykonaniu tak znakomitej roboty z infiltracją środowiska w Palm Hill. Dane kasyna przekazałem MI5. Mieli pewne problemy z programem księgowym, ale dwadzieścia minut temu przekazali mi wstępny raport. Poprosiłem także o kompletną dokumentację napadu na Golden Sun. Wydział poważnych przestępstw z Abbey Wood powinien mi ją dostarczyć w ciągu najbliższych dwóch godzin. A teraz słuchajcie. Wprawdzie mieliśmy tylko kilka godzin na pracę, ale wprowadzę was w to, co udało nam się odkryć. Po pierwsze, istnieje rozbieżność pomiędzy kwotą, o jaką wzbogacił się Leon, a sumą skradzioną z kasyna. Rozmawiałem o tym z inspektorem z Abbey Wood i dowiedziałem się, że kasyno Golden Sun ma licencję na piętnaście stołów gry i trzydzieści automatów. Otóż zdaniem policji na wyższych piętrach kasyna w dwóch apartamentach niemających licencji na gry hazardowe grywa się w nielegalnego bakarata o wysokie stawki. Wniosek: skradziona suma prawdopodobnie znacznie przewyższała zgłoszonych dziewięćdziesiąt kawałków, ale właściciele Golden Sun nie mogli zdradzić, że w kasynie była większa ilość gotówki, jeśli nie chcieli ryzykować utraty licencji. Mogę też potwierdzić, że w skoku brał udział ktoś z wewnątrz. Złodzieje znali kody alarmów i kombinacje otwierające dwa sejfy. Po drugie, wśród danych, które James przesłał do kampusu, znalazła się pełna lista klientów Golden Sun. Są na niej nazwiska Leona i Saszy Tarasowów. Z konta Leona wynika, że szesnastego maja ubiegłego roku, kiedy skradziono rejestry, był winien kasynu sześć tysięcy funtów. W związku z tą kradzieżą Leon został pobieżnie przesłuchany.

– Jak to możliwe, że gliny niczego nie skojarzyły? – zdziwił się James.

John wzruszył ramionami.

– Golden Sun ma ponad tysiąc klientów, siedemdziesięciu czy osiemdziesięciu pracowników i kilkuset byłych pracowników. Sprawdzenie każdego podejrzanego trwałoby miesiące, nawet gdyby zajął się tym tuzin funkcjonariuszy, a policja po prostu nie ma tylu ludzi. Wydział do spraw poważnych przestępstw w Abbey Wood składa się z czterech czy pięciu osób, które dostają do zbadania dwie, trzy nowe sprawy na tydzień. Możliwe, że nawet w pewnym momencie sprawdzili akta Leona, ale to bez znaczenia. Nie ma w nich nic, co czyniłoby zeń podejrzanego w poważnym napadzie.

James uśmiechnął się.

– W telewizji zawsze jest cały pokój glin przydzielonych do jednej sprawy.

– To prawda, James. – Millie skinęła głową. – W rzeczywistości, jeżeli nie chodzi o coś w rodzaju morderstwa albo porwania dziecka, jest to raczej tuzin spraw przydzielonych jednemu, najwyżej dwóm policjantom. W Palm Hill pracuje o dwunastu funkcjonariuszy za mało, a i tak brakuje nam samochodów. Musimy zaklepywać je na tygodnie naprzód.

John odchrząknął i wrócił do omawiania sytuacji.

– Po trzecie, specjaliści z MI5 wciąż analizują dane, ale mają podstawy, by sądzić, że dwa hasła wypisane na płycie należały do pracowników kasyna – Eryka Crispa, strażnika na pół etatu, oraz Patrycji Patel, krupierki.

Zdumiona Millie wytrzeszczyła oczy.

– John, w co ty mnie wkręcasz?

John wyprostował się na krześle i spojrzał na policjantkę z lekko urażoną miną.

– Co to ma znaczyć?

– Patrycja Patel jest żoną Michaela Patela, policjanta, który w sobotę skaleczył Jamesa. Michael mówi na nią Pat Pat. Wiedziałam, że dorabia sobie nocami jako krupierka, chociaż o Golden Sun pierwszy raz usłyszałam dziś rano. W zeszłym roku kilka razy opiekowałam się jej córeczką, kiedy mama Patrycji była chora. Eryk Crisp był w moim oddziale. Kilka lat temu dostał awans na sierżanta i przeniósł się do Battersea. Był drużbą na ślubie Michaela. Potem doznał paskudnej kontuzji karku i uznano go za trwale niezdolnego do służby.

Wszyscy wokół stołu wymienili zdumione spojrzenia.

– Dooobra... – powiedział John, biorąc głęboki wdech. – Właśnie miałem powiedzieć, że następnym punktem dochodzenia będzie ustalenie, kim są Eryk i Patrycja, oraz zbadanie ich powiązań z Tarasowem, ale wygląda na to, że Millie wypełniła już większość luk.

– A co z Willem? – zapytał James. – Gdzie jego miejsce w całej tej historii?

– Program na płycie jest stary jak świat – powiedział Dave. – To jasne, że został skradziony, bo zawierał informacje potrzebne rabusiom: o personelu, zabezpieczeniach i tak dalej. Moim zdaniem Patrycja Patel i Eryk Crisp skopiowali program na płytę, bo to było łatwe, ale nie potrafili uruchomić go na komputerze z nowszym systemem. Zwrócili się z tym do Willa, a on im pomógł.

– Ciekawe, że Will ukrył kopię danych, zamiast zwyczajnie je skasować – dodała Millie. – Czyżby próbował się zabezpieczyć? Bał się?

– Może Leon albo ktoś inny wcale nie powiedział Willowi, do czego potrzebuje tych danych – zasugerował James. – Hana twierdzi, że Will był zwyczajnym fajtłapą. Jeśli dowiedział się o napadzie z wiadomości i dotarło do niego, że pomógł przestępcom, musiał się sfajdać ze strachu.

Dave skinął głową.

– Zwłaszcza jeśli palił dużo ziela. Od tego dostaje się totalnej paranoi... To znaczy... Tak słyszałem.

– Kiedy rozmawiałem o nim z Haną, mówiła coś w stylu: „Will był tylko nieszkodliwym gikiem. Albo sam się zabił, albo tak naćpał, że zleciał z dachu" – dodał James. – Ale jeśli dał się wmieszać w poważne przestępstwo, a Tarasow bał się, że chłopak pęknie i pójdzie na policję, to czy nie mógł wynająć kogoś, kto poszedłby z nim na ten dach i lekko go popchnął?

John skinął głową.

– James ma, rzecz jasna, absolutną rację. Odtąd musimy brać pod uwagę możliwość, że Will został zamordowany przez kogoś zamieszanego w skok na kasyno.

– Zwróćcie uwagę na to, że jeśli Will palił dużo trawy i żył w ciągłym strachu, że gliny przymkną go w sprawie rabunku, już samo to mogło go doprowadzić do samobójstwa – zauważył Dave.

– Kolejna prawdopodobna teoria – przytaknął John. – Postaram się o raport koronera i akta policyjne dotyczące śmierci Willa. Musimy rozszerzyć zakres działań i postarać się dowiedzieć jak najwięcej o Michaelu i Patrycji Patelach, Eryku Crispie i Willu Clarke'u.

– Problem w tym, że mamy ograniczone możliwości – powiedziała Millie. – Ledwo się wyrabialiśmy, pilnując samego Tarasowa.

John pokiwał głową.

– Wiem, ale od kiedy mamy tu sprawę skorumpowanych policjantów i niewykluczone, że także morderstwa, a nie tylko drobnego opryszka, który ma za dużo pieniędzy, jestem pewien, że Zara poświęci trochę zasobów CHERUBA, żeby podkręcić tempo śledztwa o ząbek lub dwa.

James dostrzegł łzę błyszczącą w oku Millie.

– Hej, wszystko w porządku? – zatroskał się, sięgając przez stół, by dotknąć jej nadgarstka.

Był pewien że policjantka za chwilę się rozpłacze, ale ona otarła oczy i wybuchła gniewem.

– Nie, nic nie jest w porządku! – krzyknęła, wbijając paznokcie w drewniany blat. – Setki razy byłam w akcji z Michaelem i Erykiem osłaniającymi mój tyłek. Byłam ich zwierzchniczką... Pisałam im opinie. Olśniewające opinie. Pożyczyłam Mike'owi pieniądze, kiedy miał kłopoty, jak urodziło mu się dziecko. To ja namówiłam Crispa, żeby poszedł na kurs sierżancki. Ci dwaj musieli mieć niezły ubaw za moimi plecami.

John starał się uspokoić wzburzoną Millie.

– Hej, sprzedajnych gliniarzy jest mnóstwo, wiesz? Byłem w policji i sam służyłem z kilkoma.

Millie nie słuchała.

– Przez cały ten czas robili ze mnie kretynkę. Nic dziwnego, że pieprzony Tarasow śmieje mi się w twarz, skoro ma w kieszeni połowę gliniarzy z Palm Hill.

John uśmiechnął się lekko.

– Dwaj policjanci to jeszcze nie połowa...

Millie z furią potrząsnęła głową.

– Dwaj, o których wiemy. A ilu jest takich, o których nie wiemy? Wiesz, jak to działa, John. Skandal w mojej jednostce oznacza, że moja kariera idzie do ścieku. Nie wywalą mnie, ale ześlą na jakieś zadupie, do drogówki albo archiwów.

James patrzył ze zgrozą, jak Millie zastyga na sekundę, a potem wybucha fontanną łez.

– Nie zasłużyłam na to! – szlochała żałośnie. – Służba była moim życiem, od kiedy skończyłam studia. Pracowałam tak ciężko... Tak ciężko...

26. WILLIAM

Bliska zażyłość Michaela Patela z Erykiem Crispem, to, że Leon grał w kasynie i spłacił swoje długi wkrótce po jego obrabowaniu, hasło Patrycji Patel na płycie znalezionej w komputerze Willa – wszystko to sugerowało istnienie związku między tymi pięcioma osobami a skokiem na Golden Sun. Jednak, by sprawa mogła trafić do sądu, potrzeba czegoś więcej niż tylko kilku zbiegów okoliczności i splątanych fragmentów informacji. Kawałki układanki muszą ułożyć się w jednolitą całość popartą mocnymi dowodami.

Każdy miał zadanie do wykonania. John wyruszył z powrotem do kampusu, by przyjrzeć się dokumentom dotyczącym śmierci Willa i poprosić Zarę o dodatkowe środki. Dave miał nadal trzymać się blisko Leona i Piotra. Millie musiała ukryć swoje uczucia i pracować, jak gdyby nic się nie stało, u boku Michaela Patela, jednocześnie ostrożnie szukając dowodów jego wykroczeń.

Choć James szczerze współczuł Millie, wracał do Palm Hill w bardzo dobrym humorze, nie tylko dlatego, iż wierzył w sukces misji. Cieszył się, bo John poprosił go, by przestał skupiać uwagę na Maksie i Lizie, a w zamian skoncentrował się na poszukiwaniu kolejnych informacji o Willu. To oznaczało więcej kontaktów z Haną, co bardzo mu odpowiadało. Jeszcze zanim wrócił do mieszkania, zdążył umówić się na spotkanie o północy.

*

Tego wieczoru James zebrał porządne cięgi w turnieju „FIFA". Grali w cztery osoby: James i Maks jako Arsenal, Liza i Charlie jako Chelsea. Liza nie przepadała za grami wideo. Grała tylko dlatego, że lubiła towarzystwo Charliego i wciąż myliły się jej przyciski strzału i podania, ale Charlie z nawiązką nadrabiał jej brak zapału. Pięknie wymierzał każde podanie, strzelił serię pięknych rogali zza pola karnego, no i nie da się ukryć, że naprawdę mu dopisywało szczęście.

Kiedy Arsenal przegrał trzy do zera w kolejnym meczu, Maks strzelił gigantycznego focha, oskarżając Charliego o użycie specjalnego kodu ułatwiającego zdobywanie bramek. Wzburzony cisnął kontrolerem o ścianę i wybiegł z własnej sypialni.

– Rozpuszczony gnojek – skomentowała Liza znudzonym tonem. – Myśli, że wszystko zawsze będzie tak, jak on chce, bo jest pupilkiem wujka Leona.

– Gramy dwóch na jednego? – zapytał James.

Liza przysunęła się do Charliego i spojrzała na niego z tajemniczym uśmiechem.

– To może my już pójdziemy do pokoju Lizy – wyszczerzył się Charlie i delikatnie musnął ustami policzek dziewczyny.

James skinął głową.

– Nie rób niczego, czego ja bym nie zrobił.

– Nie śmiałbym – zachichotał Charlie. – Jeszcze Leon by na mnie usiadł.

Liza stuknęła go lekko w tył głowy i szepnęła, żeby się zachowywał, po czym oboje wytoczyli się z pokoju, szcząc do siebie z czułością. James nie był zachwycony perspektywą zostania sam na sam z Maksem, który wprawdzie nie był złym kolegą, ale bywał nużący i czasem zachowywał się, jakby miał dziesięć lat, a nie prawie czternaście.

Maks wrócił z zakłopotaną miną oraz dwiema puszkami coli i wielką paczką pikantnych tortilla-chipsów na przeprosiny. Chciał nadal grać w „FIFA", ale James wolał nie ryzykować znoszenia kolejnych ataków złości. Ostatecznie zasiedli przed telewizorem, oglądając *Jackassa* z płyt, a potem James zademonstrował kilka chwytów samoobrony.

Tuż przed północą chłopcy otworzyli drewnianą klapę nad schodami mieszkania Tarasowów. Maks podsadził Jamesa, a ten podciągnął się i wpełzł w niską lukę między stropem a dachem bloku. Odgarniając płaty izolacji z wełny mineralnej, przedostał się do drugiego włazu, silnym pchnięciem otworzył klapę i wygramolił się na zewnątrz, na dach budynku. Hana już tam była. Wyciągnęła rękę, by pomóc mu wstać.

– Łał... – jęknął James, obracając się o trzysta sześćdziesiąt stopni.

Spojrzał na gwiazdy, na jarzące się w oddali drapacze chmur Canary Wharf, a potem na Hanę ubraną w dżinsową mikrospódniczkę i obcisły żółty top. Bez słowa objęli się i zwarli w długim, namiętnym pocałunku.

– Właśnie przeżyłam piekielną awanturę z ojcem – wyznała Hana, gdy wreszcie oderwali się od siebie i złapali oddech. – Moja dyrektorka zadzwoniła i wykablowała, że wczoraj się zerwałam, a on dał mi szlaban na całe wakacje.

– To słabo – zmartwił się James.

– Powiedziałam mu, że może go sobie wsadzić. W tygodniu on i mama i tak chodzą do pracy, więc będę wychodzić, kiedy będę chciała. A on wtedy: „Założę kłódkę w twoim pokoju, jeśli będę musiał!". No to mu powiedziałam, że ucieknę i zajdę w ciążę. Ale się wściekł.

James roześmiał się. Uwielbiał pokręcone poczucie humoru Hany.

– No myślę, że się nie ucieszył.

– To taki idiota, James, że nie wiem. A wszystko przez to, co stało się z Willem. Chciałby mnie zamknąć w pudełku, jak porcelanową laleczkę. Nie rozumie, że Will to był ciężki przypadek. Chodził wciąż nawalony, bo był sam i nie miał żadnych przyjaciół, a nie dlatego, że przyjaciele mieli na niego zły wpływ. Powiedziałam ojcu, że jak dalej będzie tak robił, to skończę w depresji i samotności tak jak Will.

– Zdaje się, że twój stary to niezły dupek. A co na to wszystko twoja mama?

Hana wzruszyła ramionami.

– Mama jest w porządku, ale jest za miękka. Kiedy z nią rozmawiam, zgadza się ze mną, ale jak pojawia się ojciec, nie ma odwagi mu się przeciwstawić. Wiem, że wam ciężko, brakuje forsy i w ogóle, James, ale naprawdę masz kupę szczęścia, że starzy nie siedzą ci na karku.

– E, przesadzasz – wyszczerzył się James. – To tylko całkowita wolność i robienie wszystkiego, na co się ma ochotę. Nic więcej.

– Tak czy owak, od tej pory mam gdzieś, co mówi ojciec. Mam zamiar dobrze się bawić. Na jutro umówiłam się z Jane na basen.

– Och, super! – ucieszył się James. – Maks mówił, że mają tam obłędne zjeżdżalnie. Mogę przyjść?

– Kiedy, widzisz, to miało być babskie spotkanie. Liza też przychodzi i już jej powiedziałyśmy, że ma nie przyprowadzać Charliego.

James zerknął na zegarek.

– To o której musisz wracać?

– Jeśli o mnie chodzi, to możemy tu siedzieć całą noc.

Rozsiedli się na przyniesionym przez Hanę kocu i poduszkach zdecydowanie przyjemniejszych w dotyku niż szorstka papa. Trochę się całowali, ale przede wszystkim dużo rozmawiali. Hana była piątą dziewczyną, z którą kręcił James od czasu swojego pierwszego pocałunku sprzed szesnastu miesięcy. Spośród tych pięciu to z Haną miał najwięcej wspólnego: atrakcyjna blondynka z charakterem, nienawidząca szkoły i zawsze w kłopotach.

Po godzinie rozmowy o różnościach James uznał, że już czas pomyśleć o zadaniu, i skierował konwersację w stronę Willa i rabunku. Dave potwierdził, że Will znał Leona, więc James postanowił sprawdzić, co Hana ma do powiedzenia o Michaelu Patelu.

– Słyszałaś już o mojej wpadce z komputerem?

Hana pocałowała go w policzek.

– Tak, bardzo mi przykro, James. Powinnam była cię ostrzec, że wszystko jest koszmarnie zakurzone.

– Nie twoja wina. Gdybym miał mózg, sam bym na to wpadł. Kiedy wstawiałem rzeczy Willa do pokoju, było mi jakoś dziwnie. Należały do człowieka, który był tylko parę lat starszy od nas, a teraz go nie ma. Rozumiesz, o co mi chodzi?

– Tak bardzo płakałam... – powiedziała Hana, powoli kiwając głową. – Przez tydzień od śmierci Willa nie mogłam wywalić tego z głowy bez względu na to, jak bardzo starałam się myśleć o czymś innym. Nawet teraz budzę się czasem z tym dziwnym uczuciem, cała sztywna i spocona, myślę sobie: „To był tylko sen czy to się stało naprawdę?".

– Myślisz, że miał jakieś kłopoty? – podsunął James. – Mroczną tajemnicę? Jak dziewczyna z brzuchem czy coś w tym rodzaju?

Hana roześmiała się.

– Will z dziewczyną? Nie, nie, nie.

– Był gejem?

– Nie był gejem, a przynajmniej ja nic o tym nie wiem. Ale Will w życiu nie miał żadnej dziewczyny.

– Kiedy widziałaś go ostatni raz?

– A coś ty taki ciekawy?

James pomyślał, że za bardzo naciska, jak jakiś śledczy.

– Sam nie wiem – powiedział takim tonem, jakby generalnie niewiele go to obchodziło. – Chyba podziałało to na mój chory umysł czy coś. Nie musimy o tym rozmawiać, jeżeli sprawia ci to przykrość.

Hana zadowoliła się tym wyjaśnieniem i pozwoliła sobie na lekki uśmiech.

– Nie przeszkadza mi to – powiedziała. – Minął już prawie rok, najgorsze mam za sobą. Ostatnim razem, kiedy widziałam Willa, spotkałam go na balkonie dwa dni przed jego śmiercią. Wyglądał na naćpanego. W zasadzie to on zawsze wyglądał na naćpanego, ale wtedy był w dobrym humorze. Właśnie zarobił chyba ze dwa tysiące i mówił, że wybiera się do Tajlandii na długie wakacje.

James przypomniał sobie przewodnik po Tajlandii Lonely Planet, który zauważył między książkami Willa w piwnicy.

– Jak myślisz, skąd on wziął tyle pieniędzy? Sprzedawał zioło?

Hana zrobiła urażoną minę.

– James, Will trochę przypalał, ale nie był dilerem. Miał opinię świetnego komputerowca i czasem ludzie prosili go, żeby im złożył jakiś sprzęt albo naprawił. Akurat wtedy dostał jakieś grubsze zlecenie od Leona Tarasowa.

– Jasne – mruknął James, notując tę informację w pamięci, a jednocześnie potajemnie zdrapując sobie strup na głowie, żeby rozkrwawić rankę.

– Auu! – jęknął boleśnie.

Hana usiadła na kocu.

– Co się dzieje?

– Niechcący się zadrapałem. Rozkrwawiłem sobie ranę, tam gdzie ten pies przywalił mną w samochód.

Hana spojrzała na zakrwawiony koniuszek palca Jamesa.

– Mój biedny pysiaczek – powiedziała z buzią w ciup.

– Ten Patel to wariat – powiedział James. – Maks mówił, że tak samo potraktował parę innych dzieciaków.

– Słyszałam – skinęła głową Hana. – Ale dla mnie był bardzo miły, kiedy zginął Will. Był niedaleko, kiedy to się stało. Przybiegł i obrócił Willa, żeby sprawdzić, czy żyje, a potem podbiegł do mnie i Jane. Byłam w histerii. Objął mnie i próbował uspokoić... Wiesz co, James? Jest piękny ciepły wieczór i mieliśmy się dobrze bawić.

– Przepraszam – powiedział James. – O czym chcesz porozmawiać?

– O niczym – szepnęła Hana, zarzucając mu ręce na szyję i nadstawiając usta do pocałunku.

*

James obudził się o siódmej oślepiony porannym słońcem, z przepełnionym pęcherzem i zdrętwiałym przedramieniem, na którym spoczywała głowa Hany. Delikatnie, by jej nie obudzić, spróbował uwolnić rękę, ale kiedy głowa opadła na poduszkę, powieki dziewczyny uniosły się powoli.

– Ouu... – jęknęła Hana, przeciągając się do ziewnięcia. – Ale mam sztywne plecy.

James wstał, by rozchodzić zastałe nogi, przy akompaniamencie strzyknięć stawów i ukłuć bólu w różnych częściach ciała.

– Kto by pomyślał, że twardy pokryty papą dach nie okaże się najlepszym miejscem do spania. Myślisz, że twój tata zauważył, że cię nie ma?

Hana wzruszyła ramionami.

– Jeśli tak, wydrze się na mnie. Jeśli nie, wydrze się na mnie z jakiegoś innego powodu. Dla mnie to żadna różnica.

– Muszę do łazienki. Jak chcesz, to chodź do mnie na śniadanie, z tym że w lodówce nie ma zbyt dużo żarcia, oprócz mleka do płatków... I chyba skończyły się płatki.

– Wobec tego tym razem nie skorzystam – uśmiechnęła się Hana, zawijając poduszki w koc, łapiąc go za rogi i zarzucając sobie tobołek na ramię.

– No to do zobaczenia – powiedział James.

– Jak myślisz, co się stanie, jeśli powiem ojcu, że przez całą noc kochaliśmy się na dachu?

– E? – James był zaskoczony. – Wiesz, chciałbym, ale myśmy się tylko całowali, a potem zasnęliśmy.

– No tak – chichotała Hana. – Ale chciałabym sprawdzić, czy potrafię sprawić, żeby wybuchła mu głowa.

James zaczął się śmiać.

– Jesteś walnięta, Hana. Ale cokolwiek mu powiesz, nie wspominaj o mnie. Nie chcę, żeby zaczął na mnie polować z maczetą czy coś.

– Tego bym się nie bała. Mój tata ma nóżki jak słomki koktajlowe i wielkie brzuszysko. Po tym jak załatwiłeś tamtych dwóch zbirów w sobotę, postawiłabym na ciebie całe kieszonkowe, gdyby doszło do konfrontacji.

– Pod warunkiem że tata przywróci ci kieszonkowe – uśmiechnął się James, całując Hanę na pożegnanie. – Później do ciebie zadzwonię – zawołał, spiesząc już w stronę włazu, gnany naglącą potrzebą. – Miłej zabawy na basenie!

27. WŁAMANIE

Okazało się, że poprzedniego wieczoru Dave był na zakupach. James zastał go siedzącego przy stole w kuchni i zajadającego jajecznicę na tostach.

– Hej, ogierze – wyszczerzył się Dave. – Jak tam noc namiętności?

James wyjął z lodówki mleko i zaczął pić wprost z kartonu.

– Nie najgorzej – sapnął wreszcie, ocierając mleko spod nosa. – Wreszcie wpuściła mnie pod koszulkę.

– Ładnie. – Dave dwukrotnie poruszył brwiami.

– Jest Sonia?

Dave wzruszył ramionami.

– Typowa kobieta. Najpierw nie mogłem się od niej opędzić, a teraz zadręcza mnie SMS-ami z pytaniami, czy naprawdę mi na niej zależy.

– A tobie oczywiście nie zależy – powiedział James i wziął sobie tost z talerza Dave'a.

– Hej! Masz cały ranek, żeby zrobić sobie śniadanie – oburzył się Dave. – Ja za chwilę wychodzę do pracy.

James zauważył brązową papierową teczkę rzuconą na kuchenny blat. Podszedł bliżej.

– Co to jest?

– A, tak – przypomniał sobie Dave. – To kopie akt policyjnych dotyczących śmierci Willa Clarke'a. Chloe, asystentka Johna, dostarczyła to wczoraj wieczorem, zaraz po twoim wyjściu. Powinieneś przeczytać, ale jeśli masz słaby żołądek, radziłbym zacząć po śniadaniu.

James otworzył teczkę i jego wzrok padł na kolorową fotografię formatu A4 przedstawiającą zmasakrowane ciało Willa.

– Uu... – skrzywił się. – Paskudnie to wygląda.

Dave pokiwał głową.

– Twoja dziewczyna musiała przeżyć niezły szok.

Przy drugim spojrzeniu James doznał olśnienia.

– Zaraz, zaraz... – mruknął, przysuwając zdjęcie do twarzy, by przyjrzeć się dokładniej obrażeniom Willa.

– Co znowu?

– Hana powiedziała mi wczoraj, że Michael Patel pojawił się tam na chwilę po tym, jak Will zrobił plask.

– Wiemy to – skinął głową Dave. – Wszystko jest w aktach, poczytaj sobie.

– Dobrze, ale Hana powiedziała też, że Michael podszedł do ciała i obrócił je. Myśli, że Patel sprawdzał, czy Will żyje, ale spójrz na zdjęcie. Praktycznie oberwało mu głowę. Nie trzeba było szturchać go kijkiem, żeby przekonać się, że to trup.

Dave wyglądał na zaskoczonego.

– Hana powiedziała ci dokładnie to? Że Patel poruszył zwłoki?

– Na sto procent, Dave. A czego uczyli nas na szkoleniach? Nigdy nie dotykaj niczego na miejscu przestępstwa, ponieważ może to spowodować zniekształcenie śladów i uniemożliwić przeprowadzenie owocnego dochodzenia. Dlaczego doświadczony policjant włazi z butami na miejsce potencjalnego zabójstwa?

Dave zamyślił się.

– Dobra – powiedział, kładąc palec na ustach. – Zatem wiemy na pewno, że Michael był na miejscu wypadku tuż po śmierci Willa i zachowywał się co najmniej dziwnie. Załóżmy na chwilę, że to Michael zepchnął Willa z dachu, i spróbujmy wymyślić, jak to mogło wyglądać.

– OK – westchnął James. – Przede wszystkim na dachu nie spotyka się ludzi przypadkiem. Michael i Will musieli być umówieni na spotkanie, przypuszczalnie w związku ze skokiem na kasyno, ale nie wyobrażam sobie Michaela planującego zabicie kogoś przez zrzucenie go w biały dzień z dachu bloku.

– Racja. – Dave skinął głową. – Tym bardziej że blok nie jest nawet wysoki. Will mógłby przeżyć, gdyby nie spadł na tę barierkę. Musiało dojść do jakiejś kłótni i Michael zepchnął Willa podczas szamotaniny. Zaraz potem zbiegł na dół. Na pewno przyszło mu do głowy, że ktoś mógł go zobaczyć: z ziemi albo okna sąsiedniego bloku.

– Wiem! – zachłysnął się James, kiedy w jego głowie skrystalizowała się nowa myśl. – Patel próbował unieważnić dowody.

Dave zmarszczył brwi.

– Co masz na myśli?

– Po walce z Willem Michael musiał mieć ślady jego krwi, włókna z ubrania i DNA na całym mundurze, no nie?

Dave powoli skinął głową.

– Ale wszystko to mógłby bez trudu wyjaśnić, gdyby ludzie zobaczyli, jak dotyka martwego Willa na ziemi – dokończył James.

Na twarz Dave'a wypłynął szeroki uśmiech.

– Jaaasne, James. Łapię, do czego zmierzasz. Gdyby Patela oskarżono o morderstwo, zeznałby, że poplamił mundur krwią, kiedy sprawdzał, czy Will żyje. Po zdyskredytowaniu dowodów zostałoby słowo policjanta przeciwko słowu naocznego świadka, który widział zdarzenie z odległości co najmniej pięćdziesięciu metrów. Ostatecznie Michael nie musiał się niczym martwić, ponieważ nikt niczego nie widział i wszyscy uznali, że Will spadł przypadkiem albo dostał schiza i popełnił samobójstwo. Jednak na początku Patel musiał być przerażony perspektywą zostania głównym podejrzanym w śledztwie w sprawie morderstwa.

– Właśnie – przytaknął James. – Z jakiego powodu doświadczony gliniarz miałby ruszać cokolwiek na miejscu zbrodni, jeśli nie po to, by chronić własny tyłek?

Dave wzruszył ramionami.

– Nic nie przychodzi mi do głowy.

– Zatem czy to tylko teoria, czy naprawdę sądzisz, że Michael Patel zabił Willa Clarke'a? – zapytał James.

– Za dużo jest niewiadomych, żeby być czegokolwiek pewnym, ale podstawowe fakty pasują jak ulał. – Dave spojrzał na zegarek i zerwał się od stołu. – Dobra, James, to mój drugi dzień w pracy, więc lepiej, żebym się nie spóźnił. Idź do siebie, przeczytaj akta, może coś jeszcze ci się skojarzy, a potem przedzwoń do Johna. Powiedz mu, czego się dowiedziałeś od Hany, i przedstaw mu naszą teorię.

James skinął głową.

– OK.

Dave powiększył górę brudnych naczyń w zlewie o swój kubek po herbacie.

– Ostatecznie to pewnie nawet nie ma znaczenia, czy ta teoria potwierdzi się, czy nie. Wątpię, by kiedykolwiek udało nam się coś udowodnić. Wszystko stało się prawie rok temu, świadków nie ma, a ciało Willa skremowano.

– To po co w ogóle się tym zajmować? – zapytał James kwaśno.

– Rabunek – rzucił Dave od drzwi. – Po to tutaj przyjechaliśmy. Jeśli uda się nam zdobyć solidne dowody łączące Michaela i Leona ze skokiem, obaj pójdą do pierdla, i to na długo.

– Niby racja – powiedział James, otwierając lodówkę i wyjmując dwa jajka. – Ale to nie będzie w porządku, jeśli morderstwo ujdzie im na sucho.

John wjeżdżał na rondo, kiedy rozdzwoniła się jego komórka. Na tylnej kanapie siedziały Laura i Kerry.

– Odbierzcie, dobrze? – powiedział John. – Teraz nie
mogę rozmawiać.

Laura zgarnęła bezprzewodową słuchawkę z konsoli
między przednimi fotelami i założyła ją sobie za ucho.

– Cześć, James. Co u ciebie?

Głos siostry przyjemnie zaskoczył Jamesa.

– Cześć, Laura! Jak było na wyjeździe?

– Obłęd! – wyszczerzyła się Laura. – W życiu się tak nie
bawiłam. Było lepiej niż w zeszłym roku. Ja i Bethany zwi-
nęłyśmy ciuchy chłopakom, kiedy kąpali się nago w jeziorze. Omal nie wywalili nas z ośrodka. Kyle'owi zdjęli kołnierz, a on natychmiast złamał sobie kostkę, bo założył się,
że przeskoczy na desce przez dwa samochody. Jake z kolegami rozwalili skuter wodny na skałkach. Normalnie dzień
w dzień totalne szaleństwo.

– No to fajnie – powiedział James, smutniejąc na myśl
o tym, ile go ominęło. – A gdzie John? Rozmawia przez
drugi telefon? Co robisz w jego gabinecie?

– Nie w gabinecie, tylko samochodzie. Przekierowało cię
na komórkę. John wiezie mnie i Kerry na akcję. Poprosił
Zarę o dodatkowe środki i teraz działamy w tej samej operacji co ty.

James uniósł brwi.

– Naprawdę? Co wam dali?

– Zbieranie materiałów – powiedziała Laura. – Przeszu-
kamy dom niejakiego Michaela Patela.

– Wiem, o kogo chodzi.

– Szkoda, że nie możesz nas zobaczyć, James. Ja i Kerry
robimy za złe dresiary. Mam szmatławe białe reeboki, dres,
wielkie kolczyki i tonę makijażu. Wyglądam strasznie,
James. Aha, i odstawiamy twój ulubiony numer.

– Ożeż... – zachłysnął się James. – Włam z demolką!
Laura wyjęła z kieszeni bluzy wprowadzenie do zadania
i odczytała Jamesowi stosowny fragment.

– „Dwie agentki sporządzą kopie dokumentów finanso-
wych, danych komputerowych oraz innych dokumentów
osobistych należących do Michaela i Patrycji Patelów. Aby
zminimalizować podejrzenia, agentki muszą stworzyć wrażenie, że włamanie jest wybrykiem miejscowych chuliga-
nów, dokonując sporych zniszczeń i kradnąc drobne przed-
mioty".

– Ale z was farciary – jęczał James. – Wiesz, ile czasu minęło, od kiedy pozwolili mi cokolwiek rozwalić?

– Kerry jest tuż obok mnie. Chcesz zamienić z nią słówko...? Nie, czekaj, kręci głową. Zdaje się, że ciągle nie chce
cię znać.

Rozmowa sprawiała Jamesowi prawdziwą przyjemność,
ale przypomnienie, że w kampusie nadal jest trędowaty,
skutecznie popsuło mu humor.

– John zjechał z drogi – powiedziała Laura. – Oddaję
słuchawkę.

Po serii szelestów i stuknięć z telefonu Jamesa dobył się
głos Johna Jonesa.

– Dzień dobry, młodzieńcze. Cóż to ważnego masz mi
do powiedzenia?

*

Godzinę później John zaparkował vauxhalla na końcu
ulicy, przy której mieszkał Michael Patel. Przekręcił się
w fotelu, by spojrzeć na wysiadające dziewczęta.

– Powodzenia. Sprawdziłem u Millie i wiem na pewno,
że Michael ma dziś służbę. Patrycja powinna być na spotkaniu grupy matek z dzieckiem, ale na wszelki wypadek
najpierw zadzwońcie do drzwi. Jeżeli coś pójdzie nie tak
i zgarnie was policja, po prostu trzymajcie buzie na kłódkę, a ja wyciągnę was najszybciej, jak tylko się da.

– Bez obaw, John – rzuciła Kerry na pożegnanie, zanim zatrzasnęła drzwi.

Był pogodny poranek. Kerry i Laura uśmiechnęły się do siebie i pomaszerowały wzdłuż ulicy. Dom Patelów zbudowany w latach trzydziestych był ruiną. Na wybrukowanym kamieniami podjeździe nie stały żadne samochody, a brak odpowiedzi na dzwonek potwierdził, że w budynku nikogo nie ma.

Kerry wyjęła z plecaka łom i stłukła nim wąską szybkę obok frontowych drzwi. Dziewczęta rozejrzały się wokół z niepokojem, sprawdzając, czy hałas nie przyciągnął uwagi sąsiadów.

Na foliowe jednorazowe rękawiczki nasunęły grubsze, ogrodnicze, i ostrożnie powyciągały kawałki szkła sterczące z okiennej ramy, żeby nie pokaleczyły Laury, kiedy będzie gramolić się do środka.

– Na zdjęciu wyglądało na większe – poskarżyła się Laura, patrząc z niepokojem na okienko.

– Zmieścisz się – uśmiechnęła się Kerry. – Nie jesteś taka gruba.

Laura przełożyła przez otwór głowę i ręce, opierając je na podłodze po drugiej stronie. Kerry chwyciła ją za kostki i powoli wsunęła do środka, puszczając dopiero wtedy, gdy koleżanka dłońmi dotknęła dywanu wewnątrz domu.

Laura wstała i omal nie runęła z powrotem na podłogę, kiedy poślizgnęła się na nakręcanym samochodziku. Ściany przedpokoju zdobiły liczne rysy i tłuste odciski dłoni. W powietrzu wisiał zapach starego dymu papierosowego. Laura spróbowała wpuścić Kerry przez drzwi frontowe, ale te były zamknięte na zamek, który można było otworzyć tylko kluczem.

– Nie będę się męczyć z wytrychami – powiedziała przez szczelinę na listy. – Będzie łatwiej, jeśli wpuszczę cię bocznym wejściem.

Laura przeszła do salonu. Odsunęła rygle i pchnięciem otworzyła centralne skrzydło wykuszowego okna.

– Dzięki – powiedziała Kerry, wchodząc do środka. – Millie mówiła, że kiedy przychodziła tu niańczyć dziecko Patelów, komputer stał na górze w ostatnim pokoju. Skopiuj z niego, co się da, a ja poszukam papierów.

– Aj, aj, kapitanie! – zawołała Laura i pobiegła na górę.

Komputer był cały pomazany kredkami, a klawiatura lepiła się od dziwnej pomarańczowej substancji. Laura miała nadzieję, że to tylko sok. Przyszło jej do głowy, że Patelowie są niechlujami zdecydowanie nienależącymi do gatunku ludzi, którzy organizują domowe finanse i inne ważne dane za pomocą komputera.

Tymczasem Kerry znalazła górę nieuporządkowanych papierów w stojącym w salonie kredensie. W plecaku miała szybki skaner do dokumentów, ale zdawała sobie sprawę, że kopiowanie wszystkich kartek trwałoby wiele godzin, tym bardziej że część z nich wciąż była w kopertach wraz z ulotkami reklamującymi nisko oprocentowane pożyczki i tanie ubezpieczenia samochodów.

Laura przejrzała menu „Programy" i nie znalazła niczego prócz kilku gier dla przedszkolaków. W ciągu niespełna minuty uporała się z kopiowaniem zawartości dysku na pendrive'a, po czym wyrwała kable zasilające z gniazdka i zepchnęła monitor z biurka. Następnie wyszarpnęła klawiaturę i użyła jej do postrącania książek i ozdób z dwóch półek, a także zmasakrowania papierowego abażuru. Sprawdziła jeszcze, czy w szufladach biurka nie ma jakichś dokumentów, i przeniosła się do łazienki. Złapała żel pod prysznic, szampon i pastę do zębów, po kolei pootwierała opakowania i wycisnęła ich zawartość na ściany i podłogę. Natrafiwszy na szminkę, napisała nią na lustrze: „Miłego sprzątania", a po krótkim namyśle dorysowała jeszcze uśmiechniętą buźkę.

W głównej sypialni stała szkatułka z biżuterią. Laura wypchała kieszenie dresu kolekcją broszek i pierścionków Patrycji, po czym otworzyła garderobę i pozrywała z wieszaków wszystkie ubrania. W komódce po Michaelowej stronie łóżka znalazła dwie karty kredytowe i około stu funtów w gotówce. Sięgnąwszy dalej, natrafiła na małą torebkę białego proszku, prawdopodobnie kokainy.

– Niegrzeczny chłopczyk – uśmiechnęła się Laura, wyrywając szufladę z prowadnic i rozrzucając jej zawartość po pokoju.

Następnie otworzyła garderobę Michaela zawierającą pół tuzina kompletnych mundurów policyjnych w foliowych opakowaniach z pralni chemicznej. Gdy zrzuciła wszystko z półek na skarpety i bieliznę, zauważyła nieduży sejf przykręcony do ściany, z ustawionymi na nim trzema parami wypolerowanych półbutów.

Laura nie potrafiła włamywać się do sejfów, a nawet gdyby potrafiła, nie miała ze sobą narzędzi. Wiedziała jednak, że CHERUB może zechcieć przysłać kogoś później, by przyjrzał się zawartości. Oczyściwszy przestrzeń wokół stalowej skrzynki, wyjęła z plecaka aparat cyfrowy i zrobiła dwa zdjęcia: pierwsze obejmowało cały sejf od frontu, drugie było zbliżeniem tabliczki z nazwą producenta i numerem seryjnym.

Po szybkim przetrząśnięciu komody Laura przeniosła się do ostatniego pokoju na piętrze: sypialni córeczki Patelów, Charlotte. Przewróciła kilka skrzynek z klockami i grami, ale nie potrafiła się zmusić do niszczenia własności trzylatki, więc po prostu wróciła na dół. Kerry klęczała na podłodze salonu otoczona stertami papierzysk.

– Nie wiem, ile zostało nam czasu, ale nie zdążymy skopiować wszystkich tych śmieci, nawet gdyby Patelowie mieli wrócić do domu o północy – powiedziała Kerry, przejeżdżając skanerem po wyciągu z rachunku karty kredytowej, a potem składając papier i pospiesznie wtykając z powrotem do koperty.

Laura uklękła obok koleżanki.

– Pomóż mi to przejrzeć – zażądała Kerry. – Szukamy wyciągów z kart kredytowych, wyciągów z kont, rachunków telefonicznych, dużych faktur. Śmieci, takie jak potwierdzenie członkostwa siłowni, odrzucamy.

Przez następną godzinę dziewczęta pracowały jak roboty, powtarzając wciąż te same czynności aż do bólu grzbietów. Laura przeglądała dokumenty. Wszystko, co wydawało się interesujące, odkładała na kupkę do przeskanowania, a pozostałe osiemdziesiąt procent papierów upychała z powrotem w kredensie. Stos przejrzany był już dwa razy większy od nieprzejrzanego, kiedy zadzwonił John Jones, który czekał na dziewczęta w samochodzie na końcu ulicy. Kerry wyjęła telefon.

– Halo.

– Nie wiem, w co wy się tam bawicie, ale pani P. właśnie podjeżdża do domu.

– Jasne, John, zmywamy się.

Kerry zamknęła komórkę i zaczęła pakować skaner do plecaka. Laura rozkopała papiery wokół pokoju, przewróciła stolik do kawy i ukradła kilka płyt DVD. Już miały wyjść przez okno, kiedy zobaczyły Patrycję wjeżdżającą na podjazd srebrnym bmw.

– Szlag! – zaklęła Kerry. – Zmiana planu! Wychodzimy tylnym wyjściem!

Dziewczęta pognały do kuchni. Kerry nacisnęła klamkę, ale drzwi prowadzące do ogrodu były zamknięte na taki sam zamek jak frontowe. Laura sięgnęła nad blatem i otworzyła okno. Sprzed domu dobiegło wołanie Patrycji:

– Charlotte, nie. Nie dotykaj tego, to potłuczone szkło.

Laura prześlizgnęła się po blacie, wypełzła na okno i wylądowała na zaniedbanym trawniku na tyłach domu. Kilka chwil później dołączyła do niej Kerry. Ogród był otoczony przerośniętymi krzakami i wysokim drewnianym płotem, co oznaczało, że jedyna droga ucieczki wiedzie wokół domu. Skradając się przy ścianie, dziewczęta usłyszały Patrycję szlochającą w telefon.

– Nie wiem, kochanie, nie odważyłam się wejść do środka. Mogą wciąż tam być... W salonie widzę porozwalane papiery i chyba słyszałam jakiś hałas... Dobrze, zadzwonię, ale ty też zaraz przyjedziesz, prawda, Michael?

Dziewczęta wystawiły głowy za róg domu. Widok zapłakanej Patrycji i zdezorientowanego dzieciaka zapatrzonego w mamę sprawił, że poczuły się podle. Patrycja rozłączyła rozmowę z mężem i wystukała 997. Kerry przycisnęła plecy do ściany.

– Raczej nie będzie nas gonić. Musiałaby zostawić dziecko – wyszeptała do Laury.

Laura skinęła głową.

– Dobra, próbujemy.

Dwie odziane w dresy dziewczyny oderwały się od rogu domu i szalonym sprintem przemknęły dwa metry od Patrycji.

– O mój Boże, one tu są! – wrzasnęła Patrycja, kiedy Laura i Kerry skręciły w lewo i pognały wzdłuż ulicy. – Możecie tu przysłać samochód? Tylko szybko. To dwie dziewczyny z czarnymi włosami. Skręciły w Tremaine Road.

Vauxhall czekał na rogu następnej przecznicy z otwartymi tylnymi drzwiami. John ruszył, kiedy tylko dziewczęta wgramoliły się do środka.

– Biedna mała – wydyszała Kerry. – Wiem, że trzeba było to zrobić, i wiem, że bez demolki nie byłoby realistycznie, ale jej mama płakała, a ona była tak wystraszona...

– Nie zrobisz omletu, nie rozbijając jaj – powiedziała Laura, przywołując powiedzenie, które tak często słyszała podczas szkolenia w CHERUBIE, choć tak naprawdę było jej głupio z powodu frajdy, jaką sprawiło jej demolowanie łazienki.

– No więc macie coś ciekawego? – zapytał John. – Byłyście tam strasznie długo.

– Głównie dokumenty finansowe – powiedziała Kerry. – Około czterystu stron. Długo to trwało, bo nic nie było poukładane. Połowa papierów wciąż tkwiła w kopertach.

– A komputer?

Laura skinęła głową.

– Przerzuciłam wszystko, ale nie sądzę, żeby znalazło się tam coś użytecznego, chyba że nagle zachce się wam pograć w „Miś Jimmy poznaje alfabet".

28. KONKLUZJE

John pracował teraz nad sprawą Tarasowa na pełny etat. Aby nie kursować codziennie między kampusem a Londynem, wynajął dwupokojowy apartament w hotelu nad Tamizą. Laurę i Kerry przydzielono do zadań pomocniczych, co oznaczało, że brały udział w operacji, ale na czas, kiedy nie były potrzebne, miały wracać do kampusu.

John odebrał klucze magnetyczne w recepcji i wraz z dziewczętami wsiadł do przeszklonej windy, która zawiozła ich na siedemnaste piętro. Furgonetka ze sprzętem i dokumentami dotarła na miejsce przed nimi i Chloe Blake – była agentka CHERUBA, która niedawno objęła stanowisko młodszego koordynatora – była zajęta układaniem papierów w szafkach na kółkach, podłączaniem laptopów i konfigurowaniem łączności satelitarnej z kampusem. Kerry i Laura rozpakowały swoje skromne bagaże w pokoju wyposażonym w dwa podwójne łóżka. Następnie wzięły prysznic, przebrały się w hotelowe szlafroki i zamówiły tajlandzkie curry.

Dziewczęta leżały na łóżkach i oglądały MTV, kiedy do pokoju wparował John.

– Do roboty, moje panny – powiedział sucho. – Jesteście tu na misji, a nie na wakacjach. Kerry, chcę, żebyś wydrukowała wszystkie dokumenty, jakie zeskanowałaś, i spróbowała wyciągnąć z nich coś sensownego. Laura, prześlesz dane z komputera Patelów do kampusu.

– Tak jest, szefie – burknęła Kerry.

– I nie rób takiej miny. To nie jest hotel, wiesz?

Laura zachichotała.

– Jeśli chodzi o ścisłość... to jest hotel.

John, człowiek pogodnego usposobienia, tym razem nie był w nastroju do żartów. Wyszedł do salonu, wziął z teczki fotografię zwłok Willa Clarke'a i podsunął ją dziewczętom w wyciągniętej dłoni. Żadna z nich nie widziała jeszcze zdjęcia i obie cofnęły się ze zgrozą.

– Próbuję złapać ludzi, którzy to zrobili – warknął John. – Miałem nadzieję, że będzie wam zależało na posłaniu ich do więzienia równie mocno jak mnie.

– Przepraszam, John – powiedziała Kerry pojednawczo, zrywając się i sięgając do szafy po dżinsy.

Laura spuściła głowę w zakłopotaniu.

– Tak, ja też przepraszam. Już bierzemy się do pracy.

*

John wezwał wszystkich na naradę o dziewiątej wieczorem. James i Dave zaparkowali pod hotelem i wsiedli do windy na poziomie parkingu. Dwie kondygnacje wyżej dosiadły się do nich Kerry i Laura, obie w szlafrokach, basenowych klapkach, z włosami wciąż ociekającymi wodą.

– Niektórzy to potrafią się urządzić – wyszczerzył się Dave. – Wy pluskacie się w hotelowym basenie, a my musimy mieszkać w slumsach.

– James lubi slumsy. – Laura uśmiechnęła się kwaśno. – To jego naturalne środowisko. I powiem ci jeszcze, że wbrew temu, co myślisz, przez ostatnie cztery czy pięć godzin nicowałyśmy sobie mózgi, próbując wyciągnąć coś sensownego z dokumentów Patelów. John pozwolił nam zrobić przerwę i trochę popływać przed spotkaniem.

Winda sunęła w górę. James czuł zapach chlorowanej wody na skórze Kerry. Odkąd poznał Hanę, nie myślał zbyt wiele o swojej byłej dziewczynie. Teraz przyszło mu do głowy, że bardzo wyrosła od czasu, kiedy los uczynił ich partnerami treningowymi podczas szkolenia podstawowego prawie dwa lata wcześniej. Nagle wydała mu się atrakcyjniejsza niż kiedykolwiek dotąd. James wyobraził sobie, że pochyla się i składa pocałunek na jej wilgotnym policzku.

– Siedemnaste piętro – oznajmił Dave, wychodząc na korytarz i ruszając w stronę apartamentu.

W pokoju był John i jego asystentka Chloe, a także brodaty prawnik, pan Schott, jeden z doradców prawnych CHERUBA i członek komisji etyki, bez której zezwolenia nie mogła się odbyć żadna misja. Millie dotarła na spotkanie ostatnia. Ubrana w mundur policyjny pojawiła się w tym samym momencie, w którym Laura i Kerry wyszły z sypialni przebrane w szorty i T-shirty.

Czworo agentów CHERUBA i czworo dorosłych zasiadło w kręgu w salonie, wykorzystując kanapy, krzesła, podnóżek i długi stolik do kawy.

– No dobrze – zaczął John. – Cieszę się, że wszyscy dotarli. Od kiedy dwa dni temu James i Dave dokonali swojego przełomowego odkrycia, zalewają nas potoki informacji z rozmaitych źródeł. Chloe i ja spędziliśmy kilka ostatnich godzin na próbach ułożenia ich w jakąś sensowną całość przy niebagatelnej pomocy ze strony dziewcząt. Skoro wszyscy już są, zacznę od krótkiego przedstawienia sytuacji. Nie krępujcie się przerywać mi pytaniami albo jeżeli coś przeoczę. Przede wszystkim ustaliliśmy, że Leon i Michael byli klientami Golden Sun i byli winni kasynu całkiem sporo pieniędzy. O tym, że Leon miał długi, wiedzieliśmy już wcześniej. Z dokumentów skopiowanych przez dziewczęta dziś rano u Patelów wynika, że Michael i Patrycja spóźniali się o kilka miesięcy ze spłatą rat kredytu hipotecznego i mieli ponad trzydzieści tysięcy funtów długów w kartach kredytowych i dwóch kredytach na samochód. Innymi słowy: obaj mężczyźni rozpaczliwie potrzebowali pieniędzy. Według policyjnych akt sprawy rabunku szesnastego maja ubiegłego roku ktoś z personelu Golden Sun wszedł do sali komputerowej i ukradł taśmę zapasową zawierającą komplet danych kasyna. Nie wiemy, kto to zrobił, ale kiedy kopia trafiła do Willa Clarke'a, przekazano ją wraz z hasłami należącymi do Eryka Crispa i Patrycji Patel. Trzy tygodnie później, siódmego czerwca około godziny siedemnastej, kierownik kasyna Ray Li zgłosił technikom uszkodzenie układu nadzoru telewizyjnego. Technicy przyjechali dopiero po rabunku. Odkryli wówczas, że kilka złączy zostało zerwanych, co czyni sabotaż jedyną prawdopodobną przyczyną awarii. O czwartej rano, jedenaście godzin po zgłoszeniu problemu z kamerami, kasyno zamknięto, zaś Eryk Crisp był jedynym pracownikiem ochrony, który pozostał na służbie. Między godziną czwartą a szóstą dwaj zamaskowani mężczyźni wtargnęli do kasyna przez wejście dla personelu na tyłach. Użyli kluczy. Eryk zeznał potem, że zszedł na dół, bo usłyszał hałas, i wtedy został napadnięty i obezwładniony. Mężczyźni ponoć związali go i przyłożyli mu w głowę pałką. Rzecz jasna, nic z tego nie zostało zarejestrowane z powodu awarii kamer. Po rabunku policja zebrała zapisy z kamer sąsiednich budynków. Mam te taśmy tutaj, ale wątpię, by się nam na coś przydały. Gliniarze z Abbey Wood niczego się tam nie dopatrzyli.

– Typowe – powiedział James cierpko.

John kontynuował podsumowanie:

– Następnie zamaskowani mężczyźni użyli kombinacji, które mieli ze sobą, do otwarcia dwóch sejfów, po czym skradli z nich gotówkę w kwocie, którą kasyno określa na dziewięćdziesiąt tysięcy funtów, ale która prawdopodobnie była znacznie wyższa. Szacuje się, że skradziona suma mogła sięgnąć nawet sześciuset tysięcy funtów. Eryk zeznał, że odzyskał przytomność dwie godziny później i niezwłocznie zawiadomił policję. Crisp trafił do szpitala z lekką raną głowy i otarciami od sznura na nadgarstkach i kostkach. W śledztwie dotyczącym rabunku pracownik ochrony zawsze jest pierwszą podejrzaną osobą na tej samej zasadzie, na jakiej małżonek zawsze jest pierwszym podejrzanym w wypadku morderstwa. Eryk był intensywnie przesłuchiwany, ale – czego można było się spodziewać po byłym policjancie – nie dał się na niczym złapać i wytrwał przy swojej wersji. Po rabunku nasi podejrzani zachowywali się w sposób typowy dla ludzi, którzy właśnie weszli w posiadanie dużych pieniędzy. Eryk Crisp sprzedał swój dom w Battersea, rzucił pracę w kasynie i przeprowadził się za granicę – nie wiemy dokąd. Leon Tarasow spłacił swoje potężne długi i kupił pub, późniejszą Królową Rosji. Michael Patel także spłacił swoje wierzytelności, zabrał żonę w luksusowy rejs po Karaibach, dał swojej matce piętnaście tysięcy funtów na wykupienie mieszkania oraz – to mój ulubiony szczegół – za siedemnaście tysięcy funtów kupił bmw od firmy Prestiżowe Auta Tarasowa.

Zebrani wymienili znaczące spojrzenia.

– No cóż, John, mnie przekonałeś – powiedział Dave. – Ale czy to się nadaje do sądu?

John spojrzał na brodacza siedzącego okrakiem na stoliku do kawy.

– Panie Schott, jest pan prawnikiem. Czy zechce pan odpowiedzieć na to pytanie?

Schott pochylił się do przodu, zaczerpnął powietrza i zamachał dłonią przed twarzą.

– Wprawdzie nie mamy twardych dowodów jak film czy odciski palców, ale dowody poszlakowe są mocne. Jeśli przekażemy zebrane informacje wydziałowi do spraw poważnych przestępstw w Abbey Wood, wezwą Tarasowa, Crispa i Patelów na przesłuchanie. Potem postarają się o nakazy i przeszukają ich domy oraz miejsca pracy. Kluczem do sukcesu prawdopodobnie będzie Patrycja Patel. Michael, Eryk i Leon dobrze wiedzą, jak gliniarze łamią podejrzanych, i nie puszczą pary z gęby, ale Patrycja nigdy nie miała nawet mandatu za przekroczenie prędkości. Jeśli weźmie się matkę małego dziecka, śmiertelnie ją wystraszy, a potem zaproponuje układ, dzięki któremu nie pójdzie do więzienia i będzie mogła zostać z dzieciakiem, to najprawdopodobniej pęknie.

– To, że mamy realną szansę na oskarżenie ich o rabunek, to oczywiście dobra wiadomość – powiedział John. – Zła wiadomość jest taka, że troje z czworga podejrzanych nie było dotąd notowanych, jeden z nich jest, a drugi był policjantem, a nawet Leon Tarasow oficjalnie ma na sumieniu tylko kilka drobnych przekrętów. Nie użyli broni, a jedyną przemocą, jakiej się dopuścili, było przywalenie Crispowi w głowę przy pozorowaniu napadu. Dlatego, mimo iż w grę wchodzą naprawdę duże kwoty, żadnemu z naszych łajdusów nie grozi specjalnie wysoki wyrok: od czterech do sześciu lat moim zdaniem. Ze złagodzeniem i warunkowym wyjdą na wolność po trzech.

James był wstrząśnięty.

– I to wszystko?

– Patel może posiedzi dłużej, bo jest policjantem w czynnej służbie, ale poza tym John ma absolutną rację – powiedział pan Schott.

– Co za gówno! – wykrzyknął Dave z furią. – A co z Willem? Biedny dzieciak nie żyje!

John uśmiechnął się łagodnie.

– Chłopcy, uspokójcie się i pozwólcie mi skończyć. Przyjrzałem się fotografiom zwłok Willa jeszcze raz i nie mogę nie zgodzić się z waszą teorią, że poruszenie przez Patela ewidentnie martwego ciała jest wysoce podejrzane. Patel był zamieszany w rabunek razem z Willem i był w pobliżu, kiedy Will zginął. Płyta z danymi ukryta we wnętrzu komputera sugeruje, że Will albo chciał mieć haki na swoich wspólników, w razie gdyby zrobiło się gorąco, albo próbował ich szantażować, aby uzyskać większą działkę z łupu. Biorąc to wszystko pod uwagę, uważam za wielce prawdopodobne, że Michael Patel zabił Williama Clarke'a. Czy wszyscy się zgadzają?

John potoczył wzrokiem po zebranych. Laura i Kerry skinęły głowami.

– Zabił go. Na dziewięćdziesiąt procent – rzekł Dave.

James potrząsnął głową.

– Raczej na osiemdziesiąt.

Chloe uśmiechnęła się.

– Cóż, nie podam wam dokładnych liczb, ale uważam, że prawdopodobnie to zrobił.

Pan Schott przytaknął skinieniem głowy.

Na koniec John spojrzał na Millie. Wydawała się poruszona i przez chwilę James myślał, że znów zacznie rozpaczać, ale nagle jej oczy zwęziły się w pełne determinacji szparki.

– Chcę, żeby Patel trafił za kratki. Na bardzo długo.

– Czyli zgadzamy się – powiedział Dave, patrząc na pana Schotta. – Ale żeby sąd skazał Patela za morderstwo, musimy jeszcze przekonać ponad wszelką wątpliwość dwunastoosobową ławę przysięgłych. Chodzi o to, że nie jesteśmy w stanie tego zrobić, prawda?

Pan Schott pokręcił głową.

– Nie mamy szans. Opieramy nasze przypuszczenia na tym, że Patel poruszył zwłoki, ale każdy prawnik wybroni go bez trudu, twierdząc, że zachowywał się dziwnie, ponieważ był wstrząśnięty tym, co właśnie się stało. Nawet jeśli kilku przysięgłych uzna, że Patel prawdopodobnie zabił, sędzia nakaże im uznać go za niewinnego, jeżeli istnieje choćby niewielka wątpliwość.

– Sami mamy wątpliwości – przypomniała wszystkim Chloe.

– Czy to znaczy, że mamy przechlapane? – zapytała Laura.

– Nie mamy większych szans na zdobycie solidniejszych dowodów konwencjonalnymi metodami – powiedział John. – Musimy zdobyć przyznanie się do winy.

– Chyba żartujesz – powiedział James, kręcąc głową. – Tarasow i Patel nie przyznają się nawet za milion lat.

John uśmiechnął się.

– Zaufaj choć trochę mojej inteligencji, James. Nie zamierzam zaprosić Tarasowa i Patela na komisariat w Palm Hill, zaparzyć im różaną herbatkę i poprosić, żeby zachowali się jak uczciwi obywatele. Mówię o prowokacji. Spróbujemy zastawić na nich pułapkę.

– Ale jak? – zapytał James.

– Mam kilka pomysłów – odparł John. – Ale dopracowanie wszystkich elementów wymaga skomplikowanych przygotowań, a zatem musi potrwać.

– Jak długo? – zapytał Dave.

John wzruszył ramionami.

– Dziesięć dni, może dwa tygodnie.

– Co będziemy robić przez ten czas? – zapytała Laura.

– James i Dave zostaną w Palm Hill, gdzie nadal będą trzymać się Tarasowów i zbierać jak najwięcej informacji. Ty i Kerry możecie wrócić do kampusu. Ściągniemy was na dzień lub dwa przed operacją.

29. POCAŁUNEK

Przygotowanie operacji trwało dłużej, niż James się spodziewał. Nie żeby miał coś przeciwko temu. Dziewiętnaście dni po ogłoszeniu przez Johna jego planu spędził na wałęsaniu się po Palm Hill z Maksem i Charliem, grze w piłkę, szaleństwach na rowerze, łażeniu po sklepach, wylegiwaniu się nad jeziorkiem i randkowaniu z Haną, kiedy tylko zdołała wymknąć się rodzicom. Nie było tak fajnie, jak mogłoby być w ośrodku CHERUBA, ale James nie narzekał, bo wiedział, że lepszych wakacji i tak już w tym roku nie dostanie.

Wtorek 20:58
To, co zaczęło się jako mało znacząca misja niskiego ryzyka, przeistoczyło się w najbardziej skomplikowaną technicznie operację, w jakiej James kiedykolwiek brał udział. Prowokacja miała być sterowana z apartamentu przylegającego do tego, w którym zamieszkał John Jones.

James przekroczył przejście między apartamentami, stąpając ostrożnie pomiędzy tuzinami splątanych kabli. Na balkonie ustawiono trzy anteny satelitarne. Łóżka odstawiono do magazynu, zastępując je metalowymi regałami zastawionymi komputerami, monitorami, pamięciami taśmowymi, telefonami, zapasowymi zasilaczami i urządzeniami łączności radiowej. Jedyne włączone ekrany pokazywały internetowe prognozy pogody: jedną z BBC i drugą z CNN.

Chloe wypełzła spomiędzy regałów z przewieszonym przez ramię zwojem kabli. Wyglądała na podenerwowaną. James nachylił się nad jednym z komputerów i z niewinną miną wycelował palec w przycisk „Reset".

– Hej, Chloe, co będzie, jak nacisnę ten guzik?

– Ani mi się waż! – wrzasnęła Chloe. – Chyba że chcesz spędzić następne pół roku na bieżni.

James spojrzał na dwie mapy pogody.

– John nie dał jeszcze sygnału?

– Jeszcze nie, ale nie jest źle – stęknęła Chloe spod biurka, gdzie próbowała dosięgnąć wolnego gniazdka. – Wcześniej BBC zapowiadała deszcz, ale teraz zmienili zdanie.

– Nie rozumiem, czemu pogoda jest taka ważna – powiedział James.

– Niektóre nasze stanowiska podsłuchowe używają mikrofonów laserowych, a do tego cała łączność przechodzi przez satelitę. Jak zacznie lać albo, co gorsza, rozpęta się burza, połowa połączeń pójdzie się szczekać.

– Tak jak kiedy ogląda się mecz na Sky i obraz zamarza w momencie, gdy Thierry Henry jest sam na sam z bramkarzem?

– Dokładnie tak – przytaknęła Chloe.

– Chyba w życiu nie widziałem tylu kabli naraz.

– James, próbuję się skoncentrować – powiedziała Chloe ze złością. – Mam tu trzydzieści siedem urządzeń elektrycznych i tylko cztery gniazdka, ponad pięćdziesiąt przewodów do podłączenia i sieć WiFi do skonfigurowania. Nie chcę być niegrzeczna, ale czy byłbyś łaskaw wrócić do swojego pokoju i posiedzieć z Kerry i swoją siostrą?

– Przepraszam, przepraszam – powiedział James, unosząc ręce w pojednawczym geście. – Krzyknij, gdybyś nas potrzebowała, dobrze?

James wrócił do sąsiedniego apartamentu. Kiedy wychodził stamtąd przed minutą, Kerry i Laura oglądały telewizję, ale teraz odbiornik był wyłączony, a dziewczęta znikły. James uznał, że poszły do swojej sypialni, i opadł na kanapę. Włączył telewizor i tak długo zmieniał kanały, aż natrafił na odcinek *Futuramy*.

Po trzydziestu sekundach zgasło światło. James poczuł, że ktoś łapie go za tył koszulki, a chwilę później nagie plecy zasypała mu kaskada popcornu.

– Aaa! – wrzasnął James, gwałtownie podrywając się na równe nogi.

Kerry włączyła światło. Laura wynurzyła się zza kanapy z twarzą rozciągniętą w gigantycznym uśmiechu. James zdarł z siebie koszulkę i zaczął strzepywać z pleców purchelki popcornu, które przywarły mu do skóry.

– Zabiję cię, Laura.

– Najpierw musisz mnie złapać.

James zbliżył się do kanapy. Laura była szybka i zwinna jak jaszczurka. Wiedział, że bez względu na to, w którą stronę się ruszy, siostra wymknie mu się w stronę przeciwną. Aby obejść ten problem, przypuścił szturm na kanapę i zaczął pchać ją do tyłu. Zrozumiawszy, że za chwilę zostanie przygwożdżona do ściany, Laura przesadziła oparcie kanapy i opadła na siedzisko. James przestał pchać, by rzucić się siostrze na plecy. Próbowała się wyrwać, ale mając sporą przewagę masy, obezwładnił ją bez trudu.

– Nie mogę oddychać! – jęknęła Laura, kiedy wgniótł ją w poduszki.

James jedną ręką zgarnął garść popcornu z kanapy, a drugą odciągnął gumkę szortów siostry.

– Nie, James, nie! – pisnęła Laura. – Nie w gacie. To oznacza wojnę, James. PUSZCZAJ MNIE!

21:06

John czekał siedemnaście pięter niżej, siedząc w rogu hotelowego baru, tak daleko od innych gości, jak tylko było to możliwe. Przez podwójne drzwi przecisnęli się dwaj krępi mężczyźni i John pomyślał, że lata pracy w policji i wywiadzie pozostawiły mu umiejętność rozpoznawania gliniarzy w cywilu na odległość mili: dżinsy, pokaźny mięsień piwny, narciarska kurtka. Nawet w sposobie, w jaki mówili, było coś gliniarskiego.

– Pan musi być Johnem Jonesem – zagadał starszy, stawiając na dywanie sportową torbę Adidasa.

John uścisnął im dłonie.

– Greg Jackson i Ray McLad, jak sądzę. Siadajcie, proszę. Czego się napijecie?

Ray i Greg pracowali dla Wydziału Wewnętrznego Policji Stołecznej. Funkcjonariusze WW specjalizują się w prowadzeniu dochodzeń w sprawach przestępstw popełnianych przez ich kolegów z policji.

– Twój e-mail nas zaintrygował – powiedział Greg, kiedy John wrócił z trzema szklankami piwa, i wśliznął się z powrotem na swoje miejsce. – Niewiele podałeś konkretów, ale sprawa wydaje się poważna: źli gliniarze, rabunek i morderstwo za jednym zamachem. No więc, co to za historia?

– Mówiąc najkrócej, mój plan zakłada skłócenie dwóch głównych podejrzanych i sprawienie, by skoczyli sobie do gardeł. Jeżeli wszystko pójdzie, jak należy, dojdzie do konfrontacji, w której obaj panowie zaczną wypominać sobie swoje grzechy, a nasze zadanie to być wtedy na miejscu z mikrofonami.

Ray skinął głową.

– Co się stało, że postanowiliście nas w to wciągnąć? Na ogół wywiad lubi zgarniać całą chwałę dla siebie.

– Pracuję z policjantką z lokalnego komisariatu, niejaką Millie Kentner, ale reszta moich współpracowników to dość nietypowi agenci – wyjaśnił John. – Nie mogą pokazać się w sądzie, bo naraziłoby to na szwank bezpieczeństwo organizacji, która oficjalnie nie istnieje. Dlatego jeśli się nam uda, wyszykujemy wszystkie dowody tak, żeby nikt nie miał wątpliwości, że sukces jest zasługą Millie i was dwóch. Wyobrażam sobie, że odznakę nadinspektora mielibyście w zasięgu ręki.

Obaj policjanci starali się ukryć wrażenie, jakie wywarło na nich to ostatnie zdanie, ale nie zdołali nie uśmiechnąć się do swoich szklanek, kiedy pociągnęli z nich po łyku piwa.

– Kiedy mówisz, że twoi agenci są nietypowi, mówimy tu o informatorach czy jak? – zainteresował się Greg.

– O kimś znacznie bardziej egzotycznym – uśmiechnął się John. – Mój stary przyjaciel polecił mi was, bo pracowaliście już z MI5, ale i tak muszę przypomnieć wam, na czym stoicie. Jeżeli kiedykolwiek ujawnicie jakiekolwiek informacje o agentach, z którymi będziecie współpracować przez kilka następnych dni, narazicie na niebezpieczeństwo tuziny tajnych operacji na całym świecie i życie wielu ludzi. Jeśli postawicie nas w sytuacji, w jakiej będziemy zmuszeni wybierać pomiędzy waszym życiem a bezpieczeństwem naszych agentów, to nie chciałbym znaleźć się w waszej skórze.

Greg i Ray wymienili spojrzenia z kategorii: „Za kogo on się uważa?". John zignorował to. Wiedział, że gliniarze potraktują ostrzeżenie poważnie, kiedy tylko poznają prawdę.

– Kończcie piwo – powiedział z uśmiechem. – Zaprowadzę was na górę i przedstawię cherubinom.

Ray poskrobał się w nos.

– Jakim cherubinom, do diabła?

21:11

Millie pracowała w tym samym ciasnym biurze, odkąd przyjechała do Palm Hill w 1996 roku. Przez dziewięć lat bez reszty poświęcała się pracy. Brała dwunastogodzinne zmiany, chodziła na spotkania mieszkańców, przeciągające się do wczesnych godzin porannych, i często przychodziła na komisariat w dni wolne, by nadgonić zaległości z papierkową robotą. Odkrycie kryminalnej przeszłości Michaela Patela podziałało druzgocąco na jej morale. Jak mogła uważać się za dobrego glinę, skoro nie zauważyła, że jej prawa ręka to bijący dzieci drań, złodziej, a do tego prawdopodobnie morderca? Millie postanowiła, że bez względu na wynik operacji odejdzie ze służby, kiedy tylko będzie po wszystkim.

Wciąż miała stos papierów do załatwienia, ale minione pół godziny spędziła z opartymi na biurku stopami w czarnych pończochach, wpatrując się ponuro w dno filiżanki po kawie. W kieszeni jej bluzy zawibrowała komórka.

– Przepraszam, że kazaliśmy ci czekać – powiedziała Chloe. – Wygląda na to, że jutro dopisze nam pogoda. Dzwoniłam do Johna po potwierdzenie i dał nam zielone światło.

– Zrozumiałam – powiedziała Millie, rozjaśniając twarz w uśmiechu, który wydał jej się pierwszym od bardzo wielu dni. – Mam nadzieję, że to wypali.

– Bez obaw. John zna się na swojej robocie. Prowadził takie operacje, kiedy my sikałyśmy jeszcze w pieluchy.

Millie zakończyła rozmowę. Wiedziała, że nie będzie łatwo, ale czuła ulgę, zaczynając akcję po prawie trzech tygodniach przygotowań. Wsunęła stopy z powrotem do butów, przyciągnęła się na krześle do biurka i zdjęła słuchawkę telefonu stacjonarnego. Palcem wystukała „pamięć" i siedemdziesiąt trzy: numer domowy Michaela Patela.

– Sześć-zero-trzy-jeden.

– Pat, to ty? Jest Mike?

– Och, cześć, Millie – powiedziała Patrycja. Przerwała na chwilę, żeby zawołać męża, po czym znów przyłożyła słuchawkę do ucha. – A tak w ogóle, to koniecznie musisz kiedyś wpaść do nas na obiad.

– Byłoby miło – skłamała Millie. – Zdaje się, że wasza mała dama nie chce spać – dodała, słysząc w tle krzyki trzyletniej córki Patelów Charlotte.

– Daje nam w kość przez cały dzień. Najpierw nie chciała wejść do wanny, teraz nie chce wyjść. Michael, odbierzesz wreszcie ten telefon czy nie?! Nie mogę zostawiać Charlotte samej w wodzie.

Patrycja położyła słuchawkę obok telefonu i odbiegła. Michael odezwał się dwadzieścia sekund później.

– Przepraszam, że musiałaś czekać, pani naczelnik. Co nowego?

W ciągu minionego tygodnia Millie ćwiczyła to kłamstwo setki razy.

– Obawiam się, że nie mam dobrych wiadomości, Mike. Pamiętasz, jak po tej rozróbie nad zalewem parę tygodni temu zgarnąłeś tam dzieciaka? Jamesa Holmesa?

Michael pokiwał głową do słuchawki.

– Taa, twardy szczyl. Załatwił dwóch niezłych bandziorów. Co z nim?

– Podobno jego adwokat złożył na ciebie skargę. James twierdzi, że walnąłeś jego głową o dach, kiedy wsadzałeś go do radiowozu. Jutro oficjalnie dostaniesz dwa-osiem-dziewięć. Oczywiście wewnętrzny i tak w pewnym momencie wezwie cię na wyjaśnienia, ale pomyślałam, że powiem ci teraz, żebyś mógł przejrzeć notes i wyprostować szczegóły.

– Doceniam, szefowo. Sprawa będzie standardowa, jak sądzę: moje słowo przeciwko słowu Holmesa. Z tym że to i tak strata czasu. Stracę pół dnia na użeranie się z WW, chociaż mam milion lepszych rzeczy, które mógłbym robić w tym czasie.

Millie dociągnęła śrubę odrobinę mocniej.

– Jest jeszcze jedna sprawa, Michael. Prawnik Jamesa twierdzi, że ma taśmy z kamer nadzoru z nagranym całym zajściem.

– Ach tak... – powiedział Mike, wyraźnie wstrząśnięty. Zawiesił się na ułamek sekundy, ale zaraz wziął się w garść. – Może sobie mieć tyle taśm, ile tylko chce, szefowo, bo do niczego nie doszło.

– Oczywiście – powiedziała Millie. – Wiem, że jesteś bielszy niż śnieg, Michael. Nie masz się czego obawiać i wiesz, że przez cały czas będę cię wspierała. Po prostu pomyślałam, że chciałbyś wiedzieć o tym tak wcześnie, jak to możliwe.

21:17
John zatrzasnął komórkę i schował do kieszeni marynarki. On, Greg i Ray szli równym krokiem przez wyludniony korytarz na siedemnastym piętrze hotelu.

– Dobre wieści? – zapytał Greg.

John skinął głową.

– To Millie. Jest świetną policjantką, ale cała ta sprawa rozdziera jej serce na strzępy. Właśnie rozmawiała z Patelem. Wydaje się jej, że połknął haczyk. Nie będzie dziś dobrze spał z czymś takim wiszącym mu nad głową.

– To ile lat mają ci wasi cherubini? – zmienił temat Ray.

– Najstarszy jest Dave, ma siedemnaście lat. James i Kerry mają po trzynaście, a Laura dziesięć. Ale musicie pamiętać, że nie są to zwyczajne dzieciaki. Są inteligentne, zdyscyplinowane i pierwszorzędnie wyszkolone. W ciągu roku mojej pracy w CHERUBIE widziałem, jak dokonywali absolutnie zdumiewających rzeczy.

John przeciągnął kartę przez szczelinę czytnika i pchnął drzwi, odsłaniając scenę kompletnej dewastacji. Wszędzie walały się poduszki od kanapy, cały pokój był upstrzony kulkami popcornu, a meble ociekały wodą, zbierającą się w kałuże na dywanie.

James omal nie staranował Johna, kiedy wypadł z łazienki z kubełkiem na lód wypełnionym wodą.

– Oj... – jęknął James, wijąc się pod morderczym spojrzeniem koordynatora.

John wyglądał, jakby miał ochotę kogoś zabić.

– James, na miłość boską, co wy tu wyprawiacie?!

– Tylko się bawimy – powiedział James, zerkając spode łba na pobojowisko. – Chyba trochę nas poniosło.

Kerry wypadła z sypialni, trzymając plastikową butelkę, a drugą ręką tarczę z poduszki.

– Jak was zaraz poleję, to zoba... – zawołała i urwała gwałtownie na widok trzech mężczyzn przy drzwiach.

– Wy dwoje, stańcie tam! – krzyknął John, wskazując na ścianę. – Gdzie trzecia winowajczyni?

Laura wyłoniła się lękliwie ze stosu poduszek w rogu pokoju. Miała gigantyczną plamę po coli na koszulce i zdecydowanie więcej przyklejonego do siebie popcornu niż James i Kerry.

– Wasze zachowanie jest poniżej wszelkiej krytyki! – wydzierał się John. – Millie właśnie uruchomiła operację, sąsiedni pokój jest wyładowany delikatnym sprzętem elektronicznym wartym dziesiątki tysięcy funtów, a wy lejecie wodą dookoła i ganiacie się jak banda rozbawionych pięciolatków.

Wskazał na Laurę.

– Ty, pod prysznic, ale już! Wy dwoje, posprzątacie ten bajzel, powycieracie wodę i wyskubiecie popcorn z dywanu do ostatniego ziarenka. I lepiej się pośpieszcie. Jeśli ten pokój nie będzie wylizany na błysk, zanim przyjedzie Dave, zacznę rozdawać karne rundki.

Ray i Greg weszli do pokoju i zaczęli strzepywać popcorn z poduszek kanapy, wymieniając rozbawione spojrzenia.

– Wysoce zdyscyplinowane – poruszył brwiami Greg.

John pozwolił sobie na lekki uśmiech, patrząc na krzątających się cherubinów.

– Bez względu na to, jak intensywnie ich szkolimy, to wciąż są tylko dzieci.

21:32
James odstawił odkurzacz do schowka na końcu hotelowego korytarza. Skończyli już sprzątanie i musiał jeszcze tylko wziąć prysznic, żeby usunąć wszystkie kawałki toffi ze skóry, ale kiedy wrócił do pokoju, w kolejce do łazienki stała już Kerry, a Laura wciąż była w środku. Załomotał w drzwi.

– Ruszaj się, Laura. Każdemu normalnemu człowiekowi zajmuje to pięć minut, nie dwadzieścia.

– Weź prysznic w drugim pokoju! – odkrzyknęła Laura.

– Nie możemy – zawołała Kerry. – Chloe podłączyła kable do gniazdek przy lustrze. Nie da się zamknąć drzwi, a para mogłaby wysadzić wszystko w powietrze.

– Dobra, dobra – jęknęła Laura. – Jeszcze dwie minutki.

James i Kerry oparli się o ścianę przy wejściu do pokoju, zwróceni twarzami do siebie. John i dwaj policjanci ślinili się nad sprzętem szpiegowskim w sąsiednim pomieszczeniu. Kerry wciąż miała rumieńce od gonitw. Ubrana była w olbrzymi T-shirt, sięgający jej prawie za nogawki szortów, oraz jedną cytrynowożółtą skarpetę. Drugą straciła podczas bitwy.

James podejrzewał, że niechęć, jaką Kerry żywiła wobec niego, zaczyna topnieć. Rzucali w siebie obelgami, popcornem i poduszkami, ale wciąż nie zdobyli się na normalną konwersację, jeśli nie liczyć tych niewielu chwil, kiedy musieli rozmawiać podczas przygotowań do operacji.

James podniósł głowę, widząc, że Kerry uśmiecha się do siebie. Zapuścił sondę za pomocą jednego słowa:

– Co?

Kerry zesztywniała, kiedy usłyszała głos Jamesa, ale po chwili uśmiechnęła się i spojrzała na niego.

– Śmiesznie wyglądasz z tym popcornem we włosach – wymamrotała z ociąganiem, jakby wcale nie chciała tego powiedzieć.

Nie potrafił rozszyfrować języka jej ciała. Wyraz twarzy Kerry bardzo przypominał sposób, w jaki zwykle patrzyła na niego przed pocałunkiem. A może to była złość? James wiedział, że przy jej temperamencie wystarczy jeden jego fałszywy ruch, by skończył na podłodze, unieruchomiony w obezwładniająco bolesnej dźwigni. Jednak ciągnęło go do niej tak bardzo, że aż kręciło mu się od tego w głowie. W całym swoim życiu jeszcze nigdy tak bardzo nie pragnął pocałunku, a ona stała niespełna metr od niego i byli zupełnie sami.

Postąpił pół kroku do przodu, stając twarzą w twarz ze swoją byłą dziewczyną. Jej ciemnobrązowe oczy patrzyły na niego, ale nie wysyłając żadnego wyraźnego sygnału. James pocałował Kerry w policzek i szybko się cofnął, jakby dźgnął jadowitego węża zaostrzonym kijkiem. Uśmiech Kerry poszerzył się jeszcze trochę i James poczuł falę podniecenia, kiedy zrozumiał, że jego brawura się opłaciła. Była dziewczyna objęła go w pasie, przycisnęła do ściany i zaczęli się całować. Dwadzieścia cudownych sekund później szczęknęła zasuwka w drzwiach łazienki. Kerry odsunęła się od Jamesa i z obojętną miną oparła o ścianę, jakby nic się nie stało. Laura wynurzyła się z łazienki ubrana w za duży szlafrok, który ciągnął się za nią po podłodze.

– Skończyłam – oznajmiła, sunąc przez dywan w stronę sypialni.

Kiedy Laura znikła z zasięgu wzroku, James przystąpił do Kerry w nadziei na dalszy ciąg, ale wyraz jej twarzy zmienił się diametralnie. Odepchnęła go z drogi.

– Nadal z tobą nie gadam – oświadczyła twardo, wślizgując się do łazienki i zatrzaskując mu drzwi przed nosem.

30. ZAMIESZANIE

23.07
Szary volkswagen zatrzymał się dokładnie naprzeciwko domu Patelów. Dave wyłączył światła i silnik, wysiadł i obszedł furgonetkę dookoła, by dołączyć do Jamesa i Kerry z tyłu.

– Wszystko w porządku? – zapytał.

James jeszcze nigdy w życiu nie czuł się tak zakłopotany, ale Dave miał na myśli misję, a nie jego stosunki z Kerry.

– Tak – odpowiedział James. – Tylko zdechnąć można z gorąca.

Furgonetki obserwacyjne nie mają klimatyzacji, bo wytwarzany przez nią hałas zwracałby uwagę na cichej, ciemnej ulicy. W kabinie ładunkowej stały trzy biurowe krzesła, przykręcone do podłogi przed szeregiem monitorów i magnetowidów, te zaś były podłączone do ukrytych kamer i mikrofonów, wbudowanych w burty i dach samochodu. Był ciepły sierpniowy wieczór. Ciepło wytwarzane przez urządzenia elektryczne, w połączeniu z brakiem wentylacji, podnosiło temperaturę w furgonetce do grubo ponad czterdziestu stopni.

– Kerry, ustawiłaś już laserówkę? – zapytał Dave.

– Jest trochę kapryśna – powiedziała Kerry, pochylając się nad konsolą i delikatnie pokręcając gałkami za niedużym ekranem telewizyjnym. Podczas tej operacji ekran z białego zrobił się czarny, a potem powoli rozjarzył się błękitnawą poświatą.

– No dobra – powiedział Dave, wkładając taśmy do dwóch cyfrowych magnetofonów. – Musisz wycelować dokładnie w środek szyby, bo tam amplituda drgań jest największa i laser...

– Dave, ja naprawdę wiem, co robię – zirytowała się Kerry. Za pomocą dżojstika naprowadziła krzyżyk na środku ekranu na środek okna. – Możesz zaczynać, James.

James wcisnął guzik uruchamiający laser. W ostatniej chwili zauważył, że wyjście przetwornika jest wysterowane na największą głośność, i rzucił się na potencjometr, by ściszyć dźwięk, zanim popękają im bębenki w uszach. Niewidzialny promień światła odbijał się od szkła, które wibrowało w rytm dźwięków, rozlegających się wewnątrz domu. Obraz tych drgań trafiał do mikrofonu w furgonetce, a przetwornik przemieniał go na powrót w dźwięki.

– ...*Izraelski rząd twierdzi, że robi wszystko, by obniżyć napięcie w regionie, odkąd...*

– Wiadomości – stwierdził James.

Dave skinął głową.

– Kerry, spróbuj wycelować mikrofon w inne okna. Zapamiętaj pozycję i ciągle przełączaj z jednej na drugą.

Dave wyciągnął z kieszeni krótkofalówkę. Jej sygnał był szyfrowany cyfrowo, dzięki czemu nikt nie mógł podsłuchać rozmowy.

– Baza, tu Dave z jedynki. Jesteśmy na stanowisku, mamy dobry dźwięk, ale Michael wciąż ogląda telewizję.

– Zrozumiałam – potwierdził głos Chloe. – John zajął pozycję przy wiadukcie. Dajcie znać, kiedy będziecie gotowi do wejścia.

Środa 00:57
Pocili się w furgonetce od prawie dwóch godzin. Jamesowi udało się zdrzemnąć na podłodze, podczas gdy Kerry i Dave na zmianę nasłuchiwali odgłosów z wnętrza domu.

Telewizor zamilkł dwadzieścia dwie minuty po północy. Agenci słuchali, jak Michael Patel człapie na górę, myje zęby i spuszcza wodę. Kiedy wchodził do łóżka, obudziła się Patrycja. O wpół do pierwszej Michael powiedział swojej żonie, że ją kocha i że zajrzy jeszcze do Charlotte. Siedem minut później mikrofon zaczął odbierać słabe pochrapywanie.

– Śpią już od dwudziestu minut – powiedziała Kerry. – To chyba wystarczająco długo, nie?

Dave pokiwał głową i wyciągnął krótkofalówkę.

– Baza, myślę, że Patelowie zasnęli. Wkraczamy.

– Zrozumiałam, Dave – odpowiedziała Chloe.

Dave ścisnął Jamesowi nos, żeby go obudzić. James nabrał haust powietrza przez usta, po czym otworzył oczy i gwałtownie usiadł.

– Joanna – zachłysnął się.

– Jaka znowu Joanna? – zapytał Dave, unosząc brwi.

James ziewnął i potarł dłońmi twarz.

– Ale miałem porąbany sen. Byłem w namiocie z taką jedną dziewczyną, którą poznałem w mojej pierwszej misji. Ale Clint Eastwood i moja babcia latali nad nami balonem i bombardowali nas kamieniami.

– Taki sen z pewnością oznacza coś doniosłego – wyszczerzył się Dave.

Kerry nie mogła oprzeć się pokusie wtrącenia swoich trzech groszy.

– Oznacza, że James jest idiotą, a to wiemy od dawna.

– Zasnęli już? – ziewnął James.

Dave skinął głową.

– Wasza kolej.

James złapał plecak, którego używał jako poduszki, wyjął ze środka radio i umocował słuchawkę na uchu.

– Raz, dwa, raz, dwa, tu James, sprawdzam łączność.

W słuchawce odezwała się Chloe.

– Słyszę cię głośno i wyraźnie, James.

Kerry sprawdziła swoje radio, po czym oboje założyli jednorazowe rękawiczki i czapki baseballowe. Kerry umocowała specjalną końcówkę w gnieździe pistoletu do zamków i schowała przyrząd w przedniej kieszeni szortów. Dave zerknął na monitory, sprawdzając, czy na ulicy nie ma przypadkowych przechodniów, po czym zgasił światło, żeby Kerry i James mogli niepostrzeżenie wysiąść.

– Powodzenia – szepnął na pożegnanie. – Jeśli mikrofony wykryją jakiś ruch w domu, od razu dam wam znać.

Kerry poprowadziła Jamesa przez ulicę, a potem wzdłuż podjazdu Patelów, gdzie ominęli ich bmw. Uporawszy się z zamkiem z podwójnym ryglowaniem, zmieniła końcówkę w pistolecie i zaatakowała drugą, zwykłą zasuwę. Po chwili wśliznęli się do przedpokoju.

– Jesteśmy – szepnął James do mikrofonu.

Po ostrożnym zamknięciu drzwi wyjęli z plecaków metalowe cylindry, przypominające miniaturowe gaśnice, i naciągnęli na twarze gumowe maski przeciwgazowe. Kerry sprawdziła, czy maska Jamesa przylega mu szczelnie do twarzy, a James odwdzięczył się tym samym. Byli w połowie schodów, kiedy wywołał ich Dave.

– Wycofajcie się. Słyszę ruch w sypialni.

James i Kerry zbiegli na palcach na dół. Na piętrze zapaliło się światło. Patrycja Patel wyszła z sypialni, zajrzała do pokoju córki, a potem znikła w łazience.

– Wycofujemy się? – wyszeptała Kerry.

– Nie – odpowiedział Dave. – Prawdopodobnie wróci do łóżka. Zostańcie w domu, chyba że zacznie schodzić na dół.

Po kilku chwilach dał się słyszeć szum spuszczanej wody i Patrycja poczłapała z powrotem do sypialni. James ściągnął maskę i zwrócił się do Kerry.

– Musimy zaczekać, aż znowu zaśnie.

Kwadrans zdawał się ciągnąć w nieskończoność. James i Kerry siedzieli pod schodami, oparci o ścianę, słuchając bicia własnych serc. Kiedy Dave dał im wreszcie zielone światło, założyli maski i ruszyli na górę.

Patelowie spali przy otwartych drzwiach sypialni, żeby słyszeć córkę, gdyby obudziła się i zaczęła płakać. Po wejściu do środka James i Kerry zerwali zawleczki z szyjek pojemników z gazem i podkradli się z obu stron do podwójnego łóżka. James wystawił trzy palce i zaczął odliczać w dół. Na zero przysunęli się do śpiących.

James ustawił wylot pojemnika kilka centymetrów nad nosem Michaela, po czym ostrożnie odkręcił zawór, uwalniając gaz. Kerry miała trudniejsze zadanie, ponieważ Patrycja spała z twarzą wciśniętą w poduszkę. Trzymali pojemniki przy twarzach swoich ofiar, odliczając ich wdechy. Siedem miało wystarczyć, by małżonkowie spali jak zabici przez dwie i pół godziny.

Wykonawszy zadanie, zakręcili zawory i wyszli z sypialni. James zerwał maskę z twarzy. Kerry zrobiła to samo i oboje uśmiechnęli się do siebie.

– Dobra robota – stwierdził James, po czym wcisnął przycisk nadawania w radiu. – Tu James. Usypianie zakończone.

– Zrozumiałem – odpowiedział Dave w słuchawce. – Spotkamy się przy drzwiach.

– Prowadź ostrożnie, James – dodał John. – I postarajcie się nie obudzić małej.

Wcześniej John sprawdził akta medyczne Patelów i odkrył, że trzyletnia Charlotte cierpi na astmę. Użycie wobec niej gazu wiązało się ze zbyt dużym ryzykiem, dlatego John ostatecznie przystał na niezbyt korzystne rozwiązanie: Kerry miała odegrać rolę niańki. Istniała szansa, że mała się nie obudzi, ale gdyby stało się inaczej, Kerry miała jej podać sok wymieszany z łagodnym środkiem odurzającym, który pomógłby dziewczynce w ponownym zaśnięciu. Gdyby rano Charlotte próbowała opowiadać o swej nocnej przygodzie, była dość mała, by rodzice założyli, że wszystko jej się przyśniło.

Kerry usadowiła się na pufie obok łóżeczka dziewczynki, a James zbiegł na dół. Wpuścił Dave'a przez frontowe drzwi i zaczął szukać kluczyków do samochodu. Dave dźwigał plecak wypełniony sprzętem podsłuchowym i następną godzinę miał spędzić na montowaniu pluskiew w całym domu Patelów, by magnetofony w bazie nie przegapiły ani słowa z prowadzonych tam rozmów.

Kluczyki odnalazły się w kieszeni kurtki Michaela. Kiedy James szykował się do odjazdu, Dave stał na stole w kuchni, wymieniając żarówkę na inną, zawierającą mikrofon.

– To jadę – oznajmił James. – Miej oko na Kerry. Jest beznadziejna z małymi dziećmi.

– W porządku – skinął głową Dave. – Na razie, James.

James wyszedł na podjazd i wsiadł do samochodu Patelów. Prowadził już nieraz, ale nadal czuł dreszczyk emocji, kiedy siadał za kierownicą i patrzył na wszystkie te gałki i przełączniki ze świadomością, że niewielu dzieciakom w jego wieku dane jest rozbijać się po szosach w dwóch tonach bmw. Przesunął fotel do przodu, żeby dosięgnąć pedałów, i wepchnął kluczyk do stacyjki.

Jazda sprawiła mu frajdę – droga była pusta, a samochód miał niezłe przyśpieszenie. Szkoda, że do przejechania było tylko pięć kilometrów. Skręcił z głównej szosy i potoczył się powoli nieoświetloną, brukowaną drogą z rzędem łuków starego wiaduktu kolejowego po jednej stronie. Przestrzenie pod łukami służyły głównie jako magazyny, ale James minął też hurtownię materiałów hydraulicznych i dwa warsztaty samochodowe. W ostatnim z nich podwórko rozjaśniał blask padający przez otwartą bramę. James ostrożnie wprowadził auto do rozświetlonej hali, wypełnionej sprzętem do przemalowywania samochodów.

John i Greg czekali na niego. Otworzyli drzwi po stronie pasażera, jeszcze zanim zdążył wysiąść. Zaparkował obok bmw 535i, które wyglądało w każdym szczególe identycznie jak samochód Patelów. Nie tylko kolor i model były takie same: auto miało identyczne tablice rejestracyjne, niewielkie wgniecenie na przednim zderzaku zostało pieczołowicie odtworzone, a gdyby ktoś zajrzał pod maskę, znalazłby tam te same numery wybite na nadwoziu i bloku silnika. Jedyną widoczną różnicę pomiędzy dwoma pojazdami stanowiły ślady pozostawione wewnątrz auta Patelów przez jego użytkowników, ale to wkrótce miało się zmienić.

John wyciągnął gumowe dywaniki z samochodu Patelów i przeniósł je do zamiennika. Greg zajął się zawartością schowka, a James wczołgał się na tylną kanapę, wymontował dziecięcy fotelik i pozbierał tuziny porozrzucanych wokół zabawek i książek Charlotte.

Podczas gdy James biedził się nad umocowaniem fotelika na kanapie duplikatu, Greg przeniósł wózek spacerowy i inne graty z bagażnika. John posunął się nawet do odtworzenia układu papierków po słodyczach w popielniczkach, a na półeczce centralnej konsoli ułożył skórkę od pomarańczy. Kiedy skończyli, nie było już mowy, by Patelowie zdołali odróżnić duplikat od ich własnego samochodu.

– Mogę odprowadzić kopię? – zapytał James.

James potrząsnął głową.

– Wykluczone. Trzeba mieć sporo siły, żeby zapanować nad tym złomem. Prowadzi się jak czołg. Greg zawiezie cię do Palm Hill. Prześpij się, jutro czeka nas ciężki dzień.

John zaparkował bmw na podjeździe Patelów, bacząc, by samochód znalazł się dokładnie tam, skąd James zabrał oryginał czterdzieści minut wcześniej. Nie było to łatwe, bo wspomaganie kierownicy było podłączone wadliwie, a koła miały źle ustawioną zbieżność.

Po wyjściu z auta John uniósł maskę. Wyjął śrubokręt z kieszeni marynarki i podważył nim wieczko plastikowego pudełka, mieszczącego elektronikę układu sterowania silnikiem. W środku znajdowała się mała niebieska płytka drukowana z wlutowanym w nią rzędem układów scalonych. John kilkoma ruchami obluzował płytkę, wyjął ją i zastąpił identyczną, ale uszkodzoną. Następnie wrócił za kierownicę i przekręcił kluczyk w stacyjce. Zamiast dźwięku uruchamianego silnika rozległ się pisk, a kontrolki na desce rozdzielczej zamigotały niczym lampki choinkowe. Upewniwszy się w ten sposób, że samochód donikąd nie pojedzie, zamknął go i poszedł w stronę domu.

Drzwi były zamknięte tylko na klamkę. Po zwróceniu kluczyków do kieszeni kurtki Michaela John odszukał Dave'a, który siedział na kanapie w salonie z palmtopem w dłoni.

– Wszystko gotowe? – zapytał.

Dave skinął głową.

– Przeprowadzam diagnostykę pluskiew. Rozmieściłem pięć, co powinno wystarczyć na cały dom. Chloe w hotelu odbiera silny sygnał. Z samochodem wszystko poszło jak trzeba?

– Owszem. Ale trzeba być zapaśnikiem, żeby prowadzić to bydlę.

Dave uśmiechnął się.

– To zrozumiałe w tych okolicznościach.

– Jeśli skończyłeś, możesz wracać do Palm Hill – powiedział John. – Wiem, że jutro musisz być wcześnie w pracy.

– A Kerry?

– Och... Zapomniałem, że ona wciąż tkwi na górze – uśmiechnął się John. – Podrzuciłbyś ją do hotelu w drodze do domu? Ja posiedzę tu jeszcze co najmniej przez dwie godziny. Nie możemy pozwolić, żeby Charlotte obudziła się i zaczęła zwiedzać dom, podczas gdy jej rodzice są nieprzytomni.

– Żaden problem – powiedział Dave.

John sięgnął do kieszeni spodni i wydobył stamtąd kluczyki do samochodu.

– Ja wezmę furgonetkę, bo będzie nam potrzebna jutro rano. Tu masz klucze do swojego auta. Żółte mitsubishi. Stoi przy ulicy, na lewo jakieś sto metrów stąd.

– Dzięki, John – powiedział Dave, zabierając kluczyki i wstając. – Jak dotąd nieźle nam idzie, co?

– Odpukać – odrzekł John, pochylając się do przodu, by zastukać palcami w blat stolika do kawy. – Wracaj bezpiecznie do domu i powodzenia z Leonem i samochodem jutro.

31. SPRZECZKA

Kerry obudziła się z okruchami popcornu przyklejonymi do nóg. Choć posprzątali wczorajszy bałagan, wciąż znajdowała je wszędzie, nawet we własnej piżamie. Spała mniej niż cztery godziny, ale chciała wiedzieć, jak rozwija się operacja.

Spojrzała na drugie łóżko i spostrzegła, że Laura już wstała. Z wysiłkiem naciągnęła sztywne od brudu dżinsy i wczorajszą koszulkę, po czym poczłapała do łazienki, by się nieco odświeżyć. Po opróżnieniu pęcherza i przepłukaniu ust płynem do zębów poszła do sąsiedniego pokoju, gdzie znalazła Laurę, Chloe i Johna zebranych nad sprzętem podsłuchowym. Wszyscy troje mieli na uszach słuchawki.

– Co przegapiłam?

– Dzień dobry, Kerry – uśmiechnął się John. – Nic wielkiego. Właśnie przysłuchujemy się drobnej małżeńskiej sprzeczce.

Laura zdjęła słuchawkę z jednego ucha i podała ją Kerry.

– To całkiem komiczne, wiesz? – wyjaśniła. – Michael i Patrycja kłócą się o to, kto ma zawieźć małą do żłobka. Charlotte strzeliła focha. Rzuciła swoją miskę z płatkami i nazwała tatę wielkim pupskiem.

– Mike wspomniał o telefonie Millie w sprawie skargi – dodała Chloe. – Do niczego się nie przyznał, ale zdecydowanie działa mu to na wyobraźnię.

Kerry wcisnęła się na brzeżek krzesła Laury i przyłożyła wyłożoną gąbką słuchawkę do ucha. Dźwięk z mikrofonu, który Dave zamontował w kuchennej lampie, był wyśmienity. Słyszała wszystkie drobne szczegóły, takie jak mamrotanie Charlotte i szum włączonej pralki.

08:25
W mieszkaniu w Palm Hill James i Dave siedzieli przy stole w kuchni i zjadali kanapki z bekonem. James kończył przydługą relację o tym, co przydarzyło mu się z Kerry poprzedniego wieczoru. Dave nie wyglądał na zafascynowanego.

– To było dzikie, Dave – gorączkował się James. – Nie wiem, skąd wziąłem odwagę, żeby to zrobić, ale to był najlepszy pocałunek w historii świata. Jak milion woltów prądu czy coś. Ale teraz znowu nie chce ze mną gadać. To znaczy czasem niby że gada, ale wszystko zależy, w jakim jest humorze. Jak myślisz, co ja powinienem zrobić?

Dave odchylił się na krześle i poskrobał pod napisem „Prestiżowe Auta Tarasowa" na czarnej od smaru koszulce.

– Trudne – orzekł po chwili. – Znaczy pocałowała cię, czyli wciąż jej się podobasz.

James skinął głową.

– Też tak myślę.

– I na pewno w grę nie wchodzi jeszcze jeden chłopak?

– Z tego, co wiem, nie.

– Rzuciła cię, przywaliła butem w głowę, a potem wściekła się jeszcze bardziej, kiedy pobiłeś biednego małego Andy'ego?

James skinął głową jeszcze raz.

– Dla mnie to wygląda na więcej kłopotów niż to warte – powiedział Dave. – Poza tym co ci nie pasuje w Hanie?

– Wszystko mi pasuje, ale za kilka dni już nas tu nie będzie i nie chcę się za bardzo przywiązywać.

– Rozsądnie – pochwalił Dave. – Nie rozumiem jednego: czemu tak się przyczepiłeś do Kerry? Znaczy miła jest i w ogóle, ale tak naprawdę nie ma w niej nic szczególnego.

James odgryzł kęs kanapki i wzruszył ramionami.

– Bo ja wiem. Po prostu bardzo lubię Kerry. Nigdy nie spotkałeś tej jednej dziewczyny, którą naprawdę polubiłeś, tak bardzo, że nie jesteś w stanie przestać o niej myśleć?

– Gdzie tam. – Dave machnął ręką. – Znalem kilka dziewczyn, które czuły coś takiego do mnie, ale to akurat mogę doskonale zrozumieć.

– To mógł być jednorazowy wybryk, no nie? – zastanawiał się James. – Może pocałowała mnie pod wpływem chwili, ale tak naprawdę wcale nie chce ze mną chodzić. Albo chce, żebyśmy znowu się zeszli, i spodziewa się, że to ja wykonam następny ruch. Może powinienem kupić jej prezent albo spróbować porozmawiać czy coś?

Dave pochylił się do przodu, wysuwając w górę palec. James ożywił się, spodziewając rozwiązania wszystkich swoich problemów.

– Bo widzisz, to jest tak... – zaczął Dave i przerwał na chwilę, delektując się suspensem. – Twoje życie miłosne to coś, co mam głęboko w duszy.

James ze złością uderzył dłonią w stół.

– Dzięki, kolego. Myślałem, że przy wszystkich dziewczynach, z którymi chodziłeś, pomożesz mi rozwiązać mój problem.

Dave roześmiał się. Wepchnął do ust ostatni kawałek kanapki i otrzepał ręce.

– Idę do pracy – oświadczył. – Mam na głowie ważniejsze sprawy niż twój pechowy związek z Kerry Chang.

08:27

Patrycja Patel wyszła na podjazd ze swą córeczką na ręku. Nie miała pojęcia, że w szarej furgonetce, zaparkowanej niespełna dwadzieścia metrów dalej, siedzi policjant z wydziału wewnętrznego filmujący każdy jej ruch.

Postawiła dziewczynkę obok srebrnego bmw i dała jej do potrzymania pudełko śniadaniowe z Tweeniesami, a sama zajęła się poprawianiem pasków przy dziecięcym foteliku na tylnym siedzeniu. Z jakiegoś powodu były bardzo splątane. Po przypięciu córki z tyłu Patrycja zasiadła za kierownicą i przekręciła kluczyk w stacyjce.

Wewnątrz samochodu był mikrofon, dzięki czemu wszyscy w hotelu słyszeli, co działo się dalej.

– Kuźźźwa! – wrzasnęła Patrycja, waląc pięściami w kierownicę.

– Mamusiu, powiedziałaś brzydkie słowo – powiedziała Charlotte, oskarżycielsko wyciągając palec.

Patrycja wyskoczyła z samochodu i pobiegła do domu.

– Michael, możesz tu przyjść i spojrzeć na samochód? Nie chce zapalić.

Michael wyszedł przed dom ubrany w bokserki i kapcie.

– Tata, a ona powiedziała brzydkie słowo – poskarżyła się mała, kiedy Mike usiadł za kierownicą.

– Dorośli czasem mówią brzydkie słowa, kiedy są zdenerwowani, kochanie. Samochód chyba się zepsuł i mama trochę się zezłościła.

– Naprawisz go?

– Nie znam się na samochodach, Charlotte. Będę musiał wezwać pana mechanika.

– A kto to jest mechanik?

Michael zignorował pytanie. Wysiadł i stanął przed rozgniewaną żoną. Wzruszył ramionami.

– Zadzwonię do Auto Klubu. Będziesz musiała na nich poczekać.

– Dlaczego akurat ja? – zirytowała się Patrycja. – Nie mam czasu. Muszę odwieźć Charlotte autobusem, a potem jestem umówiona u fryzjera.

– Ty masz wolny dzień, a ja o wpół do jedenastej muszę być na spotkaniu straży sąsiedzkiej w cholernym domu kultury.

– Mówiłeś, że to banda emerytów, którzy nie mają nic do roboty.

– Bo to prawda – odparł Michael. – Ale pracuję na tutejszym komisariacie i należy to do moich obowiązków.

– Masz jeszcze prawie dwie godziny. Mechanik na pewno przyjedzie szybciej.

Charlotte zaczęła jęczeć i szarpać się w pasach.

– Mamo, ja chcę wyjść!

Michael chrząknął ze złością.

– Dobra, poczekam na mechanika. Wprawdzie masz wolny dzień, ale musisz przecież iść do fryzjera. Świat by się zawalił, gdybyś dziś nie zmieniła fryzury. Przy tak ważnych sprawach co może cię obchodzić, że samochód nie działa?

– Chcę wyjść! – darła się Charlotte, kopiąc przedni fotel stópkami w różowych tenisówkach.

– Nic by ci się nie stało, gdybyś chociaż raz w życiu ruszył swój leniwy zad i zrobił coś w domu dla odmiany! – krzyknęła Patrycja, nurkując do wnętrza samochodu, żeby odpiąć małą.

08:51

Kerry i Laura wciąż siedziały na jednym krześle, dzieląc się parą słuchawek, kiedy głośnik radiostacji przemówił głosem Raya, który czatował w furgonetce przy domu Pateli:

– Baza, zaczyna się. Widzę, jak Michael Patel wchodzi do domu.

John złapał mikrofon.

– Dzięki, Ray, zrozumiałem. Poproszę Chloe, żeby przełączyła jego linię na centrali.

– Zadbałam już o to – powiedziała Chloe. – Możemy odbierać wszystkie jego telefony.

– CHERUB może wszystko – powiedziała Laura tubalnym głosem, przedrzeźniając manierę lektorów z zajawek filmowych.

John spojrzał na Kerry i Laurę.

– Kiedy zadzwoni telefon, macie siedzieć cicho. Albo nie, zmiana rozkazu. Laura, nie jesteś nawet ubrana, a twoje włosy, Kerry, wyglądają jak bocianie gniazdo. Być może przydacie się do czegoś później, więc doprowadźcie się, proszę, do porządku. Potem zejdźcie na dół i zjedzcie śniadanie, zanim zamkną bufet.

Laura posłała Johnowi błagalne spojrzenie.

– Proszę, pozwól nam posłuchać rozmowy.

– Nie – odparł John twardo. – To nie jest program rozrywkowy, tylko tajna misja i wszyscy mamy zadanie do wykonania. A teraz zmykajcie.

Dziewczęta powlokły się z ociąganiem do sąsiedniego pokoju i zaczęły sprzeczać o to, która ma pierwsza wejść pod prysznic.

– Ciszej tam! – huknął John. – Nie jesteście takie wielkie. Wykąpcie się razem, to będzie szybciej.

– Ale... – próbowała zaprotestować Kerry.

– Pomyśl, ile wody zaoszczędzicie – zachichotała Chloe. – To będzie korzystne dla środowiska.

Telefon, podłączony do jednego z komputerów, zaczął dzwonić niemal w tej samej chwili, w której dziewczęta znikły w łazience. Po trzech sygnałach Chloe pozwoliła, by program odpowiedział komunikatem, jaki nagrała kilka dni wcześniej.

– Halo? Mój samochód... – zaczął Michael i urwał, zrozumiawszy, że mówi do automatu.

– *Witamy w Auto Klubie. Tu automat zgłoszeniowy. Bardzo nam przykro, ale w tej chwili wszyscy nasi operatorzy*

*są zajęci. Twój telefon jest dla nas ważny i zapewniamy, że
jeden z operatorów odbierze go, kiedy tylko będzie wolny.
Dla własnej wygody proszę przygotować numer karty
członkowskiej.*

– Na miłość boską! – zdenerwował się Michael, kiedy ze
słuchawki popłynęła lekka muzyka klasyczna. – Czy dziś
już nikt nie potrafi nawet odebrać telefonu?

08:59

Dave miał własny zestaw kluczy do komisu. Otwierając
kłódkę przy bramie, spojrzał przez ramię na pomarańczo-
wą furgonetkę zaparkowaną po drugiej stronie ulicy. Wiedział, że Greg Jackson z wydziału wewnętrznego obser-
wuje każdy jego ruch. Leon i Piotr nigdy nie zjawiali się
w komisie wcześniej niż kwadrans po dziewiątej, co oznaczało, że ma jeszcze kilkanaście minut na sprawdzenie podsłuchów. Otworzył biuro Leona i wstawił wodę na herbatę w elektrycznym czajniku. Następnie wyjął z plecaka
palmtop i przeprowadził test diagnostyczny pięciu mikrofonów, jakie w ciągu minionego tygodnia ukrył w różnych
miejscach komisu. Zaniepokoił się trochę, kiedy po wstukaniu kodu pierwszej pluskwy odkrył, że sygnał jest bardzo słaby. Pospiesznie sprawdził cztery pozostałe: te nie
działały w ogóle. Poczuł gwałtowny przypływ paniki. Komis był kluczowym miejscem dla całej operacji i jeden sła-
biutki sygnał dochodzący z szopy na narzędzia nie mógł
wystarczyć do zapewnienia jej sukcesu. Dave nerwowo
wyjrzał przez okno, by sprawdzić, czy nikt nie idzie, i wy-
rwał z plecaka krótkofalówkę.

– John, Chloe, mam tu poważny kłopot.

Głośnik zatrzeszczał i przemówił głosem Johna.

– Co się dzieje, Dave?

– Nie mam ani krzty sygnału na palmtopie. Możecie
sprawdzić u siebie?

– Już sprawdzamy.

Minęło trzydzieści sekund, nim John odezwał się ponownie.

– Wszystkie pluskwy zdechły – powiedział z troską w głosie.

– Ja mam sygnał z jednej – przypomniał Dave.

– Skoro my nie słyszymy żadnej, to problem musi tkwić w przekaźniku, który wysyła sygnał do satelity. Gdzie go ukryłeś?

– Na dachu baraku.

– Leon już jest?

– Nie. – Dave spojrzał na zegarek. – Myślę, że mam jeszcze osiem do dziesięciu minut.

– Zdążysz wejść na dach i spróbować to naprawić?

– Mogę spróbować – powiedział Dave. – Ale jak przyjdzie wcześniej, nie wiem, jak mu się wytłumaczę.

– Jeżeli nie nagramy rozmów Leona, będziemy ugotowani. Musisz zaryzykować.

Dave z niepokojem spojrzał na zegarek. Wetknął palmtop i krótkofalówkę do kieszeni spodni i pobiegł do bramy, by przytaszczyć jeden ze stojących tam pojemników na śmieci. Stanąwszy na pokrywie, podciągnął się na pokryty falistą blachą dach baraku. Nie było to sympatyczne miejsce, ale gramoląc się po mchu i ptasich odchodach, Dave zdołał przynajmniej zidentyfikować przyczynę problemów: jakiś pijak cisnął na dach butelkę po wódce, która wytrąciła szarą antenę przekaźnika z obejmy mocującej. Dave wsunął ją na miejsce, a potem wyjął palmtop i szybko przeskanował pięć zaprogramowanych częstotliwości. Komputer odbierał pięć silnych sygnałów. Zaczął pełznąć z powrotem w stronę śmietnika, ale w tej samej chwili dostrzegł Piotra, który właśnie wysiadał z jaguara swojego wujka, żeby otworzyć bramę. Nie było mowy, by Dave zdążył zeskoczyć niezauważony.

John z zachwytem patrzył, jak wykresy sygnałów z pluskiew w komisie Tarasowa wskakują z powrotem na zielone pole.

– Wygląda na to, że sobie poradził – powiedział do Chloe. – Dzielny chłopak.

Michael Patel czekał na rozmowę już od dziewięciu minut, irytując się coraz bardziej za każdym razem, gdy automat powtarzał nagraną formułkę. Wreszcie Chloe postanowiła położyć kres jego udręce i podniosła słuchawkę podłączoną do komputera przed sobą.

– Dzień dobry, mówi Chloe. Auto Klub serdecznie przeprasza za opóźnienie w odebraniu telefonu. Czy mogę prosić o nazwisko i numer karty członkowskiej?

Podczas gdy Chloe notowała szczegóły problemu z samochodem Michaela, John cicho wyszedł do sypialni. Tam rozpiął koszulę, wyskoczył ze spodni, po czym wyjął z szafy żółty kombinezon mechanika Auto Klubu.

32. PUŁAPKA

09:11

Dave przywarł brzuchem do falistej blachy z nosem nieprzyjemnie blisko świeżej plamy ptasich odchodów. Piotr i Leon stali przy bramie, spoglądając wzdłuż ulicy, jakby czegoś wypatrując.

– Dave musiał otworzyć – sapnął gniewnie Leon. – Nikt inny nie miał kluczy. Ale gdzie on się podział, idiota jeden?

Dave słuchał dalszej rozmowy, kiedy Piotr i jego wujek weszli do baraku.

– Patrz, czajnik jest gorący – powiedział Leon.

– W kiblu go nie ma – poinformował Piotr.

Dave nie mógł opuścić się na podstawiony śmietnik, nie będąc zauważonym przez okno biura. Uświadomił sobie, że jego jedyną szansą jest skok z dachu na teren opuszczonej budowy za barakiem. Zaczął pomału przesuwać się ku tyłowi biura, wiedząc, że od głów Leona i Piotra dzieli go tylko czterdzieści centymetrów i cieniutki arkusz blachy, gotowy narobić hałasu przy najmniejszym nieostrożnym ruchu.

Dotarłszy do końca baraku, Dave opuścił nogi za krawędź dachu i skoczył w wysokie chwasty po drugiej stronie parkanu. Łapiąc równowagę, omal nie wpadł na stos zardzewiałych puszek. Otrzepał się z grubsza i pognał do ulicy, garbiąc się, by Leon i Piotr nie dostrzegli go przez siatkę ogrodzenia.

W płocie oddzielającym budowę od ulicy brakowało kilku desek. Sprawdziwszy, czy nikt nie nadchodzi, Dave odgarnął nogą kępę pokrzyw, wciągnął brzuch i przecisnął się przez szczelinę na chodnik. Wiedział, że potrzebuje wymówki, więc zamiast skierować się prosto do komisu, pobiegł do pobliskiego sklepu po gazetę i mały karton mleka.

Kilka minut później wmaszerował na parking komisu, starając się wyglądać jak najniewinniej, kiedy Leon otworzył z hukiem drzwi baraku.

– Cześć, szefie.

– Co z ciebie za palant! – krzyknął Leon z progu. – Do środka, już!

Dave wszedł do biura, udając zdumienie.

– Co się stało?

Leon trzasnął drzwiami.

– Co się stało?! Co się stało?! Przyjeżdżam, wszystko pootwierane, a ciebie gdzieś wcięło, oto co się stało! Na parkingu stoi sto tysięcy funtów w samochodach. Zlasowało ci mózg czy jak?

Dave podrzucił kartonik z mlekiem.

– Pomyślałem, że przetrę je trochę później.

– Chcesz powiedzieć, że nie są nawet przetarte? – wrzasnął Leon. – Czy ciebie matka na głowę upuściła, jak byłeś mały? Dawaj mi swoje klucze, już.

– No przestań, Leon. Zagadałem się z panem Singhiem w sklepie i straciłem poczucie czasu. Wszystkie kluczyki były zamknięte w sejfie, a ja wyszedłem tylko na pięć minut.

– Klucze – powtórzył Leon.

Dave wyjął pęk kluczy z kieszeni szortów i zakołysał nim przed Rosjaninem.

– Naprawdę mi przykro, szefie.

– Uważaj się za szczęściarza – powiedział Leon, chwytając klucze. – Jeszcze raz zrobisz coś równie głupiego i wylatujesz z roboty.

– Wiem, że wiele ci zawdzięczam, Leon. Przyrzekam, że to się nie powtórzy.

Leon machnął ręką niecierpliwie.

– Lepiej stąd znikaj i weź się do jakiejś roboty, zanim naprawdę stracę cierpliwość. Zacznij od mini. Ten matoł wczoraj wpuścił bachory na tylne siedzenie. Wymazały łapami wszystkie okna.

09:49

John zatrzymał żółto-niebieską ciężarówkę pomocy drogowej na podjeździe Patelów i wcisnął klakson.

– Dzień dobry, panie Patel – powiedział wesoło, wyskakując z kabiny, kiedy Michael pojawił się w drzwiach domu. – Czy to właśnie to auto sprawia problemy?

– Tak. Żona chciała rano odwieźć córkę do żłobka, ale nie chciał zapalić. Zdechł na amen.

– Czy wcześniej zauważył pan jakieś niepokojące oznaki? Piski, stukanie, wysokie zużycie oleju?

Michael potrząsnął głową.

– Mam go od ponad sześciu miesięcy i do tej pory jeździł bez zarzutu.

John pokiwał głową, przyjmując od Michaela kluczyki.

– Fajne autka, te bmw. Wszystkie te elektryczne gadżety czasem nawalają, ale generalnie nie widujemy ich u nas zbyt często.

John sięgnął pod kierownicę i zwolnił zamek maski. Kilka następnych minut spędził, zaglądając pod wiązki kabli, machając bagnetem do sprawdzania oleju i ogólnie udając, że wie, co robi. Wreszcie zwrócił się do Michaela.

– Czy ten samochód miał kiedyś wypadek?

Michael potrząsnął głową.

– Nic o tym nie wiem. Czemu pan pyta?

– Widzę tu dużo śladów farby, jakby został przemalowany. Zrobił pan przegląd, zanim kupił pan to auto?

– Nie sądziłem, że jest potrzebny. Kupiłem samochód od starego kumpla.

John uśmiechnął się lekko. Michael właśnie przyznał, że przyjaźni się z Leonem Tarasowem, a magnetofon w bazie zarejestrował to wyznanie.

– Otóż ten samochód przeszedł bardzo poważną naprawę – wyjaśnił John. – Proszę tu spojrzeć. Widzi pan tamte śruby na dole komory silnika?

Michael pochylił się nad silnikiem.

– Widzi pan farbę, która została na łbach? To nie mogło się zdarzyć w fabryce, ponieważ silnik jest montowany po lakierowaniu nadwozia. Oznacza to, że duże fragmenty tego auta zostały w którymś momencie odmalowane.

Michael wyglądał na wstrząśniętego.

– O jak rozległych uszkodzeniach mówimy?

– Trudno powiedzieć. – John zamyślił się na chwilę. – Na pewno nie była to drobna stłuczka. Czy mógłbym zajrzeć do kufra?

– Oczywiście – zgodził się Michael skwapliwie. – A po co?

– Chciałbym sprawdzić, czy i z tyłu nie ma śladów ponownego malowania.

John uniósł klapę bagażnika.

– Aha! – zawołał triumfalnie. – Panie Patel, muszę powiedzieć, że historia tego samochodu zaczyna mnie poważnie niepokoić.

John odchylił róg wykładziny bagażnika, odsłaniając kropki czerwonej farby.

– Srebrne auto z czerwoną farbą w bagażniku? – powiedział, unosząc znacząco brwi.

Michael Patel był policjantem wystarczająco długo, by wiedzieć, co to oznacza.

– Sugeruje pan, że ten wóz to składak?

– Albo coś w tym guście – skinął głową John, przesuwając palec po kilkumilimetrowym garbie w miejscu, gdzie tylny słupek łączył się z błotnikiem. – Ten spaw wygląda raczej na robotę jakiegoś partacza z zapyziałego warsztaciku blacharskiego, a nie dzieło precyzyjnego robota z fabryki BMW.

Michael Patel oddychał z trudem i miał posępną minę.

– Przód sprawia wrażenie, jakby duże fragmenty pomalowano na oryginalny srebrny kolor, a z tyłu najwyraźniej zamontowano części, które pierwotnie należały do auta w kolorze czerwonym – ciągnął John. – Obawiam się, że pański samochód to przód i tył dwóch różnych bmw zniszczonych w poważnych wypadkach. Z ocalałych części sklecono po partyzancku nowy samochód.

– Wiem, co to jest składak – powiedział Michael z goryczą.

– Imponująca robota – zauważył John. – Na zewnątrz niewiele widać, ale gdybyśmy go podnieśli, jestem pewien, że znaleźlibyśmy kolejne ślady. Spoin, które nie są na widoku, z reguły nie wykańcza się tak starannie.

– Te wraki to śmiercionośne pułapki – powiedział Michael, potrząsając głową. – Moja żona i córka jeździły codziennie tą kupą...

– Ma pan absolutną rację – przerwał John. – Takie nadwozie nie jest nawet w połowie tak sztywne i wytrzymałe jak oryginalne. Gdyby miał pan wypadek, ten szmelc mógłby z łatwością złamać się na pół. Ma pan jeszcze dokumenty kupna?

– W domu mam umowę. Ale, tak jak mówiłem, kupiłem ten wóz od człowieka, którego uważałem za godnego zaufania. Nie mogę uwierzyć, że wyciął mi taki numer.

– Niestety, będę musiał zawiadomić policję – powiedział John. – Zapewne potrafiłbym uruchomić samochód, ale rzecz jasna, nie wolno mi tego zrobić. Auto nie jest zdatne do jazdy.

W oczach Michaela pojawił się ślad paniki, co wielce uradowało Johna. Cały plan oparto na założeniu, że Michaelowi nie spodoba się myśl, że policja miałaby wkroczyć pomiędzy niego a Leona Tarasowa.

– Nie, nie! – zawołał Michael, machając rękami przed sobą. – Nie ma potrzeby mówić nic policji.

– Obawiam się, że muszę – powiedział John poważnym tonem. – Jestem pewien, że jest pan uczciwym człowiekiem, panie Patel, ale zdarza się, że ludzie w pańskiej sytuacji ograniczają straty, naprawiając auto i sprzedając następnemu, niczego niepodejrzewającemu amatorowi tanich samochodów. Auto Klub stosuje zasadę informowania policji o każdym odkrytym pojeździe stanowiącym zagrożenie dla użytkowników dróg.

– Nie – powtórzył Michael z nutką desperacji w głosie. – Nie trzeba, bo ja sam jestem policjantem. Pokażę panu legitymację.

Michael popędził do domu i wyjął z kurtki legitymację. Zanim wrócił, zdążył wymyślić wymówkę.

– Bo widzi pan... – zaczął, kiedy John uważnie oglądał odznakę. – To wszystko pójdzie do samochodówki w moim komisariacie. Jak chłopaki się dowiedzą, zrobią ze mnie pośmiewisko. Ale mam tam jednego znajomego, który pomoże mi przepchnąć to po cichu i oszczędzi mi wstydu, rozumie pan?

John podrapał się w podbródek, udając, że się namyśla.

– Cóż, panie Patel, moim obowiązkiem jest powiadomić policję, a pan jest przecież z policji.

– No właśnie – ucieszył się Michael. – I założę się, że panu również oszczędzi to zachodu, jeżeli załatwimy to między nami.

John uśmiechnął się.

– No... faktycznie.

– To świetnie.

– Zatem chyba nie ma powodu, bym dłużej zawracał panu głowę – powiedział John.

Michael wyciągnął rękę i mężczyźni uścisnęli sobie dłonie. John wspiął się do kabiny swojej ciężarówki. Odjeżdżając, wziął krótkofalówkę z fotela pasażera.

– Masz wszystko, Chloe? – zapytał wesoło. – Dobrze wypadłem?

Chloe roześmiała się.

– Tak, mistrzowska robota, John. Spodziewam się, że Patel lada chwila przypuści szturm na Leona Tarasowa.

10:11

Laura i Kerry wysiadły z windy na siedemnastym piętrze. Laura trzymała się za brzuch.

– Za dużo zjadłam – jęknęła. – Kiedy ja się nauczę, że bufet „jedz, co chcesz" nie oznacza, że konieczniem mam zjeść wszystko?

Dziewczęta wracały podekscytowane i ciekawe rozwoju sytuacji w bazie. Kiedy Kerry otworzyła portfel, by wyjąć kartę magnetyczną, wypadł stamtąd okruch popcornu.

– A to skąd się tu wzięło? Ten James i jego głupia popcornowa bitwa.

– To my zaczęłyśmy – przypomniała Laura.

Kerry uśmiechnęła się krzywo i pchnęła ramieniem ciężkie drzwi. Weszły do apartamentu jak najciszej, na wypadek gdyby Chloe albo ktoś inny rozmawiał przez telefon.

– Cześć, dziewczęta. Najedzone? – zapytała Chloe.

– Przejedzone – powiedziała Laura. – Co przegapiłyśmy? John już wyjechał?

– Właśnie wraca.

Kerry spojrzała na zegarek.

– Szybko poszło. Patel kupił bajkę o składaku?

– Trafiony, zatopiony – zachichotała Chloe. – Dublet zadziałał jak marzenie. Właśnie nagrałam rozmowę telefoniczną Michaela z Patrycją. Była u fryzjera, więc nie mogła za bardzo szaleć, ale było słychać, że jest wściekła. Krzyczała na Michaela, że ma iść do Leona i zażądać zwrotu siedemnastu tysięcy. I posłuchajcie tego.

Chloe przesunęła suwak głośności na ekranie komputera, wpuszczając w głośniki dźwięk z domu Patelów.

– Audycja na żywo – wyjaśniła.

Michael chodził tam i z powrotem, dysząc z furią i od czasu do czasu waląc w coś pięścią.

– Czemu nie zadzwoni do Leona albo do niego nie pojedzie? – zapytała Laura.

Chloe wzruszyła ramionami.

– Myślę, że układa sobie w głowie, co mu powiedzieć.

Na monitorze pojawił się komunikat w czerwonym oknie: „Aparat numer sześć: wybieranie numeru". Cyfry pojawiały się na ekranie w sekundę po wstukaniu ich przez Michaela. Po numerze kierunkowym i dwóch pierwszych cyfrach dziewczęta wiedziały, że będzie to numer Tarasowa. Kerry uśmiechnęła się do Laury.

– Zaraz polecą iskry.

33. ISKRY

10:15

Kilka byłych samochodów firmowych właśnie nadeszło z aukcji i Dave zajęty był odkurzaniem wnętrza jednego z nich, kiedy Piotr nachylił się do okna, trzymając przy uchu telefon bezprzewodowy.

– Widziałeś Leona? – zawołał, przekrzykując wycie odkurzacza.

Dave wskazał ceglany budyneczek toalety. Pete podszedł tam i wsunął słuchawkę pod drzwi. Leon z westchnieniem odłożył „Racing Post", by podnieść telefon z podłogi.

– Tak? Leon Tarasow.

– Normalnie masz szczęście, że cię jeszcze nie zabiłem! – ryknął Michael. – Facet z Auto Klubu zrobił mi przegląd beemki i okazało się, że ten złom to składak!

Michael miał tak odmieniony głos, że Leon go nie rozpoznał.

– Koleś, a może się uspokoisz i zaczniesz od początku? Przede wszystkim, z kim mam przyjemność?

– To ja, Leon, i właśnie zostałem twoim najgorszym koszmarem.

– To ty, Mike? Co się dzieje, do diabła?

– Jakbyś nie wiedział. Ta beemka, którą mi sprzedałeś, to wrak. Mechanik podwinął wykładzinę w kufrze i pokazał mi plamy czerwonej farby. Przód był odmalowany na nowo i wszędzie jest pełno partackich spawów.

– Mike, czy ty naprawdę uważasz, że jestem na tyle głupi, żeby sprzedać składaka gliniarzowi? Ten kolo z Auto Klubu musiał być uczniem na praktykach czy coś. Kupiłem tę furę z salonu BMW, który wymieniał flotę. Firmowy wóz, pełna historia serwisowa. Nie wziąłem jej dla własnej żony tylko dlatego, że wiedziałem, że rozglądasz się za pięć trzy pięć.

– Nie wciskaj mi kitu, Leon. Mam oczy. Chcę moje siedemnaście tysięcy.

– Znowu wpadłeś w długi, Mike? Bo jeśli to jakaś kretyńska próba naciągnięcia mnie na kasę, to możesz iść i przysiąść sobie na własnym kciuku. Nie kupuję tego.

– Nie przeginaj, Leon. Wziąłeś ode mnie siedemnaście kawałków za kupę złomu i dobrze o tym wiesz.

Leon siedział ze spodniami spuszczonymi do kostek i tarł dłonią czoło. Nie mógł uwierzyć w dziwaczny obrót, jaki przybierał ten dzień.

– Słuchaj, Mike, nie mam pojęcia, o co ci chodzi. Uspokój się i opowiedz mi wszystko po kolei.

– Powiedziałem ci już dwa razy! Mechanik z Auto Klubu pokazał mi komorę silnika. Potem zdjął wykładzinę i pokazał jeszcze czerwone plamy w bagażniku.

– Mike, nie mam pojęcia, co widziałeś, ale przysięgam na życie moich dzieci: nie sprzedałem ci składaka. A teraz postaraj się trochę ochłonąć i spróbujmy rozwiązać twój problem. Jak długo masz ten samochód?

– Niecałe siedem miesięcy.

– Zrobiłeś przegląd serwisowy?

– Termin już minął, ale nie miałem czasu się tym zająć.

– Jasne – sapnął Leon, ze wszystkich sił starając się nie wybuchnąć. – Technicznie wóz stracił gwarancję, ale ponieważ jesteśmy kumplami, spróbuję to jakoś załatwić. Mam kolegę, który pracował w głównym przedstawicielstwie. Przyślę go, żeby obejrzał twój samochód, i nawet pokryję robociznę i koszty holowania. Zapłacisz tylko za części.

– Czy ty w ogóle mnie słuchasz, Leon? Nie zamydlisz mi oczu. Sprzedałeś mi dwa tłuczone graty zespawane razem w śmiertelną pułapkę. Moja żona i córka mogły zginąć. Gdyby nie chodziło o ciebie, już teraz samochodówka prułaby każdą furę na twoim parkingu. Dziś przed południem mam spotkanie w domu kultury. Kiedy się skończy, idę prosto do twojego baraku. Oddasz mi moje siedemnaście tysięcy, a potem nie chcę cię więcej widzieć. I odtąd nie oczekuj więcej przysług ani ode mnie, ani od żadnego innego gliniarza z Palm Hill.

– Nie, no, Mike, czy tobie na mózg padło?! – wrzasnął Leon, wreszcie tracąc panowanie nad sobą. – Jesteś policjantem. Masz żonę i dziecko, a zachowujesz się jak kompletny szajbus. Myślałem, że pozbierałeś się po tej akcji w kasynie.

– Lepiej, żebyś miał moje pieniądze, kiedy zapukam do twoich drzwi, Leon, albo nie ręczę za siebie.

10:54

James miał czekać w stałej gotowości, na wypadek gdyby był potrzebny, ale rodzice Hany byli w pracy i po prostu nie potrafił jej odprawić, kiedy stanęła na progu ze świeżo pomalowanymi paznokciami stóp i w obcisłej czarnej koszulce. Hana chciała popływać, ale James powiedział, że czeka na telefon, więc poprzestali na całowaniu się w łóżku i słuchaniu Rolling Stonesów z płyt Dave'a.

– Nie odbieraj – zamruczała Hana, kiedy rozdzwoniła się komórka Jamesa.

– Muszę – odrzekł James, wyplątując się spod dziewczyny. – To pewnie moja opiekunka. Po tamtym aresztowaniu jestem milimetr od wylądowania w domu dziecka.

Zgarnął dzwoniący telefon i wyszedł do przedpokoju.

– John – szepnął. – Jak wam idzie?

– Niczego sobie – powiedział John wesoło. – Patel zadzwonił do Tarasowa. Rzucili się sobie do gardeł i na taśmie mamy już wzmianki o kasynie, a także faktyczne przyznanie się do korupcji. Mike powiedział, że przyjdzie do komisu rozprawić się z Leonem po jakimś spotkaniu w domu kultury. To daje obu panom kilka godzin na opadnięcie emocji, a to ostatnia rzecz, na jakiej nam zależy. Chloe spróbuje trochę podkręcić Tarasowa, a ty pojedziesz do domu kultury i wkurzysz Patela.

– Jak?

W miarę jak John objaśniał plan, na twarzy Jamesa wykwitał coraz paskudniejszy uśmiech.

– To jest obrzydliwe, John!

– Co cię tak rozbawiło? – zapytała Hana, kiedy wrócił do pokoju, zatrzaskując komórkę.

– Nic – odparł James, unikając jej wzroku.

– Myślałam, że twoja opiekunka ma na imię Zara.

– Bo ma.

– Ale rozmawiałeś z jakimś Johnem. I dlaczego musiałeś wyjść z pokoju?

– Nic nie słyszałem przez tę muzykę.

– Lepiej powiedz mi, co tu jest grane, James. Widujesz się z kimś innym?

– Nie bądź głupia – żachnął się James, żałując, że wcześniej nie znalazł pretekstu, by nie wpuścić Hany do mieszkania.

– Coś przede mną ukrywasz, James, i nie podoba mi się to.

James spojrzał na Hanę ze złością.

– A mnie się nie podoba, że mnie szpiegujesz. Jeśli chcesz wiedzieć, to był mój stary znajomy z rodziny zastępczej. Wychodzę spotkać się z nim na West Endzie.

Hana wyglądała na wściekłą. Założyła sandały i zdecydowanym krokiem ruszyła ku drzwiom. Na progu pokoju odwróciła się.

– James, jeśli zamierzasz traktować mnie jak idiotkę, to możesz się wypchać.

James chętnie załagodziłby sytuację, ale musiał pozbyć się dziewczyny, i to szybko.

– Słuchaj, naprawdę nie mam teraz czasu. Zadzwonię później.

– Nie rób sobie kłopotu – odparła Hana i znikła w przedpokoju.

Kiedy trzasnęły drzwi, James pognał do kuchni i wyszperał z szafki dwie reklamówki. Zanim wybiegł z domu, zgarnął jeszcze klucze, komórkę i krótkofalówkę. Zamykając drzwi, kątem oka dostrzegł Hanę, która w tym momencie uporała się z zamkiem i znikła w swoim mieszkaniu.

James zbiegł na dół, zastanawiając się, czy to koniec jego związku z Haną Clarke. Dwa dni wcześniej taka myśl wprawiłaby go w przygnębienie, ale pocałunek Kerry odmienił wszystko.

11:21

W hotelu trwała gorączkowa akcja przemieniania asystentki koordynatora w policjantkę. Zespół nie miał policyjnego munduru, a nawet gdyby zdołał ściągnąć jeden od Millie, nie miałby czasu na dopasowanie go do figury znacznie niższej Chloe. Sporządzenie legitymacji było o wiele łatwiejsze. John miał pudełko po butach pełne okładek i odznak, dzięki którym można się było przeistoczyć w kogokolwiek, od pracownika pogotowia wodociągowego Thames Water po kapitana królewskiej piechoty morskiej.

Laura zrobiła Chloe zdjęcie swoim aparatem cyfrowym, a Kerry wstukała nazwisko i numer do szablonu w jednym z komputerów. Zanim Chloe wyszła z sąsiedniego pokoju ubrana w buty na płaskim obcasie i prostą niebieską spódnicę, John zdążył wydrukować, przyciąć i zalaminować jej legitymację, a potem wsunąć ją w składaną na pół okładkę ozdobioną godłem stołecznej policji.

Nikt nie powiedział Dave'owi, co się szykuje, dlatego zdziwił się na widok Chloe wjeżdżającej na parking w żółtym mitsubishi, tym samym, którym poprzedniego wieczoru odwiózł Kerry do hotelu. Leon zbiegł po schodkach baraku, ze swoim specjalnym uśmiechem dla klientów.

– Witam, droga pani – powiedział, gdy tylko Chloe wysiadła z samochodu. – W czym mógłbym pomóc? Jeśli szuka pani czegoś większego niż colt, mógłbym zaproponować wielce korzystną zamianę.

Chloe postawiła torebkę na dachu samochodu. Czuła się jak idiotka, przerzucając jej zawartość w poszukiwaniu legitymacji służbowej. Miała wrażenie, że prawdziwa policjantka rozegrałaby to trochę inaczej.

– Sierżant Megan Handler, wydział samochodowy na Bow Road – przedstawiła się wreszcie, podstawiając legitymację Leonowi pod nos.

Leonowi opadła szczęka.

– W czym mogę pomóc, pani władzo?

– Mały ptaszek szepnął mi słówko, że niektóre auta, jakie pan tu sprzedaje, mogą nie być koszerne – wyjaśniła Chloe.

– Ach tak – powiedział Leon, kiwając głową ze zrozumieniem. – Ciekawe, cóż to mógł być za ptaszek.

Usłyszawszy to, Dave uśmiechnął się do siebie. Ta akcja nie była częścią pierwotnego planu, ale natychmiast pojął, że to zgrabny sposób na jeszcze głębsze poróżnienie Patela i Tarasowa.

– Pozwoli pan, że trochę się tu rozejrzę? – zapytała Chloe.

– Ma pani nakaz?

– Nie, ale jeśli pan go zażąda, wrócę z trzema umundurowanymi funkcjonariuszami i założę się, że nie sprzeda pan ani jednego samochodu, podczas gdy będą tu myszkować przez cały boży dzionek.

Leon cofnął się o krok i rozłożył szeroko ręce.

– Wiesz co, słoneczko? Śmiało, idź i oglądaj sobie do uśmiechniętej śmierci. Nie znajdziesz tu żadnej lewizny.

– Dziękuję, panie Tarasow – powiedziała zimno Chloe.

– Doceniam pańską wolę współpracy.

Leon utrzymywał fałszywy uśmiech na twarzy, dopóki nie wrócił do baraku. Kiedy trzasnęły za nim drzwi, usiadł na biurku i spojrzał złym wzrokiem na Piotra, który wprowadzał jakieś dane do komputera.

– Patel chyba traci głowę – powiedział po chwili. – Ta laska to glina. Mówi, że dostała donos.

Piotr oderwał wzrok od monitora.

– To bmw było w porządku, wujku. Przyjechało z salonu bez jednej rysy na lakierze. Nie mam pojęcia, co za szwindel próbuje wyciąć ten Patel.

Leon wzruszył ramionami z rezygnacją.

– Witaj w klubie, bratanku, witaj w klubie.

11:24

James szedł szybkim krokiem w stronę domu kultury, skanując wzrokiem chodnik i ulicę. To, czego szukał, znalazł za tylnym kołem ciężarówki. Założył obie reklamówki na lewą dłoń, po czym rozejrzał się, sprawdzając, czy nikt nie idzie, i starając się nie myśleć o tym, co za chwilę zrobi.

Postawił jedną stopę na ulicy i przykucnął okrakiem nad krawężnikiem. Tuzin srebrzystozielonych much rozpierzchł się z głośnym brzęczeniem, kiedy nakrył dłonią i podniósł wielką psią kupę. Walcząc z mdłościami, kiedy wałeczek miękkiej masy zaczął wypełzać mu spomiędzy palca i kciuka, wolną ręką przenicował reklamówki na drugą stronę tak, by smrodliwy ładunek znalazł się w środku.

34. SMRÓD

12:08

Podczas gdy Chloe oglądała samochody w Prestiżowych Autach Tarasowa, John dyrygował przedstawieniem z hotelowego pokoju. Na kilka minut pozostawił komputery pod opieką Laury i Kerry, by wykorzystać spokojny moment na pozbycie się jaskrawego kombinezonu mechanika i przebranie w normalne ciuchy.

Chwilę po zniknięciu Johna w sypialni na ekranie przed Laurą pojawił się komunikat: „Aparat numer trzy: połączenie przychodzące".

Laura podskoczyła w panice.

– Zawołać Johna?

– Daj mu się w spokoju przebrać – powiedziała opanowanym głosem Kerry. – Po prostu sprawdź jeszcze raz we właściwościach połączenia, czy rozmowa na pewno jest nagrywana.

Laura kliknęła prawym klawiszem myszy i na ekran wypłynęła lista parametrów. Kerry wskazała palcem jeden z nich.

– Tutaj: automatyczny zapis na magnetofon numer pięć. Teraz musisz tylko wpisać godzinę rozpoczęcia i szczegóły do książki połączeń.

– Kiedy Chloe to robi, wydaje się to dziecinnie łatwe – powiedziała Laura, oklepując kieszenie w poszukiwaniu ołówka.

12:09

W głównej sali osiedlowego domu kultury w Palm Hill ustawiono ponad pięćdziesiąt krzeseł, ale zajętych było mniej niż tuzin. Millie siedziała obok Michaela Patela w pierwszym rzędzie. Na mównicy mężczyzna z rady osiedla opowiadał o fascynującej inicjatywie poprawy oświetlenia ulic w Palm Hill.

– Przepraszam, Mil – szepnął Michael, kiedy już wyjął z kieszeni wibrującą komórkę i sprawdził, że dzwoni żona. – Lepiej to odbiorę.

Michael wybiegł przez podwójne drzwi z tyłu sali, by odebrać telefon na korytarzu pachnącym pastą do podłogi.

– Patrycja, cześć.

– I co powiedział Leon? – zapytała niecierpliwie.

– Próbował mnie zbyć jakąś bzdurą, że niby przyśle mechanika.

– Chcę odzyskać wszystkie pieniądze, Michael.

– Jadę tam po spotkaniu. Już mu powiedziałem, że ma mieć przygotowaną gotówkę.

– Nie daj się przegadać, Mike. Wiemy o tym sukinsynu dość, żeby posłać go za kratki na bardzo, bardzo długo.

– To prawda – przyznał Michael. – Ale wiesz, że to działa w dwie strony, prawda? Musimy rozegrać to ostrożnie.

– Charlotte mogła zginąć w tym wraku – sapnęła Patrycja. – Nie mogę uwierzyć, że woziłam naszą córeczkę samochodem, który w każdej chwili mógł się rozlecieć na kawałki. Przysięgam, gdybym teraz miała przed sobą Tarasowa, z radością dźgnęłabym go nożem.

– Pat, czuję to samo co ty, ale takie gadanie do niczego nas nie doprowadzi.

– Kiedy kończy się to twoje spotkanie? Kiedy idziesz do Tarasowa?

– Trochę się przeciągnie. Nie przebrnęliśmy nawet przez połowę tematów.

– Nie możesz się urwać?

Michael zastanawiał się przez kilka sekund.

– W sumie... Chyba mógłbym.

– Uważam, że powinieneś pójść do Leona i załatwić tę sprawę jak najszybciej.

Michael pokiwał głową.

– Wiesz co, Pat? Masz rację. Nawet nie mogę się na niczym skupić, kiedy to wisi nade mną. Powiem Millie, że zadzwoniłaś, bo Charlotte jest chora i muszę odebrać ją ze żłobka.

12:13

Kerry wparowała do sypialni Johna.

– Michael Patel chce się urwać ze spotkania i pojechać do Leona teraz.

– Szlag! – John pognał do pokoju podsłuchowego boso i w rozpiętej koszuli. – Laura, wywołaj swojego brata przez krótkofalówkę i zarządź gotowość bojową. Kerry, zadzwoń do Dave'a na komórkę. Ja powiem Chloe, żeby zmywała się z komisu, a potem skontaktuję się z gliniarzami w furgonetkach.

12:14

James dowiedział się od Laury o zmianie planów Michaela w męskiej toalecie domu kultury. Szybko osuszył ręce i wyszedł na korytarz akurat w momencie, gdy Michael przebiegł obok, nie rozpoznając go. James ruszył za nim do wyjścia, ale przed oszklonymi drzwiami zatrzymał się i patrzył, co będzie dalej.

Michael podszedł do policyjnej astry, wyjął kluczyki i odblokował drzwi. Kiedy złapał za klamkę, nagle zmieniła mu się twarz. Szybko cofnął rękę, podniósł ją do twarzy i zastygł ze zgrozy, kiedy atakujący nozdrza zapach powiedział mu, że właśnie zanurzył dłoń w rozsmarowanych pod klamką psich odchodach.

James obserwował przez szybę w drzwiach, jak policjant kopie samochód i wypluwa z siebie potok niewyszukanych przekleństw. Potraktował to jako rewanż za rozcięcie mu głowy podczas aresztowania. Nacieszywszy oczy, James pchnął drzwi i wyszedł w blask słońca.

– Co się stało, panie władzo? – wyszczerzył się, utrzymując bezpieczną odległość.

– Ty! – ryknął Patel, wskazując Jamesa usmarowanym palcem. – To twoja sprawka!

– Moja, panie władzo? – obruszył się James. – Nie wiem, o czym pan władza mówi.

– Poczekaj tylko – pienił się policjant. – Teraz ci się upiekło, bo mam sprawę do załatwienia, ale któregoś dnia, kiedy będziesz wracał ze szkoły, ściągnę paru chłopaków, żeby wrzucili cię na pakę furgonetki, i zetrzemy ten uśmieszek z twojej wrednej mordy, Holmes, zapamiętaj sobie moje słowa!

James z trudem powstrzymywał śmiech.

– Tylko tym razem lepiej się upewnij, że w pobliżu nie ma kamer. Mój prawnik mówi, że jak pokaże taśmę z tym, co mi zrobiłeś, wylecisz ze służby. I jeszcze zapłacisz mi parę kawałków odszkodowania.

– Myślisz, że jesteś taki mądry? – wysyczał Michael. Żyły na jego szyi napęczniały, a oczy wyglądały, jakby miały wystrzelić z czaszki.

– Cóż, może nie jestem mądry – wzruszył ramionami James. – Ale przynajmniej nie jestem cały w psim gównie.

12:33

Michael zamknął się w toalecie domu kultury, by wyszorować ręce. Choć zużył pół pojemnika mydła w płynie, nadal nie czuł się wystarczająco czysty, kiedy wyprowadzał policyjny samochód z parkingu na ulicę, jadąc o wiele za szybko.

Na widok XJ8 Leona nerwy puściły mu ostatecznie. Michael staranował dżaga z niewielką prędkością, wpychając go na ceglaną toaletę i tłukąc przedni kierunkowskaz. Nim zdążył wysiąść, z baraku wypadł rozjuszony Leon.

– Ty durna pało! – wrzasnął na całe gardło. – Co ty wyprawiasz?

– Masz moje pieniądze? – odkrzyknął Michael. – Czek, gotówka, wszystko mi jedno, jak je oddasz, ale chcę je mieć już!

– Jakie pieniądze? Mike! Załatwiłem ci piękny samochód, a ty nagle wyskakujesz z jakimś grubym kantem, żądasz pieniędzy, a do tego donosisz na mnie do samochodówki.

– Na nikogo nie doniosłem.

– Co?! Mam uwierzyć, że to przypadek, że akurat dziś rano pojawiła się u mnie policjantka z wydziału samochodowego, żeby sprawdzić mój towar?

– Nie mam z tym nic wspólnego, Leon. Zamierzam odzyskać siedemnaście tysięcy, a potem zapomnieć o twoim istnieniu.

Leon wyciągnął palec w stronę bramy komisu.

– Wynoś się stąd, Patel. Glina czy nie glina, nie wiem, w co ty sobie pogrywasz, ale nie naciągniesz mnie na siedemnaście kawałków ani nawet na siedemnaście pensów.

– Moja rodzina mogła zginąć w tym samochodzie! – krzyknął Michael.

Zamachnął się do ciosu, ale jego pięść ugrzęzła nieszkodliwie w zwałach sadła Leona. Rosjanin złapał Michaela za klapy, rzucił go na radiowóz i rąbnął gigantyczną pięścią w twarz.

Leon rozejrzał się z niepokojem, dźwigając oszołomionego policjanta za kołnierz kurtki. Piotr wyszedł na lunch, więc na parkingu był tylko Dave, ale komis mieścił się przy ruchliwej ulicy i tylko łut szczęścia sprawił, że nie było innych świadków.

Rosjanin zawlókł Michaela do wejścia do baraku.

– Pomóż mi wciągnąć go na schody! Szybko! – krzyknął do Dave'a, który obserwował scenę z przerażeniem na twarzy.

– Leon, to nie żarty – jęknął Dave.

– No dalej, nie stój jak kołek.

Dave złapał Michaela za kostki.

– Za moje biurko – wystękał Leon, z wysiłkiem przeciągając ciężar przez próg.

Rzucił policjanta na obrotowe krzesło, użył całej swojej siły, by posadzić go prosto, po czym zwrócił się do Dave'a.

– Zmykaj stąd, synu.

– Chyba go nie zabijesz, co? – zaniepokoił się Dave, wycofując się tyłem.

– Nie jestem mordercą – zirytował się Leon. – Utniemy sobie tylko małą pogawędkę. Zrób sobie przerwę na lunch, a wychodząc, zamknij bramę. Nie chcę, żeby kręcili mi się tu jacyś klienci.

Michael powoli otworzył oko i nagle rzucił się na Leona. Wielkolud pchnął go z powrotem na krzesło.

– Ten temperament zrujnuje ci życie – powiedział Leon, wyciągając chustkę z kieszeni spodni i niedbale rzucając ją policjantowi.

Michael wytarł nią krew cieknącą mu z nosa.

– Siedemnaście tysięcy, Leon.

Rosjanin uśmiechnął się.

– Pamiętasz zimną wojnę, Mike? Pamiętasz wzajemnie zagwarantowane zniszczenie?

Michael splunął krwią w chusteczkę i uniósł zdziwiony wzrok na Leona.

– Rosjanie i Amerykanie mieli tyle rakiet wycelowanych w siebie nawzajem, że żadna ze stron nie miała odwagi ich użyć – wyjaśnił Leon. – Gdyby jankesi rozwalili rusków, ruscy natychmiast rozwaliliby jankesów. To samo dotyczy ciebie i mnie, Mike. Za dużo o sobie wiemy. Jeśli zaczniemy ciskać błotem i straszyć się nawzajem prawem, utoniemy obaj. Zatem cokolwiek wykombinowałeś sobie z tym samochodem, sugeruję, żebyś odpuścił.

– Charlotte mogła zginąć! – wrzasnął Michael. – Ona ma trzy lata!

– A ten znowu swoje! – krzyknął Leon, łapiąc się za głowę. – Nie rozumiem, w jaki sposób doprowadziłeś się do takiego stanu z powodu samochodu, Michael, ale cokolwiek za tym stoi, musisz nauczyć się panować nad sobą. Ostatnim razem, kiedy tak ci odbiło, zrzuciłeś z dachu Willa Clarke'a. Nie pojmuję, jak po tym wszystkim możesz jeszcze przychodzić do mnie i próbować mnie okantować. Odsiadywałbyś dożywocie, gdybym nie namówił Falca, żeby załatwił sprawę zeznań świadków.

Mike zamachał rękami.

– Falco to żadna twoja zasługa. Ten stary pierdziel wziął więcej łapówek, niż jadł ciepłych obiadów.

– Od ciebie na pewno by nie wziął – powiedział Leon. – Falco nienawidzi cię jak psa.

– To, co się stało z Willem Clarkiem, nie ma nic wspólnego z samochodem! – wybuchł Michael. – Oszukałeś mnie!

Leon zacisnął pięść przed nosem policjanta.

– Jeszcze jedno słowo o samochodzie, a przysięgam, że powybijam ci wszystkie zęby. Ta beemka była jak nowa, a teraz jest po gwarancji. Wynoś się stąd, Mike. Wsiadaj do swojego małego ejo-ejo i nigdy tu nie wracaj. A jeśli przyjdzie ci do głowy przysłać tu więcej kolegów w mundurach, to pamiętaj, co powiedziałem: jak wciągniesz w to prawo, ty też położysz głowę na pieńku.

35. FALCO

12:46
– Przewiń. Chcę to usłyszeć jeszcze raz – powiedział John.
Laura pchnęła palcem pokrętło wbudowane w klawiaturę i z głośników dobył się głos Leona Tarasowa.
– ...nować nad sobą. *Ostatnim razem, kiedy tak ci odbiło, zrzuciłeś z dachu Willa Clarke'a. Nie pojmuję, jak po tym wszystkim możesz jeszcze przychodzić do mnie i próbować mnie okantować. Odsiadywałbyś dożywocie, gdybym nie namówił Falca, żeby załatwił sprawę zeznań świadków.*
– *Falco to żadna twoja zasługa. Ten stary pierdziel wziął więcej łapówek, niż jadł ciepłych obiadów.*
– *Od ciebie na pewno by nie wziął... Falco nienawidzi cię jak psa.*
– *To, co się stało z Willem Clarkiem, nie ma nic wspólnego z samochodem. Oszukałeś mnie.*
Laura wcisnęła guzik „stop".
– Szkoda, że nie potwierdził, zamiast gadać o samochodzie.
John uśmiechnął się.
– Laura, kiedy posiedzisz w tej branży tak długo jak ja, przestaniesz się spodziewać, że cokolwiek będzie aż tak proste. Oskarżenie Leona to i tak bardzo mocny dowód, tym bardziej że Michael nie zrobił nic, by mu zaprzeczyć.
– Nazwisko Falco brzmi znajomo – powiedziała Kerry. – Jestem pewna, że widziałam je gdzieś w dokumentach.

John wzruszył ramionami.

– Jeśli uważasz, że zdołasz coś sobie przypomnieć, idź i przejrzyj akta. Ja zapytam Millie.

John złapał słuchawkę, a Kerry pobiegła do drugiego pokoju, by poszperać w szafkach z papierami.

– Millie, co ci mówi nazwisko Falco? – zapytał John, kiedy policjantka odebrała telefon.

– Zaczekaj, wciąż jestem na spotkaniu.

Millie przerwała, żeby opuścić zebranie i wyjść na korytarz. Po chwili podjęła rozmowę:

– Alan Falco pracował w wydziale dochodzeniowym w Palm Hill. Nie był najlepszym gliną na świecie, taki tam sympatyczny stary poczciwiec. Odszedł na emeryturę przed świętami.

Kerry podbiegła do Johna, trzymając otwartą teczkę. John odsunął telefon od twarzy.

– Co?

– Już wiem – powiedziała Kerry. – Alan Falco musiał być drugim policjantem na miejscu śmierci Willa po Michaelu Patelu. Spisał zeznania trzynastoletniej Jane Cunningham i dwojga ludzi, którzy byli wtedy w mieszkaniach.

– Leon powiedział, że zapłacił mu za załatwienie sprawy zeznań – zauważyła Laura.

– Może je zmienił – powiedział John. – Albo usunął te, które zawierały obciążające informacje.

Przyłożył słuchawkę do ucha.

– Dzięki, Millie, muszę kończyć. Zdaje się, że mamy coś ciekawego. Będziemy w kontakcie.

– Patrz, patrz – gorączkowała się Kerry, pukając w teczkę. – W zeznaniu Jane jest mowa o tym, że tuż przed upadkiem jacyś chłopcy zabrali Hanie Clarke sandał i drażnili się z nią.

– No to co? – zapytała Laura.

– No to gdzie są ich zeznania?

Laura oparła się na ramieniu Kerry i wskazała palcem następny akapit.

– Tu jest napisane, że chłopcy uciekli, kiedy ciało spadło na ziemię.

– Owszem – przytaknęła Kerry. – Ale to byli chłopcy z osiedla, a do tego prawdopodobnie mieli lepszy widok na to, co się stało, niż ktokolwiek inny. Czy nie powinno się ustalić, kim są, i zapytać, co widzieli?

John skinął głową.

– Myślę, że trafiłaś w dziesiątkę, Kerry. Musimy znaleźć tych chłopców i z nimi porozmawiać.

14:21

Staruszka zdjęła łańcuch zabezpieczający i otworzyła drzwi przed policjantką.

– Pani Cunningham? – zapytała Millie, pokazując odznakę. – Szukam pani wnuczki, Jane. Czy jest w domu?

Pani Cunningham była bardzo blada i lekko trzęsły jej się dłonie.

– Jane pobiegła do sklepu – zaskrzeczała starczo. – Niedługo powinna wrócić. Może pani wejdzie i zaczeka?

– Chętnie – powiedziała Millie, przestępując próg.

– Nie wpadła w jakieś tarapaty, prawda?

Millie potrząsnęła głową i uśmiechnęła się uspokajająco.

– Chciałabym zadać jej kilka pytań na temat tego wypadku sprzed roku.

– Chłopak na dachu? – zapytała pani Cunningham.

Millie przytaknęła i weszła do salonu. Staruszka poczłapała za nią i z wysiłkiem opuściła się na fotel obok wielkiej butli z tlenem i stolika zastawionego lekarstwami.

– Proszę zaparzyć sobie filiżankę herbaty, jeżeli ma pani ochotę. Obawiam się, że ja pani w tym nie pomogę. Nie w tym upale.

– Czy wnuczka opiekuje się panią sama?

Staruszka rozpromieniła się.

– Nie wiem, co bym bez niej zrobiła.

Jane wróciła do domu kilka minut później, wyraźnie wymęczona, dźwigając trzy wypchane siatki. Chciała jak najszybciej przełożyć jedzenie do lodówki, więc zaprosiła Millie do kuchni i zajęła się rozpakowywaniem zakupów.

– Mam tu zeznanie, które złożyłaś rok temu – powiedziała policjantka, kładąc fotokopię na stole. – Wspomniałaś w nim, że niedaleko miejsca wypadku grupa chłopców grała w piłkę. Pamiętasz, ilu ich było?

Jane wzruszyła ramionami.

– Siedmiu, ośmiu... Coś koło tego.

– Powiedziałaś, że uciekli, ale czy widziałaś może, żeby którykolwiek z nich składał później zeznania?

– Chyba wszyscy złożyli – powiedziała Jane. – Jeden z nich, taki mały i chudy, potknął się czy coś i rozkrwawił sobie nos. Inni zebrali się wokół niego, a potem opowiadali coś policjantowi. Jestem pewna.

– Michaelowi Patelowi?

Jane potrząsnęła głową.

– Patel został z moją przyjaciółką Haną. Will był jej kuzynem i wpadła w histerię. Dlaczego znowu to rozgrzebujecie? To było przecież rok temu.

Millie wiedziała, jak szybko rozprzestrzeniają się plotki, dlatego postanowiła nie mówić prawdy.

– Rutynowe postępowanie. Uzupełniamy luki w dokumentacji, zanim odeślemy akta do archiwum. Nie mogłam zrozumieć, dlaczego nie spisano zeznań chłopców. Z tego, co mówisz, wynika, że zeznania zostały spisane, ale potem gdzieś się zapodziały. Nie przypominasz sobie nazwisk tych chłopców, co?

Jane wzruszyła ramionami.

– Przykro mi. Wiem, że to dzieciaki z naszej części osiedla, ale tak naprawdę to ich nie znam.

– Wiesz może, gdzie mieszkają?

– Och... Jednego jednak znam – uśmiechnęła się Jane. – Przypomniało mi się: Kevin Milligan. Mieszkał nad naszym starym mieszkaniem w szóstce. Drażnił się z babcią i rzucał balony z wodą na nasz balkon.

14:50

– O, Chryste Panie – westchnęła z rezygnacją mama Kevina Milligana, otworzywszy drzwi przed policjantką. – Co on znowu nabroił? Kevin! Chodź tutaj natychmiast!

– Niczego nie nabroił – powiedziała Millie, z uśmiechem patrząc na przestraszonego dziesięciolatka w bluzie angielskiej reprezentacji rugby, który ostrożnie wysunął się ze swojej sypialni.

Policjantka weszła do przedpokoju.

– Cześć, Kevin. Mogę ci zadać kilka pytań na temat tego wypadku z zeszłego roku? Wiesz, kiedy widziałeś, jak Will Clarke spada z dachu. Nie sprawi ci to przykrości?

– Nie – burknął Kevin, krzywiąc się na myśl, że ktoś mógł posądzić go o wrażliwość.

Millie zauważyła drugiego chłopca, nieśmiało wystawiającego głowę z sypialni.

– To Adrian, jego wspólnik w zbrodni – wyszczerzyła się pani Milligan, zamykając drzwi wejściowe. – On też tam był.

– Znakomicie – ucieszyła się Millie. – Przepytam was obu. To nie potrwa długo.

Kevin zaprowadził Millie do swojego pokoju. Zapas przekąsek i rozłożony na dywanie elektryczny tor do wyścigów samochodowych zdradzał, że chłopcom przerwano dobrą zabawę. Millie usiadła na brzegu łóżka Kevina. Pani Milligan stanęła na progu.

– Wygląda na to, że zgubiliśmy wasze zeznania – wyjaśniła Millie. – Chciałabym wiedzieć, czy pamiętacie cokolwiek z tego, co się wtedy zdarzyło.

– Nie widziałem niczego oprócz kolesia, który walnął w glebę – powiedział Kevin. – Zacząłem uciekać, ale z bloku wyleciał ten gliniarz i wpadł na mnie.

– Znasz tego policjanta?

– To ten Hindus.

– Sierżant Patel?

Kevin kiwnął głową.

– Właśnie. Akurat zbiegał po schodach.

Millie zdawała sobie sprawę z wagi tego oświadczenia. Michael od początku twierdził, że dopiero co przyjechał na miejsce i właśnie wysiadał z samochodu, kiedy usłyszał krzyk Hany.

– A ty, Adrian? Co widziałeś?

– Widziałem, jak ten chłopak spada. Potem spojrzałem do góry i tam chyba ktoś był.

– Naprawdę? – zapytała Millie.

Pani Milligan uniosła brwi w zdumieniu.

– Jesteś pewien, Adrian? No bo w gazetach i wszędzie mówili, że to był wypadek.

– No... Nie mogę powiedzieć na pewno, bo widziałem go tylko przez chwilę. Ale zdawało mi się, że na dachu był jakiś facet i jak spojrzałem, to znikł.

– A twoi koledzy? – zapytała Millie. – Czy tylko ty coś widziałeś?

Adrian pokręcił głową.

– Nie, psze pani. Robert też go widział.

15:18

James poprosił o pozwolenie powrotu do hotelu, skąd mógłby sprawniej śledzić rozwój wydarzeń, ale John kazał mu czekać w Palm Hill na wypadek pojawienia się nieprzewidzianych okoliczności.

Leżał na łóżku, słuchając komunikatów odbieranych przez krótkofalówkę i co jakiś czas dzwoniąc do Laury po najświeższe wiadomości. Wiedział już, że Alan Falco zgubił zeznania chłopców oraz że John i Ray są w drodze do jego domu.

James czuł się źle, wylegując się w mieszkaniu, podczas gdy łańcuchy wydarzeń strzelały w przeróżnych ekscytujących kierunkach zupełnie bez jego udziału. Zdawał sobie sprawę, że misja ma się ku końcowi, i zastanawiał się, czy kiedy wróci do kampusu, Kyle i cała reszta wciąż będą go bojkotować.

Potem przypomniał sobie o Hanie i wysłał jej SMS-a, w którym przepraszał za swoje wcześniejsze zachowanie. Nie odpowiedziała.

15:52

Po przejściu na emeryturę Alan Falco przeprowadził się wraz z żoną do Southend w hrabstwie Essex. Dotarcie tam ze wschodniego Londynu zajęło Johnowi i Rayowi czterdzieści minut.

– Niezła chata – zauważył John, kiedy szli po łagodnie wspinających się stopniach w stronę drzwi.

Ray bez słowa wskazał na naklejkę na tylnej szybie samochodu Falco: „Kolejny zadowolony klient firmy PRESTIŻOWE AUTA TARASOWA".

Ponieważ nikt nie odpowiadał na dzwonek, John na palcach przekradł się na tyły domu, by zajrzeć do ogrodu. Nagle podskoczył, kiedy zza muru dobiegło go wołanie sąsiada:

– Staruszek jest trochę przygłuchy. Siedzi w szklarni.

– Dzięki – uśmiechnął się John.

Otworzył drewnianą furtkę i wszedł do ogrodu. Ray podążył za nim przez starannie przystrzyżony trawnik do ogromnej szklarni, szczelnie wypełnionej doniczkami z kwiatami i sadzonkami.

– Pan Falco? – zapytał John.

Falco nie miał jeszcze sześćdziesięciu lat, ale wyglądał na starszego. Siwa broda, rozpięta pod szyją koszula i szelki pasowały do opisu Millie, która określiła go jako sympatycznego starego poczciwca.

– Piękne rośliny – powiedział John. – Musiał się pan nieźle napracować.

Falco rozpromienił się.

– Mam mnóstwo czasu, panie...

John pozwolił Rayowi błysnąć odznaką.

– Inspektor McLad z wydziału wewnętrznego. To mój kolega, pan Jones.

– Wewnętrzny? – uśmiechnął się Falco. – Czy byłem niegrzeczny?

– Zeznania świadków śmierci Williama Clarke'a – powiedział Ray, przechodząc od razu do sedna sprawy. – Czy przypomina pan sobie, by spisywał pan jakieś? Albo by wziął pan pieniądze od Leona Tarasowa za ich zgubienie?

Twarz sympatycznego poczciwca stężała. John wyjął z kieszeni magnetofon kasetowy i wcisnął przycisk „play".

– *Nie rozumiem, w jaki sposób doprowadziłeś się do takiego stanu z powodu samochodu, Michael, ale cokolwiek za tym stoi, musisz nauczyć się panować nad sobą. Ostatnim razem, kiedy tak ci odbiło, zrzuciłeś z dachu Willa Clarke'a. Nie pojmuję, jak po tym wszystkim możesz jeszcze przychodzić do mnie i próbować mnie okantować. Odsiadywałbyś dożywocie, gdybym nie namówił Falca, żeby załatwił sprawę zeznań świadków.*

Falco nie wiedział, gdzie podziać wzrok. Na twarzy Raya wykwitł złowieszczy uśmiech człowieka, który wie, że złapał swoją ofiarę za jaja.

– Panie Falco, mamy mocne dowody na to, że Michael Patel zabił Willa Clarke'a, prawdopodobnie dość mocne, by posłać go za kratki. Ale jeśli stawi się pan w sądzie i przyzna, że przyjął pieniądze od Leona Tarasowa, by kryć Michaela Patela, nasza sprawa będzie jak lita skała.

Falco zrozumiał, że proponuje mu się układ, który może uchronić go przed spędzeniem reszty życia w więzieniu. Starannie dobierał słowa na wypadek, gdyby John albo Ray potajemnie nagrywali rozmowę.

– Hipotetycznie, gdyby istniał sposób, w jaki mógłbym wam pomóc, panowie, musiałbym zażądać całkowitego odstąpienia od oskarżenia, i to nie tylko w tej sprawie, ale także we wszystkich innych, jakie ewentualnie mogłyby wypłynąć w wyniku dochodzenia dotyczącego korupcji w komisariacie Palm Hill.

16:18
Millie Kentner i Greg Jackson szli w stronę komisariatu policji Palm Hill. Byli pewni, że zgromadzili wszystkie potrzebne dowody:

(1) Dwaj chłopcy zeznali, że widzieli mężczyznę na dachu.
(2) Inny chłopiec wpadł na Michaela Patela, kiedy ten zbiegał ze schodów.
(3) Przy zwłokach ewidentnie martwego Willa Michael zachowywał się w podejrzany sposób.
(4) Zarejestrowano rozmowę, podczas której Michael i Leon otwarcie mówili o morderstwie.
(5) Co najważniejsze, Alan Falco zgodził się zeznać przed sądem, że Leon Tarasow zapłacił mu za zniszczenie zeznań chłopców, świadków śmierci Willa.

Millie i Greg weszli do biura prewencji w komisariacie, gdzie zastali Michaela pochylonego nad fotokopiarką.

– Michael – zaczęła Millie, rozciągając twarz w przyjaznym uśmiechu. – Byłbyś łaskaw wstąpić do mojego gabinetu? Jest ze mną Greg Jackson z wewnętrznego.

– James Holmes i WW – jęknął Michael. – Tylko tego mi trzeba po takim dniu.

– Co ci się stało w nos? – zapytała Millie, prowadząc sierżanta w stronę swojego biura.

– Rozbiłem o drzwi.

Millie usiadła w fotelu. Greg wyciągnął kajdanki.

– Michaelu Patel, aresztuję cię pod zarzutem zamordowania Williama Clarke'a. Masz prawo zachować milczenie. Od tej pory cokolwiek powiesz, zostanie zarejestrowane i może zostać wykorzystane przeciwko tobie...

Michael zbladł, jakby za chwilę miał zemdleć. Millie spojrzała na zegarek. Gdzieś w Palm Hill dwaj inni policjanci jechali po Leona Tarasowa.

36. SERCE

Rzeczy Jamesa i Dave'a miała odwieźć do kampusu szara furgonetka obserwacyjna. James i John znosili bagaże na dół, kiedy na balkonie pojawiła się Liza Tarasow.

– Co się dzieje, James?

James trzymał przed sobą przenośny telewizor.

– Gliny zgarnęły Dave'a razem z Piotrem i Leonem, więc wracam do domu dziecka.

– Na stałe?

– Na to wygląda – powiedział James ponuro. – Moja opiekunka dostała piany. Pozwolili mi mieszkać z Dave'em pod warunkiem, że nie będzie z nami żadnych problemów, a tu jeszcze nie minął miesiąc, jak obaj trafiliśmy do aresztu. Dave był na warunku, więc nie wróci tu prędko, a mnie nie wolno mieszkać samemu.

– Wielka szkoda – zasmuciła się Liza. – Fajnie było mieć was za sąsiadów. Ożywialiście to miejsce.

Telewizor był ciężki. James postawił go między nogami.

– Hana jest chyba na mnie wkurzona. Wysłałem jej esa, ale nie odpowiada.

Liza skinęła głową.

– Dzwoniła do mnie, więc wszystko wiem i mam szczerą nadzieję, że jej nie zdradzałeś. Naprawdę dużo przeszła przez ten rok.

James wzruszył ramionami.

– Najlepiej będzie, jeśli zniknę z jej życia.

– Myślę, że wciąż cię lubi.

– No tak, ale ja idę do domu dziecka. Za parę tygodni przeniosą mnie do rodziny zastępczej, a to może być gdziekolwiek. Lepiej zostawić to tak, jak jest. No wiesz, miłe wspomnienia i w ogóle...

W drzwiach mieszkania pojawił się John z przewieszoną przez ramię sportową torbą wypełnioną ubraniami Dave'a.

– Rusz się, James. Sam nie przeniosę tego wszystkiego.

James spojrzał na Lizę i posmutniał.

– Lepiej już pójdę. Powiedz Hanie, że nigdy o niej nie zapomnę, dobrze?

Liza skinęła głową, podczas gdy James schylił się po telewizor.

– Powiem jej.

– Maks jest w domu? – zapytał James. – Myślisz, że mógłbym wpaść na sekundę i pożegnać się z nim?

– Lepiej nie – powiedziała Liza. – Mamy tam prawdziwy dom wariatów. Maks ryczy jak bóbr z powodu aresztowania wujka Leona i Piotra, a do cioci Saszy na razie lepiej nie podchodzić, bo Sonia wszczęła z nią piekielną awanturę, winiąc o wszystko wujka.

James uśmiechnął się lekko.

– To wyjaśnia, dlaczego tu jesteś. Przykro mi z powodu twojego wujka.

– Sonia ma rację co do jednego. – Liza wzruszyła ramionami. – Wujek Leon jest jak teflon: nic się go nie trzyma. Prawdopodobnie wróci do domu za kilka godzin.

– Mam nadzieję – skłamał James. – Dobra, lepiej zniosę to na dół, zanim urwie mi ręce.

– W porządku – powiedziała Liza, odprowadzając Jamesa wzrokiem, kiedy ruszył w stronę klatki schodowej z telewizorem na brzuchu. – Na razie, James.

Czwartek 00:02

James siedział w furgonetce pędzącej autostradą M11, kiedy rozdzwoniła się jego komórka. To była Hana. James gapił się na wyświetlacz, wyobrażając sobie Hanę na jej łóżku, z pomarańczowymi paznokciami u stóp, oświetloną falującym blaskiem lawa-lamp. Myślał o tym, co chciała mu powiedzieć i w jakim jest nastroju, ale nie odpowiedział. Kiedy telefon przestał dzwonić, wyjął baterię, wyciągnął kartę SIM i przełamał ją na pół.

– Kolejny numer telefonu, jakiego nie muszę pamiętać – powiedział do Johna, uśmiechając się, choć w głębi serca czuł smutek.

John skinął głową, nie odrywając wzroku od ginącej w ciemności wstęgi drogi. Miał podkrążone oczy człowieka, który bardzo potrzebuje porządnego snu.

James wyciągnął nylonowy portfel z tylnej kieszeni dżinsów i rozerwał rzepowe zamknięcie. Z małej, zamykanej na suwak kieszonki wyjął kartę SIM, z której korzystał w kampusie, po czym zamontował ją w telefonie. Po włączeniu aparatu i przeczekaniu komunikatu startowego – który Laura wiele miesięcy temu zmieniła na *Jesteś głupi* – przejrzał spis zapisanych numerów i w gardle urosła mu wielka gula: *Bruce, Cal, Connor, Gab, Kerry, Kyle, Laura, Mo, Shak.*

Oprócz Laury wszyscy z listy bojkotowali go. Podświetlił numer Kerry i zastanowił się nad SMS-em. Dwa dni wcześniej pocałunek zadziałał i chyba warto było spróbować. Ale co napisać?

Napisał PRZEPRASZAM, skasował to, a potem wystukał jeszcze raz. Po kolejnym skasowaniu doszedł do połowy JEST MI BARDZO PRZYKRO, zanim uznał, że to brzmi zbyt pompatycznie. Chciał powiedzieć Kerry, że dzięki niej czuje się wyjątkowy. Chciał powiedzieć, że może nie jest najseksowniejszą ani najpiękniejszą dziewczyną na świecie, ale to właśnie z nią pragnie być i z nikim innym.

James uświadomił sobie, co tak naprawdę chce napisać, i wystukał to na klawiaturze telefonu: KERRY, KOCHAM CIĘ. Spędził długą minutę z kciukiem zawieszonym nad przyciskiem „Wyślij", nim znalazł w sobie dość odwagi, by go nacisnąć.

00:18
Telefon Jamesa zapiszczał. Na ekranie pojawił się rysunek koperty i napis: *1 nowa wiadomość od Kerry*:

MUSIMY POGADAĆ :)
DO ZOBACZENIA NA ŚNIADANIAU. K.

EPILOG

POLICJANCI

Koniec dochodzenia CHERUBA w sprawie Leona Tarasowa był zaledwie początkiem pracy dla RAYA McLADA i GREGA JACSKONA z Wydziału Wewnętrznego Policji Stołecznej. Ich zespół potrzebował kolejnych sześciu miesięcy, by zgromadzić dowody przeciwko piętnastu skorumpowanym policjantom, którzy pracowali w komisariacie Palm Hill w okresie minionych dwudziestu lat. Pięciu z nich zmuszono do rezygnacji ze służby. Dziewięciu innych aresztowano i oskarżono o wiele poważnych przestępstw, takich jak przyjmowanie łapówek, manipulowanie dowodami oraz wymuszanie haraczy do spółki z Leonem Tarasowem. Jeden z policjantów został uwolniony od wszelkich zarzutów. Pozostałych ośmiu skazano na kary więzienia od dwóch do dziewięciu lat.

Ostatni z piętnastu podejrzanych ALAN FALCO nie stanął przed sądem. Zeznania staruszka walnie przyczyniły się do skazania jego byłych kolegów. Falco musiał wynieść się z domu w Southend po otrzymaniu serii anonimów z pogróżkami, utracie samochodu podpalonego przez nieznanego sprawcę oraz znalezieniu napisu „Kapuś", wymalowanego sprayem na szklarni.

Rozczarowana przebiegiem swojej policyjnej kariery MILLIE KENTNER wzięła dwumiesięczny urlop. Po rozważeniu różnych możliwości – w tym propozycji podjęcia pracy opiekunki w CHERUBIE – Millie postanowiła zostać w stołecznej policji. Na własną prośbę przeniesiono ją do wydziału wewnętrznego, gdzie obecnie dowodzi tajną jednostką specjalizującą się w tropieniu skorumpowanych policjantów.

ZŁODZIEJE
LEON TARASOW i MICHAEL PATEL stanęli przed sądem w związku z rabunkiem w kasynie Golden Sun oraz późniejszym morderstwem WILLA CLARKE'A. Wobec niepodważalności zgromadzonych dowodów Leon Tarasow przyznał się do wszystkich zarzutów dotyczących rabunku oraz trzech innych odnoszących się do tuszowania morderstwa Willa Clarke'a. Sąd skazał go na dwanaście lat więzienia.

Michael Patel nie przyznał się do winy. Po trzytygodniowym procesie sąd przysięgłych z Old Bailey uznał Michaela za winnego zarówno rabunku w Golden Sun, jak i morderstwa Willa Clarke'a. Sędzia określiła jego czyn jako: „najbardziej odrażającą zbrodnię popełnioną przez funkcjonariusza policji, z jaką mieliśmy i prawdopodobnie kiedykolwiek będziemy mieli do czynienia". Zaleciła także, by prawo do ubiegania się o zwolnienie Michael uzyskał dopiero po odsiedzeniu osiemnastu lat ze swojego dożywotniego wyroku.

Nagrania wykonane podczas prowokacji CHERUBA zostały wykorzystane w procesie, ale przedstawione jako dowody zebrane przez Millie Kentner i zespół z Wydziału Wewnętrznego. Roli, jaką CHERUB odegrał w tej operacji, nigdy nie ujawniono. Leon i Michael podejrzewali, że w dniu aresztowania byli manipulowani, ale nie byli w stanie niczego dowieść.

PATRYCJI PATEL nie udowodniono współudziału w obrabowaniu kasyna, ale postawiono zarzuty dotyczące wyprania dwustu dwudziestu tysięcy funtów – trzeciej części łupu z grabieży przypadającej na jej męża. Ze względu na młody wiek jej córki i wcześniejszy brak konfliktów z prawem Patrycję skazano tylko na dwa lata w zawieszeniu. Jej bmw cudownym sposobem odzyskało pełną sprawność, podczas gdy ona i Michael byli przesłuchiwani przez policję.

PIOTR TARASOW został przesłuchany w sprawie rabunku i zwolniony. Nie postawiono mu żadnych zarzutów. Piotr zrezygnował ze studiów i obecnie prowadzi rodzinne firmy Tarasowów wraz ze swoją ciocią Saszą.

Miejsce pobytu trzeciego domniemanego rabusia – ERYKA CRISPA – pozostaje nieznane. Policja rozesłała za nim list gończy i wyraża przekonanie, że prędzej czy później trafi na jego ślad.

RESZTA

Podsłuchy, które zainstalowano w samochodzie i gabinecie GEORGE'A STEINA przez Jamesa Adamsa i Shakeela Dajaniego dostarczyły nowych informacji o działalności organizacji terrorystycznej Help Earth!. Operacja była drobną częścią wciąż toczącego się dochodzenia prowadzonego przez wiele agencji wywiadowczych z całego świata.

Powrót JAMESA ADAMSA do kampusu był początkiem odwilży w jego stosunkach z przyjaciółmi. Lody przełamali Kyle i Bruce – sami nieraz będący w tarapatach. Inni zaczęli znów rozmawiać z Jamesem w ciągu następnych tygodni.

KERRY CHANG znowu jest w dobrych stosunkach z Jamesem, ale zdecydowała, że nie będzie z nim chodzić – przynajmniej na razie.

CHERUB: HISTORIA (1941–1996)

1941 Podczas drugiej wojny światowej Charles Henderson, brytyjski agent działający w okupowanej Francji, wysłał raport do swojego dowództwa w Londynie. Chwalił w nim sposoby, w jakie francuski ruch oporu wykorzystywał dzieci do przemycania przesyłek przez punkty kontrolne i wyciągania informacji od niemieckich żołnierzy.

1942 Henderson utworzył niewielki oddział dziecięcy pod dowództwem brytyjskiego wywiadu wojskowego. Oddział składał się z chłopców w wieku trzynastu i czternastu lat, głównie uchodźców z Francji. Po podstawowym szkoleniu szpiegowskim zrzucono ich na spadochronach na terytorium Francji. Chłopcy pomogli w zebraniu ważnych informacji, które później wykorzystano podczas przygotowań do inwazji w Normandii w 1944 r.

1946 Jednostkę znaną jako Chłopcy Hendersona rozwiązano. Większość jej członków wróciła do Francji. Istnienie jednostki nigdy nie zostało oficjalnie potwierdzone.

Charles Henderson wierzył, że dzieci mogą być skutecznymi agentami także w czasie pokoju. W maju 1946 r. otrzymał pozwolenie na utworzenie agencji CHERUB z siedzibą w opuszczonej wiejskiej szkole. Pierwsi agenci (dwudziestu chłopców) mieszkali w drewnianych barakach za boiskiem szkolnym.

1951 Przez pierwsze pięć lat CHERUB zmagał się z poważnymi kłopotami finansowymi. Wszystko zmieniło się po pierwszym znaczącym sukcesie: dwaj agenci zdemaskowali siatkę radzieckich szpiegów kradnących informacje o brytyjskim programie zbrojeń atomowych. Rząd był zachwycony. CHERUB otrzymał środki na rozwój. Wybudowano nowocześniejszy ośrodek, a liczbę agentów zwiększono z dwudziestu do sześćdziesięciu.

1954 Dwaj agenci CHERUBA Jason Lennox i Johan Urmiński zostali zabici podczas tajnej operacji w Niemczech Wschodnich. Nikt nie wie, jak zginęli. Rząd rozważał likwidację agencji, ale w owym czasie już ponad siedemdziesięciu funkcjonariuszy CHERUBA wykonywało ważne zadania na całym świecie. Dochodzenie w sprawie śmierci chłopców doprowadziło do wprowadzenia nowych środków bezpieczeństwa:
1) Utworzono komisję do spraw etyki. Od tej pory plan każdej misji musiał być zatwierdzony przez trzyosobowy zespół ekspertów.
2) Jason Lennox miał dziewięć lat. Po jego śmierci wprowadzono minimalny wiek uprawniający do wykonywania misji: dziesięć lat i cztery miesiące.
3) Zaczęto stosować bardziej rygorystyczne podejście do kwestii przygotowania agentów i wprowadzono studniowe szkolenie podstawowe.

1956 Choć wielu uważało, że dziewczęta nie nadają się do pracy w wywiadzie, CHERUB przyjął pięć dziewczyn w ramach eksperymentu. Eksperyment ten powiódł się znakomicie. W ciągu roku liczba dziewcząt w szeregach agencji zwiększyła się do dwudziestu, a w ciągu kolejnych dziesięciu lat zrównała z liczbą chłopców.

1957 Wprowadzono system kolorowych koszulek.

1960 Po kolejnych sukcesach CHERUB mógł sobie pozwolić na kolejne powiększenie liczebności, tym razem do 130 agentów. Otaczające siedzibę agencji pola wykupiono i ogrodzono. Była to mniej więcej jedna trzecia obszaru zajmowanego dziś przez kampus CHERUBA.

1967 Katherine Field stała się trzecim członkiem CHERUBA, który zginął podczas akcji. Ukąsił ją wąż podczas operacji w Indiach. Do szpitala trafiła w ciągu pół godziny, ale wąż został błędnie zidentyfikowany i Katherine podano niewłaściwą surowicę.

1973 Z biegiem lat siedziba CHERUBA stała się zbiorowiskiem małych budynków. Rozpoczęto budowę nowej dziewięciopiętrowej kwatery głównej.

1977 Wszyscy agenci CHERUBA są sierotami albo dziećmi opuszczonymi przez rodzinę. Max Weaver był jednym z pierwszych funkcjonariuszy agencji. Później dorobił się fortuny, budując biurowce w Londynie i Nowym Jorku. Zmarł w 1977 r. w wieku czterdziestu jeden lat. Przed śmiercią nie miał żony ani dzieci, zapisał swój majątek wychowankom z CHERUBA. Fundusz powierniczy Maksa Weavera sfinansował wzniesienie wielu budynków kampusu, w tym krytego ośrodka sportowego i biblioteki. Obecnie aktywa funduszu przekraczają miliard funtów.

1982 Thomas Webb zginął na minie na Falklandach-Malwinach, stając się czwartym agentem CHERUBA, który zginął w akcji. Thomas był jednym z dziewięciu małych agentów działających w rozmaitych operacjach podczas konfliktu falklandzkiego.

1986 Rząd zezwolił CHERUBOWI na zwiększenie liczebności do czterystu agentów. Mimo to ich liczba zatrzymała się znacznie poniżej tej granicy. CHERUB potrzebuje funkcjonariuszy inteligentnych, o dobrej kondycji fizycznej i bez powiązań rodzinnych. Dzieci spełniające wszystkie warunki są szalenie trudne do znalezienia.

1990 CHERUB dokupił więcej ziemi, powiększając obszar swojej siedziby, oraz poprawiając jej zabezpieczenia. Na wszystkich brytyjskich mapach kampus jest zaznaczony jako wojskowa strzelnica. Prowadzi do niego tylko jedna droga. Zewnętrznego muru kampusu nie widać z okolicznych dróg. Przestrzeń powietrzna nad ośrodkiem jest zamknięta dla śmigłowców i samolotów lecących na wysokości mniejszej niż dziesięć tysięcy metrów. Zgodnie z Ustawą o tajemnicy państwowej za nielegalne przekroczenie granic kampusu grozi dożywocie.

1996 CHERUB uczcił swoje pięćdziesiąte urodziny otwarciem basenu nurkowego i krytej strzelnicy. Na uroczystości zaproszono wszystkich byłych agentów. Gości z zewnątrz nie było. Zjawiło się ponad dziewięćset osób ściągniętych z różnych zakątków świata. Wśród gości znalazł się między innymi były premier oraz gwiazdor rocka, który sprzedał ponad 80 milionów płyt.

Po pokazie sztucznych ogni goście rozstawili namioty i przenocowali w kampusie. Następnego ranka przed odjazdem zebrali się wokół kaplicy, by uczcić pamięć czworga dzieci, które oddały za CHERUBA swoje życie.

Nowa seria książek dla młodzieży Roberta Muchamore'a ucieszy zwłaszcza fanów bestsellerowego cyklu „Cherub", którego jest znakomitym dopełnieniem. Dla nich „Henderson's Boys", czyli Agenci Hendersona, to powrót do przeszłości, fascynująca historia początków CHERUBA, tajnej komórki brytyjskiego wywiadu szkolącej dzieci na profesjonalnych szpiegów. Ale ta nowa seria stanowi także odrębną całość, przeznaczoną nie tylko dla czytelników „Cheruba". To wciągająca, miejscami wstrząsająca, a gdzie indziej pełna humoru historia dzieci, których wojenna zawierucha cisnęła w fascynujące, ale bynajmniej nie cukierkowe życie. Przeżywając pasjonujące przygody, młodzi uchodźcy przechodzą twardą szkołę, stając przed najzupełniej dorosłymi problemami, nieraz popełniając tragiczne błędy i wpadając w kłopoty przez swoje nieodpowiedzialne wybryki, ponieważ nawet przebrane za szpiegów i dywersantów dzieci są tylko dziećmi.

Rok po wybuchu drugiej wojny światowej, po pogromie brytyjskiej siatki szpiegowskiej w Europie Zachodniej, Charles Henderson zostaje ostatnim czynnym agentem brytyjskiego wywiadu w okupowanej Francji. Los wiąże go z czworgiem osieroconych dzieci, które bierze pod swoją opiekę. Chciałby zapewnić im bezpieczeństwo i pomóc w ucieczce do Anglii; z drugiej strony małoletni uchodźcy są jego jedyną szansą na wznowienie działalności wywiadowczej i przeprowadzenie operacji, od których sukcesu zależą losy wojny.

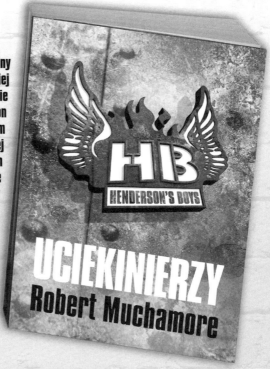

W serii **CHERUB** ukazały się:

Rekrut
Kurier
Ucieczka
Świadek
Sekta
Bojownicy
Wpadka
Gangster
Lunatyk
Generał